Microsoft Excel 2002 voor Dummies

Microsoft Excel 2002
voor Dummies

Greg Harvey

ADDISON WESLEY

Hungry Minds™

Een imprint van Pearson Education

Amsterdam • Hongkong • Kaapstad • Londen
Madrid • Milaan • München • New York • Parijs • San Francisco
Singapore • Sydney • Tokio • Toronto

Vertaling van: *Excel 2002 for Dummies*
Foster City, Californië: Hungry Minds, 2001
ISBN 90-430-0481-2
NUGI 854
Trefw.: spreadsheets

Vertaling, redactie, opmaak & omslag: Fontline, Nijmegen

Dit boek is gedrukt op een papiersoort die niet met chloorhoudende chemicaliën is gebleekt. Hierdoor is de productie van dit boek minder belastend voor het milieu.

Voor Chris en onze toekomst.

De inhoud in vogelvlucht

Inhoudsopgave

Over de auteur

Greg Harvey is afkomstig uit de zogeheten Midwest van de Verenigde Staten en is in 1949 geboren in de buurt van Chicago, in de donkere tijden van de Koude Oorlog, voor het tijdperk van McDonald's, MTV en zeker personal computers. Aan de kust van het Michigan-meer leerde hij lezen en schrijven. Na veel goede en minder goede cijfers kwam hij in 1963 van de Roosevelt School.

Tijdens zijn verblijf op de Thornridge High School in een saaie voorstad van Chicago (Dolton, Illinois), vond hij verlichting in Motown-muziek en een toneelgroep. Verveeld met wat moest doorgaan voor een voorbereiding op een academische studie doorliep hij de middelbare school in drie jaar. Terugkijkend op deze vormende jaren was Greg dankbaar voor de fantastische liedjes en de filosofie van de toneelgroep 'Het leven is een banket, maar sommige arme sloebers verhongeren'.

In 1966 ging hij naar de universiteit van Illinois in Urbana waar hij zeer werd beïnvloed door grote filosofen als Mahatma Gandhi. In de zomer van 1968 kocht hij zijn eerste paar handgemaakte sandalen (van Glen, een hippie/sandalenmaker die zojuist was teruggekeerd van de Zomer der Liefde in San Francisco).

Tijdens zijn studiejaren raakte hij politiek betrokken. Hij was een van het handjevol mannen en vrouwen dat in tenten protesteerde tegen de avondklok voor vrouwen in de studentenhuizen op de campus (mannen en vrouwen sliepen in die tijd niet alleen in aparte huizen, maar vrouwen moesten door de week om 11 uur 's avonds en in het weekend om 1 uur 's nachts binnen zijn). Tijdens zijn volgende universiteitsjaren werd hij een regelmatige bezoeker van koffiehuis Red Herring, de thuishaven voor sociale activisten op de campus.

Naast vredesdemonstraties woonde Greg allerlei lessen bij in de alfawetenschappen. Zijn hoofdvak was klassieke talen (oud-Grieks en Latijn), terwijl hij als bijvakken Amerikaanse geschiedenis en Frans studeerde (Greg had aanleg voor vreemde talen, waarschijnlijk veroorzaakt door het feit dat hij altijd een grote mond had). Tijdens zijn studie van de klassieke talen kreeg hij voor het eerst les op de computer, waarbij hij Latijn leerde met een CAI-programma genaamd PLATO!

Aan het begin van 1971 (12 januari om precies te zijn) verhuisde Greg van Chicago naar San Francisco (met bloemen in zijn haar). Aangezien hij besloot dat het tijd werd een vak te leren, zodat hij een echte baan kon gaan zoeken, schreef hij zich in bij het teken- en ontwerpprogramma van Laney College in Oakland. Daarna bracht hij negen jaar door achter een warme tekentafel, waarbij hij (uiteraard met de hand) orthografische en perspectieftekeningen maakte voor allerlei projecten. Tijdens zijn laatste opdracht werkte hij met een CAD-softwarepakket dat was ontwikkeld door Bechtel Engineering, dat niet alleen de tekeningen genereerde, maar ook bijhield welk materiaal nodig was om de diverse onderdelen te maken.

Na zijn carrière als technisch tekenaar ging Greg in 1981 terug naar school op de San Francisco State University, ditmaal om een diploma te halen waarmee hij zou kunnen lesgeven op de middelbare school. Nadat hij deze lerarenopleiding had voltooid, kocht hij een van de eerste personal computers van IBM (met 16 Kb en één diskettestation van 160 Kb!), waarmee hij zijn lessen voor zou kunnen bereiden en gegevens over zijn studenten bij te houden. Hij herinnert zich nog levendig hoe hij zich verdiepte in het eerste nummer van *PC World*, op zoek naar elk beetje informatie dat hem kon helpen met die vermaledijde personal computer.

In plaats van les te gaan geven op een middelbare school kreeg Greg echter een baantje bij een klein softwarebedrijf, ITM, dat werkte aan een online database met software-informatie (en zijn tijd hiermee ver vooruit was). Een van zijn taken was nieuwe softwareprogramma's (zoals Microsoft Word 1.0 en Lotus 1-2-3 versie 1) te bekijken en artikelen voor zakelijke gebruikers te schrijven.

Nadat hij na het kerstfeest van 1983 werd ontslagen (de eerste maar zeker niet de laatste keer dat hij weg moest bij beginnende technische bedrijfjes), schreef Greg zijn eerste computerboek over tekstverwerkingssoftware voor Hayden Books (als gevolg van een stuk dat hij schreef toen hij nog fulltime bij ITM werkte). Daarna had Greg diverse baantjes waarbij hij software moest testen en lesgaf. Na enkele meer geavanceerde softwarebanen in Silicon Valley richtte Greg zich op softwareonderwijs om, zoals hij het verwoordt, 'zich beter te kunnen inleven in de arme ziel aan de terminal'. Gedurende de volgende drie jaar onderwees Greg allerlei softwareprogramma's aan zakelijke gebruikers van alle niveaus voor diverse grote, onafhankelijke softwareopleidingsinstituten in de omgeving van San Francisco.

In de herfst van 1986 kwam Greg in contact met Sybex, een plaatselijke verkoper van computerboeken, en schreef daarvoor zijn tweede educatieve computerboek, *Mastering SuperCalc*. De rest is, zoals ze zeggen, geschiedenis. Tot op heden heeft Greg meer dan dertig boeken over computersoftware geschreven, waarbij de titels uit de *Dummies*-reeks zijn persoonlijke favorieten zijn.

In het midden van 1993 stortte Greg zich in een nieuw multimedia-avontuur, genaamd 'Mind over Media'. Als multimediaontwikkelaar hoopt hij zijn toekomstige computerboeken te kunnen verlevendigen door ze te veranderen in ware interactieve leerervaringen die het onderwijs van gebruikers op alle niveaus aanzienlijk verbeteren. Je kunt hem een e-mail sturen op gharvey@mindovermedia.com en zijn website bezoeken op www.mindovermedia.com.

In 1999 begon Greg met een doctoraal opleiding aan de *California Institute of Integral Studies* (CIIS) in San Francisco. In de zomer van 2000 ontving hij een graad in filosofie en religie op het gebied van Aziatische en vergelijkende studies. In de herfst van dat jaar begon Greg met studie filosofie aan de CIIS, waar hij zich momenteel richt op het bestuderen van de klassieke Chinese en Tibetaanse taal en Chinese filosofie en religie.

Dankwoord

Ik wil deze gelegenheid te baat nemen om alle mensen, zowel bij Hungry Minds als bij Mind over Media, Inc., te bedanken. De combinatie van hun toewijding en hun talent heeft ervoor gezorgd dat dit boek in zo'n mooie vorm werd uitgebracht en jouw handen terechtkwam.

Bij Hungry Minds bedank ik Jill Schorr voor haar help bij dit project. Tevens wil ik Linda Morris en Teresa Artman bedanken voor de redactie. Dankzij hun bleef het project op koers, zodat de getalenteerde medewerkers van het productieteam dit mooie eindproduct konden maken.

Bij Mind over Media bedank ik Christopher Aiken voor het controleren van het bijgewerkte manuscript en zijn geweldige hulp en suggesties voor het verwerken van de nieuwe functies.

Inleiding

*W*elkom bij *Microsoft Excel 2002 voor Dummies*, het definitieve boek over Microsoft Excel 2002 voor diegenen die niet van plan zijn een spreadsheetexpert te worden. In dit boek vind je alle informatie die je nodig hebt om je hoofd boven water te houden terwijl je alledaagse taken uitvoert met Excel. Het is de bedoeling van dit boek om de zaken eenvoudig te houden en je niet te vervelen met technische details die je niet nodig hebt en waarin je ook niet geïnteresseerd bent. In dit boek heb ik zoveel mogelijk geprobeerd in eenvoudige termen te vertellen wat je nodig hebt om een taak in Excel uit te voeren.

In *Microsoft Excel 2002 voor Dummies* worden alle basistechnieken behandeld die je moet kennen om je eigen werkbladen te maken, te bewerken, op te maken en af te drukken. Dit boek bevat niet alleen een rondleiding door werkbladen, maar behandelt ook de basisprincipes voor het maken van grafieken en databases en legt uit hoe je spreadsheets omzet in webpagina's. Onthoud echter dat in dit boek alleen de gemakkelijkste manieren om te werken met grafieken, databases of webwerkbladen worden uitgelegd. Ik heb niet geprobeerd deze functies uitputtend te behandelen. Dit boek richt zich voornamelijk op spreadsheets, omdat de meeste mensen Excel gebruiken om spreadsheets te maken.

Over dit boek

Het is niet de bedoeling dat je dit boek van voren naar achteren doorleest. Hoewel de hoofdstukken losjes zijn ingedeeld in een logische volgorde (waarbij de moeilijkheidsgraad telkens toeneemt, net als wanneer je Excel in een klassikale situatie zou bestuderen), staat elk onderwerp dat in een hoofdstuk wordt behandeld op zichzelf.

Bij elk onderwerp geef ik eerst antwoord op de vraag wat het nut van die bepaalde functie is, voordat ik uitleg hoe je deze functie gebruikt. Net als in de meeste andere geavanceerde programma's is er in Excel meestal meer dan één manier om een taak uit te voeren. Om de zaken niet nog verwarrender te maken, worden gewoonlijk echter alleen de efficiëntste manieren om een taak uit te voeren toegelicht. Desgewenst kun je later experimenteren met alternatieve manieren om een taak te volbrengen. Voorlopig concentreer je je beter op de taken zoals ze worden beschreven.

Ik heb geprobeerd te voorkomen dat je dingen uit andere hoofdstukken moet onthouden. Af en toe zul je echter een verwijzing naar een ander deel of hoofdstuk tegenkomen. Deze verwijzingen zijn grotendeels bedoeld om ervoor te zorgen dat de informatie over een onderwerp zo volledig mogelijk is, mits je de tijd en de belangstelling daarvoor hebt. Als je geen van beide hebt, doe je maar net of de verwijzingen niet bestaan.

Hoe je dit boek gebruikt

Dit boek werkt als een naslagwerk, waarbij je eerst het onderwerp opzoekt waarover je informatie wilt (in de inhoudsopgave of in de index) en vervolgens direct het desbetreffende deel leest. De meeste onderwerpen worden op een verhalende manier uitgelegd. Soms worden echter de stappen opgesomd die je moet uitvoeren om een bepaalde taak te volbrengen.

Wat je gerust kunt negeren

Wanneer je een gedeelte tegenkomt met stappen die je moet volgen om een taak uit te voeren, kun je alle tekst die de stappen begeleidt (de tekst die tussen de genummerde stappen staat) negeren als je geen tijd of zin hebt om je een weg te banen door nog meer informatie. Waar mogelijk heb ik geprobeerd achtergrondinformatie of voetnoten van de essentiële feiten te scheiden door deze informatie in een kader te plaatsen. Deze gedeelten worden vaak aangeduid met een pictogram dat aangeeft welk type informatie je hier tegenkomt. Je kunt tekst die op deze manier is aangegeven gerust negeren. (De pictogrammen die in dit boek worden gebruikt, worden verderop toegelicht.)

Domme vooronderstellingen

Het enige waar in dit boek van uitgegaan wordt, is dat je (in elk geval af en toe) beschikt over een pc met Windows 98/Me (*Millennium Edition*) of Windows NT én Excel 2002 (zodat er mogelijk niet veel meer ruimte voor iets anders overblijft!). Er wordt echter niet verondersteld dat je Excel ooit hebt gestart, laat staan dat je er iets mee hebt gedaan. Dit boek is speciaal geschreven voor gebruikers van Excel 2002. Als je beschikt over een eerdere versie van Excel voor Windows (zoals Excel 2000) die draait onder de vorige versie van Windows (versie 3.1 of 95), leg dit boek dan opzij en lees *Microsoft Excel 2000 voor Dummies*, 2e editie.

Als je Excel 2000 voor Windows gebruikt (omdat je het nut van een upgrade nog niet inzag, omdat je geen geld wilt uitgeven aan een upgrade of omdat je over onvoldoende ruimte voor Excel 2002 beschikt nadat je Windows 98 hebt geïnstalleerd), kun je dit boek best gebruiken om meer te weten te komen over Excel 2000 voor Windows, mits je goed let op het pictogram van Excel 2002 in de linkermarge. Wanneer je dit pictogram ziet, betekent dit dat de hier besproken functies nieuw zijn in Excel 2002 (zodat ze niet aanwezig zijn in jouw versie van Excel). Ik wil geen boze brieven krijgen waarin wordt geschreven dat dit boek het mis heeft over een functie die niet beschikbaar is in jouw exemplaar van Excel. In dat geval heb je gewoon niet goed op het pictogram gelet!

De indeling van dit boek

Dit boek bestaat uit vijf delen (zodat er ook vijf van die leuke cartoons in staan!). Elk deel bestaat uit twee of meer hoofdstukken die min of meer bij elkaar horen. Elk hoofdstuk is onderverdeeld in losjes verbonden paragrafen waarin de basisbeginselen van het desbetreffende onderwerp worden behandeld. Je hoeft echter niet de structuur van dit boek te volgen. Uiteindelijk maakt het niet uit of je weet hoe je een werkblad bewerkt voordat je weet hoe je dit opmaakt, of dat je weet hoe je moet afdrukken, voordat je een werkblad kunt bewerken. Het belangrijkste is dat je de informatie vindt – en begrijpt – die je nodig hebt om een bepaalde taak uit te voeren.

Hierna volgt een korte beschrijving van elk deel.

Deel I: Instappen op de begane grond

Zoals de naam al aangeeft, worden in deel I de basisbeginselen besproken, zoals het programma starten, de onderdelen van het scherm herkennen, informatie invoeren in een werkblad, een document opslaan en dergelijke. Als je absoluut niets weet over het gebruik van spreadsheets, moet je de informatie in hoofdstuk 1 lezen, zodat je in elk geval weet waar je dit programma voor kunt gebruiken voordat je verdergaat.

Deel II: Bewerken zonder problemen

In deel II wordt uitgelegd hoe je spreadsheets bewerkt, zodat ze er goed uitzien, en hoe je wijzigingen aanbrengt zonder dat dit tot problemen leidt. In hoofdstuk 3 lees je hoe je gegevens opmaakt om de weergave ervan in het werkblad te verbeteren. In hoofdstuk 4 leg ik uit hoe je informatie in een werkblad verplaatst, verwijdert of invoegt. In hoofdstuk 5 wordt besproken hoe je het eindproduct afdrukt.

Deel III: Orde op zaken stellen en dit zo houden

Deel III bevat allerlei informatie over hoe je de ingevoerde informatie in de spreadsheet onder controle houdt. In hoofdstuk 6 vind je allerlei goede ideeën over hoe je de gegevens in één werkblad bijhoudt en organiseert. Hoofdstuk 7 biedt details over werken met gegevens in meerdere werkbladen in dezelfde werkmap. In dit hoofdstuk wordt bovendien uitgelegd hoe je gegevens tussen de bladen van verschillende werkmappen verplaatst.

Deel IV: Leven na de spreadsheet

In deel IV worden enkele andere aspecten van Excel, naast spreadsheets, behandeld. In hoofdstuk 8 lees je hoe gemakkelijk je een grafiek kunt maken op basis van de gegevens in een werkblad. In hoofdstuk 9 wordt uitgelegd hoe handig de databasemogelijkheden van Excel zijn wanneer je een grote hoeveelheid informatie moet bijhouden. In hoofdstuk 10 lees je hoe je hyperlinks toevoegt, waarmee je naar andere plaatsen in een werkblad, naar nieuwe documenten en zelfs naar webpagina's springt. Je leert ook hoe je werkbladen omzet in statische en dynamische (interactieve) webpagina's voor de website(s) van je bedrijf.

Deel V: Het deel van de tientallen

Zoals gebruikelijk in ... *voor Dummies*-boeken bevat het laatste deel lijsten met de tien nuttigste feiten, tips en suggesties.

Conventies in dit boek

Hierna wordt uitgelegd hoe de onderdelen van dit boek eruitzien.

Toetsenbord en muis

Excel 2002 is een geavanceerd programma met veel dialoogvensters, werkbalken en menu's. In hoofdstuk 1 lees je alles over deze onderdelen en wordt uitgelegd hoe je ze gebruikt.

Hoewel je de muis en sneltoetsen gebruikt om in een Excel-werkblad te navigeren, moet je ook de gegevens invoeren, zodat het werkblad iets bevat waarin je kunt navigeren. Daarom moet je af en toe iets invoeren in een specifieke cel in het werkblad. Uiteraard ben je niet verplicht deze instructies op te volgen. Wanneer je een specifieke functie moet invoeren, wordt datgene wat je moet typen, weergegeven in een speciaal lettertype. Zo betekent =SOM(A2:B2) dat je exact moet invoeren wat je hier ziet: een isgelijkteken, het woord SOM, een haakje openen, de tekst A2:B2 (met een dubbele punt ertussen) en een haakje sluiten. Tot slot druk je op Enter om de ingevoerde tekst te bevestigen.

Wanneer Excel niet met je communiceert via berichtvensters, toont het informatieve berichten in de statusbalk onder in het scherm. In dit boek worden deze berichten als volgt weergegeven:

```
=SOM(A2:B2)
```

Soms moet je een _toetsencombinatie_ of _sneltoets_ indrukken om een bepaalde taak uit te voeren. Sneltoetsen worden als volgt weergegeven: Ctrl+S. Dit plusteken betekent dat je de Ctrl-toets en de S-toets tegelijk moet indrukken voordat je ze weer loslaat. Dit kan enige oefening vereisen.

Wanneer je je een weg moet banen door een of meer menu's om bij de gewenste selectie aan te komen, worden soms _pijlen_ gebruikt om aan te geven hoe je van het menu via het submenu bij de uiteindelijke optie komt. Als je bijvoorbeeld eerst het menu Bestand moet openen om bij de opdracht Opslaan te komen, wordt dit aangegeven als Bestand ➪ Opslaan.

Menu's en menuopties bevatten een onderstreepte letter. Je kunt deze letters gebruiken door eerst de Alt-toets in te drukken en vervolgens op de achtereenvolgende onderstreepte letters te drukken. In het voorbeeld van Bestand ➪ Opslaan, druk je op Alt, op B en tot slot op P.

Speciale pictogrammen

In de marges van dit boek staan pictogrammen die je wijzen op informatie die je wel of niet kunt lezen.

Dit pictogram waarschuwt je voor diepgaande discussies die je waarschijnlijk wilt overslaan (of wilt lezen als je echt niets anders te doen hebt).

Dit pictogram wijst je op sneltoetsen of andere nuttige tips die betrekking hebben op het onderwerp dat wordt besproken.

Dit pictogram duidt op informatie die je moet onthouden als je een beetje succes wilt hebben.

Dit pictogram wijst op informatie die je moet onthouden om rampen te voorkomen.

Dit pictogram duidt op gloednieuwe functies die voor het eerst aanwezig zijn in Excel 2002.

En verder

Als je nog nooit met een spreadsheet hebt gewerkt, bekijk dan eerst de cartoons en lees vervolgens hoofdstuk 1 om te kijken waarmee je te maken hebt. Wanneer je al bekend bent met elektronische spreadsheets, maar niets weet over spreadsheets maken met Excel, lees dan hoofdstuk 2, waarin wordt uitgelegd hoe je gegevens en formules invoert. Als je vervolgens antwoord wilt krijgen op specifieke vragen (zoals 'Hoe kopieer ik een formule?' of 'Hoe druk ik een deel van een werkblad af?'), gebruik je de inhoudsopgave of de index, die je verwijst naar het juiste gedeelte.

Deel I

Instappen op de begane grond

In dit deel...

Na één blik op het venster van Excel 2002 (met al zijn vensters, knoppen en tabs) besef je dat hier een hoop aan de hand is. Dit heeft ongetwijfeld te maken met het feit dat de Windows-taakbalk is toegevoegd aan het (toch al zo volle) Excel 2002-venster, terwijl daarnaast ook nog eens de Office-werkbalk wordt weergegeven. Maak je echter niet ongerust: in hoofdstuk 1 worden de onderdelen van het Excel 2002-venster beschreven en word je wegwijs gemaakt in de vele pictogrammen, knoppen en vensters die je continu tegenkomt.

Uiteraard volstaat het niet achterover te leunen en iemand te laten vertellen wat zich op het scherm bevindt. Als je iets nuttigs met Excel wilt doen, moet je weten hoe je al deze toeters en bellen (in dit geval knoppen en vakken) gebruikt. Dat is de taak van hoofdstuk 2, waarin wordt uitgelegd hoe je enkele van de belangrijkste knoppen en vakken op het scherm gebruikt om de spreadsheetgegevens in te voeren. Dit eenvoudige begin vormt de opstap naar volledige macht over Excel.

Hoofdstuk 1

De onderdelen van Excel 2002

In dit hoofdstuk:

▶ Beslissen hoe je Excel kunt gebruiken

▶ Basisbeginselen van cellen

▶ Excel starten

▶ Het venster van Excel 2002

▶ Een overzicht van de Excel-werkbalken

▶ Navigeren in een Excel-werkmap

▶ Opties selecteren via menu's

▶ Opties selecteren via snelmenu's

▶ Hulp vragen aan de Office-assistent

▶ Excel afsluiten

*H*et feit dat elektronische programma's zoals Excel 2002 bijna even vaak aanwezig zijn op moderne pc's als tekstverwerkers en spellen, betekent niet dat ze ook even goed worden begrepen of gebruikt. In werkelijkheid zijn er massa's gebruikers, zelfs gebruikers die redelijk ervaren zijn met Microsoft Word, die weinig of geen idee hebben wat ze kunnen doen met Excel.

Dit gebrek aan kennis is zeer jammer; met name nu Office XP de enige software lijkt te zijn die op de meeste computers aanwezig is (waarschijnlijk omdat Windows 98/Me en Office XP samen zo veel plek op de harde schijf innemen dat er geen ruimte overblijft om andere software te installeren). Als jij een van die mensen bent die Office XP op hun computer hebben staan, maar een werkblad niet kunnen onderscheiden van een tafelblad, betekent dit dat Excel 2002 alleen maar veel waardevolle ruimte inneemt. Het is dus de hoogste tijd hier verandering in te brengen.

Wat kan ik met Excel doen?

Excel is een uitstekend hulpmiddel om allerlei soorten gegevens te ordenen, ongeacht of dit numerieke, tekstuele of andersoortige gegevens zijn. Aangezien het programma veel ingebouwde rekenmogelijkheden bevat, gebruiken de meeste mensen Excel voor financiële spreadsheets. Deze spreadsheets staan meestal boordevol formules die zaken berekenen als totale verkoop, nettowinst en -verlies, groeipercentages en dergelijke.

De grafiekmogelijkheden van Excel zijn eveneens populair, omdat je hiermee allerlei soorten grafieken en diagrammen kunt maken op basis van de getallen die je in financiële werkbladen invoert. In Excel kun je kolommen en rijen met saaie getallenreeksen gemakkelijk omzetten in kleurrijke en opvallende grafieken en diagrammen. Je kunt deze grafieken vervolgens gebruiken om geschreven rapporten (zoals rapporten die je maakt met Word 2002) of overheadsheets in zakelijke presentaties (zoals de presentaties die je maakt met PowerPoint) op te fleuren.

Zelfs als je geen werkbladen met veel financiële berekeningen of grafieken hoeft te maken, zijn er waarschijnlijk veel dingen waarvoor je Excel kunt en zou moeten gebruiken. Misschien moet je voor je werk bijvoorbeeld lijsten met informatie bijhouden of tabellen met informatie samenstellen. Excel is uitstekend geschikt om lijsten bij te houden (deze lijsten worden in Excel gewoonlijk *databases* genoemd) en tabellen te maken. Daarom kun je Excel altijd gebruiken als je een lijst wilt bijhouden met de producten die je verkoopt, de klanten die je bedient, de werknemers aan wie je leiding geeft of wat dan ook.

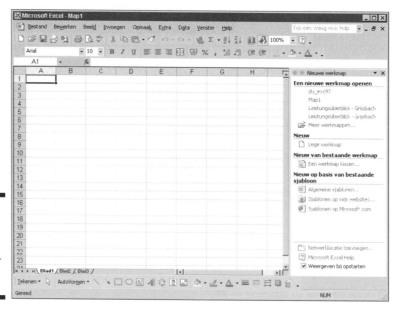

Figuur 1.1:
Heel veel kleine vakjes en ze zien er allemaal identiek uit

Kleine vakjes

Er is een goede reden waarom Excel zo goed is in het uitvoeren van financiële berekeningen via formules en het geordend houden van lijsten en tabellen met informatie. Bekijk maar eens een leeg Excel-werkblad (zoals dat in figuur 1.1). Wat zie je? Heel veel kleine vakjes. Deze kleine vakjes (elk werkblad dat je tegenkomt, bevat miljoenen vakjes) worden in spreadsheettaal *cellen* genoemd. Elk stuk informatie (zoals een naam, adres, geboortedatum of maandelijks verkoopcijfer) bevindt zich in zijn eigen vakje (cel) in het werkblad dat je maakt.

Als je tot nog toe vooral met een tekstverwerker gewerkt hebt, kan het even duren voordat je gewend raakt aan het idee om verschillende soorten informatie in te voeren in kleine cellen. In tekstverwerkingstermen lijkt het maken van een Excel-werkblad meer op het samenstellen van een tabel in een Word-document dan op het schrijven van een brief of rapport.

Stuur het naar mijn celadres

Zoals je in figuur 1.1 ziet, wordt het Excel-werkblad omgeven door een kader dat de kolommen en rijen aangeeft. De kolommen worden aangeduid met letters van het alfabet, terwijl de rijen zijn genummerd. De kolommen en rijen moeten een naam hebben omdat een Excel-werkblad zeer groot is. (Figuur 1.1 toont slechts een klein deel van het totale werkblad.) De kolom- en rijnamen fungeren als straatnaamborden in een stad: ze kunnen je helpen te bepalen waar je je momenteel bevindt, ook al voorkomen ze niet dat je verdwaalt.

Zoals je in figuur 1.2 ziet, geeft Excel de huidige positie in het werkblad voortdurend op drie manieren weer:

- Kijk eens naar de huidige celverwijzing in het werkblad in figuur 1.2. Boven het werkblad, in het zogenoemde *naamvak*, toont Excel de huidige cellocatie aan de hand van diens kolom- en rijverwijzing (respectievelijk 'D' en '5'). Een voorbeeld: wanneer de cel die momenteel actief is, zich bevindt op het snijpunt van kolom D en rij 5, staat links in de formulebalk de aanduiding D5. (Meer informatie over het zogenoemde celverwijzingssysteem vind je het grijze kader met de titel 'Cel A1, ook wel bekend als cel R1K1', verderop in dit hoofdstuk.)

- In het werkblad zelf wordt de momenteel geselecteerde, oftewel: de *huidige* of *actieve cel* (zie de toelichting in figuur 1.2), weergegeven met een dikke rand (ook wel de *celaanwijzer* genoemd).

- Aan de rand van het werkblad krijgen de vlakken met het rijnummer en de kolomletter van de actieve cel een blauwgrijze schaduw.

Waarom spreadsheetprogramma's alleen werkbladen produceren

In spreadsheetprogramma's zoals Excel 2002 worden de elektronische bladen werkbladen in plaats van spreadsheets genoemd. Hoewel het volstrekt aanvaardbaar (en zelfs wenselijk) is om één van de elektronische bladen een werkblad te noemen, noem je Excel *nooit* een werkbladprogramma, maar altijd een spreadsheetprogramma. Je kunt Excel dus beschouwen als een spreadsheetprogramma waarmee je werkbladen maakt, maar niet als een werkbladprogramma waarmee je spreadsheets maakt. (Aan de andere kant worden werkbladen in dit boek vaak spreadsheets genoemd.)

Je vraagt je wellicht af waarom Excel zo zijn best doet om aan te geven wat de actieve cel in het werkblad is. Het antwoord op deze vraag is belangrijk:

In een werkblad kun je alleen informatie invoeren of bewerken in de op dat moment actieve cel.

Huidige celverwijzing

Kolomletter en rijnummer blauwe schaduw

Celaanwijzer

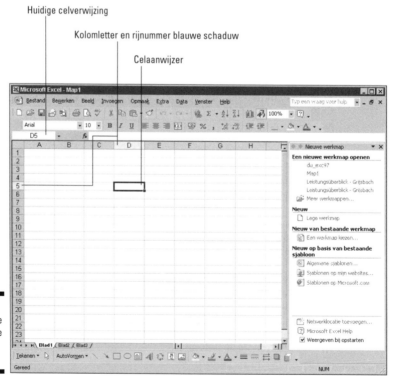

Figuur 1.2:
Excel laat je zien waar je bent in het werkblad

Cellen: de bouwstenen van elk werkblad

De cellen in een Excel-werkblad worden gevormd door de snijpunten van het raster met kolommen en rijen. In vaktermen wordt zo'n raster een matrix genoemd. Een matrix houdt de verschillende stukken informatie die erin zijn opgeslagen bij door ernaar te verwijzen met de rijpositie en de kolompositie (dit wordt duidelijk wanneer het celverwijzingssysteem R1K1 wordt besproken in het grijze kader met de titel 'Cel A1, ook wel bekend als cel R1K1', verderop in dit hoofdstuk). Dit betekent dat Excel de werkbladgegevens in de raster- en tabelindeling weergeeft door de rij- en kolompositie van de ingevoerde gegevens te lezen.

De gevolgen van deze schijnbaar onschuldige mededeling zijn enorm. Als je namelijk meer aandacht schenkt aan wat je in de spreadsheet moet invoeren dan aan de cel die op dat moment actief is, loop je het risico dat je reeds ingevoerde informatie vervangt door de nieuwe invoer. Dit betekent ook dat je informatie in een cel pas kunt bewerken nadat je deze cel hebt geselecteerd, waardoor deze cel de huidige cel wordt.

Hoeveel cellen zijn er precies?

Het is niet overdreven om te zeggen dat elk werkblad miljoenen cellen bevat die elk informatie kunnen bevatten. Elk werkblad bestaat uit 256 kolommen, waarvan in een nieuw werkblad gewoonlijk alleen de eerste 10 of 11 (A tot en met J of K) zichtbaar zijn. Daarnaast bevat elk werkblad 65.536 rijen, waarvan in een nieuw werkblad gewoonlijk alleen de eerste 15 tot 25 zichtbaar zijn. Als je 256 vermenigvuldigt met 65.536, kom je uit op in totaal 16.777.216 lege cellen in elk werkblad dat je gebruikt (meer dan 16 miljoen dus).

En alsof dat nog niet genoeg is, bevat elke nieuwe werkmap die je maakt drie werkbladen met elk 16.777.216 lege cellen. Dit levert een totaal op van 50.331.648 cellen in één Excel-bestand. Als dit nog te weinig blijkt te zijn, kun je meer werkbladen (elk met 16.777.216 cellen) aan de werkmap toevoegen.

26 letters toekennen aan 256 kolommen

Ons alfabet – dat uit slechts 26 letters bestaat – is ontoereikend om de 256 kolommen in een werkblad van een naam te voorzien. Daarom gebruikt Excel in geval van 27 of meer kolommen twee celletters in de kolomverwijzing: na kolom Z komen dan de kolommen AA, AB, AC enzovoort, tot en met AZ. Na kolom AZ komt kolom BA, gevolgd door BB, BC enzovoort. Volgens dit systeem is de 256ste (en laatste) kolom in het werkblad kolom IV, zodat de laatste cel van een werkblad de celverwijzing IV65536 heeft.

Wat je op dit moment over Excel moet weten

Tot nog toe zou je het volgende over Excel moeten weten:

- Elk Excel-bestand heet een *werkmap*.

- Elke nieuwe werkmap die je opent, bevat drie lege *werkbladen*.

  - Elk werkblad in een werkmap is verdeeld in enorm veel cellen waarin je je gegevens kunt typen.

  - Elke cel in deze drie werkbladen heeft een eigen celadres dat bestaat uit de kolomletter(s) en het rijnummer.

Wat je nog meer moet weten over Excel

Als je enkel en alleen met de voorgaande informatie gewapend bent, kun je echter gemakkelijk de verkeerde indruk krijgen dat een spreadsheetprogramma zoals Excel weinig meer is dan een grillige tekstverwerker waarin je gedwongen bent informatie in te voeren in kleine afzonderlijke cellen, in plaats van dat je beschikt over de ruimte van volledige pagina's.

Bill Gates is echter geen multimiljardair geworden door een grillige tekstverwerker te verkopen (gebruikers van Microsoft Word, mond houden!). Het grote verschil tussen de cel van een werkblad en de pagina's van een tekstverwerker is dat elke cel naast tekstbewerkings- en opmaakmogelijkheden ook *rekenkracht* biedt. Deze rekenkracht neemt de vorm aan van *formules* die je in de verschillende cellen van het werkblad kunt invoeren.

In tegenstelling tot een papieren werkblad, dat alleen waarden bevat die elders zijn berekend, kan een elektronisch werkblad zowel de formules als de berekende waarden van deze formules opslaan. Beter nog: de formules kunnen waarden gebruiken die zijn opgeslagen in andere cellen in het werkblad en, zoals verderop wordt uitgelegd, Excel werkt de berekende waarde van een formule automatisch bij wanneer je deze waarden in het werkblad verandert.

Door de rekenmogelijkheden van Excel, in combinatie met de bewerkings- en opmaakmogelijkheden, is dit programma uitstekend geschikt

Cel A1, ook wel bekend als cel R1K1

Het A1-celverwijzingssysteem is een overblijfsel uit de dagen van VisiCalc (de opa van alle spreadsheetprogramma's voor de pc). Naast het A1-systeem ondersteunt Excel een veel ouder, technisch correcter systeem voor celverwijzingen, het R1K1-celverwijzingssysteem genoemd. In dit systeem zijn zowel de kolommen als de rijen in het werkblad genummerd en gaat het rijnummer vooraf aan het kolomnummer. In dit systeem heet cel A1 bijvoorbeeld R1K1 (rij 1, kolom 1), cel A2 heet R2K1 (rij 2, kolom 1) en cel B1 heet R1K2 (rij 1, kolom 2).

om allerlei soorten documenten te maken waarin tekst en getallen worden gebruikt en waarin je berekeningen moet uitvoeren op basis van die getallen. Aangezien je dynamische formules kunt maken – zodat de berekening automatisch wordt bijgewerkt wanneer de in de berekening gebruikte waarden veranderen – is het zeer gemakkelijk om ervoor te zorgen dat de berekende waarden in een werkblad altijd correct en bijgewerkt zijn.

Het programma starten

Als je bekend bent met Windows 98/Me/2000, zul je niet verbaasd zijn dat er tientallen manieren zijn om Excel te starten nadat je het programma eenmaal op de harde schijf hebt geïnstalleerd (nou vooruit, eigenlijk zijn er maar een stuk of vijf manieren, die hier allemaal worden toegelicht). Op dit moment volstaat het te zeggen dat alle verschillende manieren om Excel te starten vereisen dat Windows 98, Me of 2000 op je pc is geïnstalleerd. Als dat het geval is, hoef je de computer alleen aan te zetten voordat je een van de volgende methoden kunt gebruiken om Excel 2002 te starten.

Excel 2002 starten via werkbalk Programma's of via de Office XP-werkbalk

Excel starten via de Office-werkbalk is de gemakkelijkste manier om het programma uit te voeren. Het enige nadeel van deze methode is dat je deze alleen kunt gebruiken als de Office-werkbalk op je computer is geïnstalleerd en de Office-werkbalk Programma's of Desktop (met de knop Microsoft Excel) is ingeschakeld. Voer de volgende stappen uit om de Office-werkbalk weer te geven:

Meer over de grootte van werkbladen

Als je een raster van een compleet werkblad op papier zou maken, zou je een vel nodig hebben van ongeveer 6,5 meter breed en 416 meter hoog! Op een computerscherm van 14 inch zie je gewoonlijk niet meer dan 10 tot 12 kolommen en 20 tot 25 rijen van een werkblad. Aangezien kolommen ongeveer 2,5 centimeter breed zijn en rijen ongeveer 0,6 centimeter hoog zijn, vertegenwoordigen 10 kolommen slechts 3,9 procent van de totale breedte van het werkblad, terwijl 20 rijen slechts ongeveer 0,03 procent van de totale hoogte vormen. Dit geeft wel aan hoe weinig van het totale werkblad zichtbaar is op het scherm en hoeveel meer ruimte er nog beschikbaar is.

✔ Alle spreadsheetinformatie wordt opgeslagen in de afzonderlijke cellen van een werkblad. Je kunt informatie echter alleen invoeren in de actieve cel (de cel die wordt omgeven door een dikke rand).

✔ Excel geeft aan welke cel in het werkblad de huidige (actieve) cel is via de celverwijzing in de formulebalk, de celaanwijzer in het werkblad zelf en de blauwe schaduw achter de kolomletter en het rijcijfer (zie nogmaals figuur 1.2).

✔ In het systeem waarmee wordt verwezen naar cellen in een werkblad (het zogeheten A1-celverwijzingssysteem) wordt de kolomletter gecombineerd met het rijnummer.

1. Klik op de knop Start op de Windows-taakbalk om het menu Start te openen.

2. Selecteer de optie Programma's in het menu Start.

3. Selecteer de optie Microsoft Office-hulpprogramma's in het menu Programma's.

4. Klik op de optie Microsoft Office Werkbalk in het submenu Microsoft Office-hulpprogramma's.

Om de werkbalk Programma's of Desktop te selecteren, klik je met de rechtermuisknop op de huidige naam van de Office-werkbalk en selecteer je Programma's of Desktop in het snelmenu.

Als de Office-werkbalk Programma's of Desktop op je scherm wordt weergegeven, hoef je alleen op de knop Microsoft Excel te klikken om het programma te starten. (Zoek het pictogram van Microsoft Excel aan de hand van figuur 1.3.)

Figuur 1.3:
Als je Excel 2002 wilt starten via de Office-werkbalk Program-ma's of Desktop, klik je op het pictogram Microsoft Excel 2002

Excel 2002 starten via het menu Start van Windows

Natuurlijk kun je het programma ook starten via het menu Start van Windows. Voer de volgende stappen uit als je Excel 2002 wilt starten via het menu Start:

1. Klik op de knop Start op de taakbalk van Windows om het menu Start te openen.

2. Selecteer Programma's in het menu Start.

3. Klik op de optie Microsoft Excel in het menu Programma's.

Zodra je stap 3 hebt uitgevoerd, opent Windows het programma Excel 2002. Terwijl het programma wordt geladen, zie je het openingsvenster van Microsoft Excel 2002. Wanneer Excel is geladen, verschijnt het venster uit de figuren 1.1 en 1.2 met een nieuwe werkmap waarin je kunt gaan werken.

Werken met de muis

Hoewel de meeste functies van Excel toegankelijk zijn via het toetsenbord, vormt de muis in de meeste gevallen de efficiëntste manier om een optie te selecteren of een bepaalde bewerking uit te voeren. Als je

Excel vaak gebruikt, is het om die reden alleen al de moeite waard de diverse muistechnieken van het programma onder de knie te krijgen.

Muistechnieken

In Windows-programma's zoals Excel gebruik je vier basistechnieken om diverse objecten in de programma- en werkmapvensters met de muis te selecteren en te bewerken:

- ✔ **Klikken op een object om het te selecteren.** De muisaanwijzer op een object plaatsen en de primaire muisknop (links voor rechtshandigen of rechts voor linkshandigen) snel indrukken en direct weer loslaten.

- ✔ **Met de rechtermuisknop op een object klikken zodat het snelmenu wordt weergegeven.** De muisaanwijzer op een object plaatsen en de secundaire muisknop (rechts voor rechtshandigen of links voor linkshandigen) snel indrukken en direct weer loslaten.

- ✔ **Dubbelklikken op een object om het te openen.** De muisaanwijzer op een object plaatsen en de primaire muisknop snel tweemaal achter elkaar indrukken en weer loslaten.

- ✔ **Een object slepen.** De muisaanwijzer op een object plaatsen en de primaire muisknop ingedrukt houden terwijl je de muis verplaatst in de richting waarin je het object wilt slepen. Wanneer het object zich op de gewenste positie op het scherm bevindt, laat je de muisknop los om het object neer te zetten.

Wanneer je klikt op een object om dit te selecteren, moet je ervoor zorgen dat de punt van de muisaanwijzer het gewenste object raakt voordat je klikt. Om te voorkomen dat je de aanwijzer verplaatst voordat je klikt, pak je de zijkanten van de muis vast tussen de duim (aan de ene kant) en de ringvinger en pink (aan de andere kant) en klik je met de wijsvinger op de primaire knop. Als er onvoldoende ruimte op je bureau is om de muis te verplaatsen, til je de muis op en plaats je deze op een andere plaats weer terug (hierdoor verplaats je de muisaanwijzer niet).

Vormen van de muisaanwijzer

De muisaanwijzer heeft in Excel lang niet altijd dezelfde vorm. Wanneer je de muisaanwijzer naar een ander onderdeel van het Excel-venster verplaatst, neemt de aanwijzer tijdens het verplaatsen een andere vorm aan. Hiermee geeft Excel aan dat de aanwijzer op dat moment een andere functie heeft. In tabel 1.1 worden de diverse vormen van de muisaanwijzer weergegeven en wordt de betekenis van elke vorm toegelicht.

Tabel 1.1: De verschillende muisaanwijzervormen in Excel

Muisaanwijzer	*Betekenis*
⊕	De muisaanwijzer krijgt de vorm van dit dikke witte kruis wanneer je hem verplaatst over de cellen van het huidige werkblad. Je gebruikt deze aanwijzer om de cellen waarin je wilt werken te selecteren. Deze cellen worden vervolgens omgeven door een dikke rand.
↖	De muisaanwijzer ziet eruit als een pijltje wanneer je hem op de werkbalk, de menubalk of op een van de randen van een geselecteerd blok cellen plaatst. Je gebruikt deze pijlvormige aanwijzer om Excel-opties te kiezen of om een celselectie te verplaatsen of te kopiëren door middel van de methode slepen-en-neerzetten.
I	De I-vormige aanwijzer (ook wel invoegpositie of cursor genoemd) verschijnt wanneer je op de informatie in het naamvak of in de formulebalk klikt, op een cel dubbelklikt of op F2 drukt om de informatie in een cel te bewerken. Door met deze aanwijzer te klikken op de plek waar je de informatie wilt gaan bewerken (in de cel zelf of in de formulebalk), verplaats je de invoegpositie rechtstreeks naar die plek.
+	De vulgreep (een dun, zwart plusteken) verschijnt alleen wanneer je de aanwijzer op de rechterbenedenhoek van de actieve cel plaatst. Je gebruikt de celaanwijzer om een blok met oplopende informatie te vullen of om gegevens of een formule naar een blok cellen te kopiëren.
↖?	De helpaanwijzer verschijnt wanneer je Help ⇨ Wat is dit? selecteert in de menubalk of op Shift+F1 drukt. Je gebruikt deze helpaanwijzer om te klikken op de menuoptie of de knop op een werkbalk waarover je beschrijvende informatie wilt weergeven.
⟷	De vorm van de aanwijzer verandert van een gewoon (enkel) pijltje in een pijl met twee pijlpunten wanneer je de aanwijzer plaatst op de rand van een object waarvan je de grootte kunt wijzigen. Je gebruikt deze tweepuntige pijlaanwijzer om het object (een kolom, rij of tekstvak) groter of kleiner te maken.
⊣⊢	De aanwijzer krijgt deze vorm wanneer je hem op het horizontale of verticale splitsblokje of op het splitsblokje naast de werkbladtabs plaatst (zoals wordt uitgelegd in hoofdstuk 6). Je gebruikt deze tweepuntige splitsaanwijzer om het werkbladvenster te splitsen in meerdere deelvensters of om de grootte van de horizontale schuifbalk te wijzigen.
✥	De aanwijzer krijgt vier pijlpunten wanneer je de optie Verplaatsen in het systeemmenu van een werkmap kiest of als je op Ctrl+F7 drukt terwijl een werkmap kleiner is dan schermvullend. Je gebruikt deze vierpuntige aanwijzer om het werkmapvenster te verplaatsen naar een nieuwe positie tussen de formulebalk en de statusbalk.

Wanneer één klik net zo goed is als een dubbelklik

Onthoud dat wanneer je Windows 98 of Windows 95 met de update voor het Windows-bureaublad gebruikt, je de manier kunt wijzigen waarop je pictogrammen op het Windows-bureaublad opent. Als je de optie Webstijl of een van de aangepaste mapopties gebruikt, kun je programma's zoals Excel 2002 en de mappen en bestanden ervan openen door eenmaal op het pictogram ervan te klikken. Als je jouw computer op deze manier hebt ingesteld, hoef je bijna nooit meer te dubbelklikken!

Je mag de muisaanwijzer niet verwarren met de *celaanwijzer*. De vorm van de *muisaanwijzer* verandert wanneer je deze over het scherm verplaatst. De celaanwijzer behoudt zijn vorm als omtrek rond de huidige cel of cellen (waarbij alleen de grootte wordt aangepast aan de selectie). De muisaanwijzer reageert op verplaatsingen die je met de muis op het bureaublad maakt en wordt altijd onafhankelijk van de celaanwijzer verplaatst. Je kunt de muisaanwijzer echter gebruiken om de celaanwijzer te verplaatsen. Je doet dit door de dikke, witte kruiscursor te plaatsen in de cel waarin je de celaanwijzer wilt plaatsen en vervolgens te klikken met de primaire muisknop.

Waarvoor zijn al die knoppen?

In figuur 1.4 worden de verschillende onderdelen van het programmavenster van Excel aangegeven die verschijnen wanneer je het programma voor het eerst start (mits je geen bestaande werkmap tegelijk met het programma hebt geopend). Zoals je ziet, zit het Excel-venster boordevol allerlei handige, hoewel mogelijk verwarrende onderdelen!

De titelbalk

De bovenste balk in het Excel-venster heet de *titelbalk* omdat hierin de naam wordt weergegeven van het programma dat in het venster wordt uitgevoerd (Microsoft Excel). Wanneer het werkmapvenster schermvullend wordt weergegeven (zoals in figuur 1.4), wordt de naam Microsoft Excel gevolgd door de naam van het werkmapbestand, zoals:

```
Microsoft Excel - Map1
```

Links van de programma- en bestandsnaam op de titelbalk zie je het Excel-pictogram. Als je klikt op dit pictogram, verschijnt het systeemmenu van het programma. Dit menu bevat opties waarmee je de grootte en positie van het programmavenster van Excel kunt wijzigen. Als je de op-

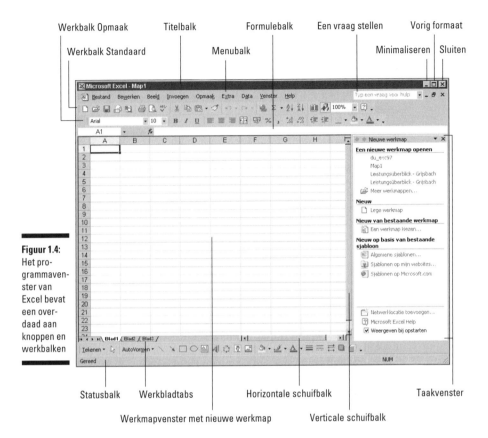

Werkbalk Opmaak   Titelbalk   Formulebalk   Een vraag stellen   Vorig formaat

Werkbalk Standaard   Menubalk   Minimaliseren   Sluiten

Figuur 1.4:
Het pro-
grammaven-
ster van
Excel bevat
een over-
daad aan
knoppen en
werkbalken

Statusbalk   Werkbladtabs   Horizontale schuifbalk   Taakvenster

Werkmapvenster met nieuwe werkmap   Verticale schuifbalk

tie Sluiten in dit menu kiest (of op Alt+F4 drukt), wordt Excel afgesloten
en keer je terug naar het bureaublad.

De knoppen rechts op de titelbalk zijn de formaatknoppen. Als je klikt
op de knop Minimaliseren (de knop met het liggende streepje), wordt
het Excel-venster verkleind tot een knop op de taakbalk van Windows.
Als je klikt op de knop Vorig formaat (de knop met twee kleine, elkaar
gedeeltelijk overlappende 'venstertjes'), wordt het Excel-venster kleiner en verandert de knop Vorig formaat in de knop Maximaliseren (de
knop met één 'schermvullend venstertje'), waarmee je het venster zijn
volledige grootte kunt teruggeven. Als je klikt op de knop Sluiten (de
knop met het x-teken), sluit je Excel (net zoals wanneer je Sluiten kiest
in het systeemmenu of op Alt+F4 drukt).

Werken met de menubalk

De tweede balk in het Excel-venster is de *menubalk*. Deze balk bevat de
menu's van Excel, die je gebruikt om de gewenste Excel-opties te kiezen.
(Verderop in dit hoofdstuk vind je meer informatie over het selecteren
van opties.)

Links van de menu's zie je het pictogram van een Excel-bestand. Als je hierop klikt, wordt het systeemmenu van het document geopend (dat lijkt op het systeemmenu van het programma). Dit menu bevat allerlei opties waarmee je de grootte en positie van het werkmapvenster kunt wijzigen (dit venster bevindt zich binnen het programmavenster van Excel). Als je de optie Sluiten in dit menu selecteert (of op Ctrl+W of Ctrl+F4 drukt), sluit je de huidige Excel-werkmap zonder het programma Excel af te sluiten.

Rechts van de vervolgkeuzemenu's zie je het invoervak Een vraag stellen. Je kunt dit vak gebruiken om een vraag over Excel 2002 te stellen. Als je een nieuwe vraag in dit vak typt, geeft het programma een lijst met mogelijk relevante helponderwerpen weer. Door op een van deze onderwerpen te klikken, open je automatisch het venster Microsoft Excel Help (meer details hierover vind je in de paragraaf 'Online hulp', verderop in dit hoofdstuk).

De formaatknoppen, rechts op de menubalk, voeren dezelfde bewerkingen uit met het huidige werkmapvenster als de formaatknoppen op de titelbalk doen met het programmavenster. Als je klikt op de knop Minimaliseren, wordt het Excel-werkmapvenster verkleind tot een titelbalk onder in het werkmapgebied. Als je klikt op de knop Formaat herstellen, wordt het huidige werkmapvenster een iets kleiner venster binnen het werkmapgebied. Het werkmappictogram, de bestandsnaam en de formaatknoppen worden verplaatst naar de titelbalk van dit verkleinde werkmapvenster en de knop Formaat herstellen verandert in de knop Maximaliseren, waarmee je het venster weer schermvullend kunt maken. Met een klik op de knop Sluiten (de knop met het x-teken), sluit je het huidige werkmapbestand (net als wanneer je in het systeemmenu van het document de optie Sluiten kiest of wanneer je op Ctrl+W of Ctrl+F4 drukt).

Excel 2002 voegt voor elk werkmapbestand dat je opent, automatisch een knop toe aan de Windows-taakbalk. Deze nieuwe functie maakt het wel heel gemakkelijk om tussen werkmappen te schakelen. Wanneer je het Excel-programma minimaliseert met de knop Minimaliseren van het programma, wordt er een knop met de naam van de huidige werkmap toegevoegd aan de taakbalk.

De werkbalken Standaard en Opmaak

Onder de menubalk vind je de werkbalken Standaard en Opmaak, die het leven van de Excel-gebruiker behoorlijk kunnen veraangenamen. Deze twee werkbalken bevatten knoppen (ook wel *gereedschappen* genoemd) waarmee je de meest gangbare taken in Excel kunt uitvoeren. De werkbalk Standaard bevat knoppen waarmee je basisbewerkingen met bestanden uitvoert, zoals werkmappen maken, opslaan, openen en afdrukken. De werkbalk Opmaak bevat knoppen waarmee je het uiterlijk aanpast. Zo kun je een nieuw lettertype en een nieuwe tekengrootte selecteren en effecten zoals vet, onderstreept en cursief toepassen op werkbladtekst.

Als je de functie van een knop op een van deze twee (of op andere) werkbalken wilt weten, plaats je de muisaanwijzer op de knop (zonder te klikken), totdat er een klein tekstvak (een *scherminfo*) verschijnt. Als je wilt dat Excel de optie uitvoert die bij een bepaalde knop hoort, klik je op die knop.

Aangezien de werkbalken Standaard en Opmaak elk een heleboel knoppen bevatten, kunnen niet alle knoppen op beide werkbalken tegelijk worden weergegeven. Daarom vind je aan het eind van elke werkbalk de knop Meer knoppen (bestaande uit de tekens >> boven een omlaagwijzende pijl). De aanwezigheid van deze knop geeft aan dat de werkbalk niet volledig wordt weergegeven (niet alle knoppen zijn zichtbaar).

Wanneer je op de knop Meer knoppen klikt, toont Excel een palet met de aanvullende knoppen die niet op de werkbalk passen. Onder in het palet met aanvullende knoppen vind je de volgende twee opdrachten:

- **Knoppen op twee lijnen weergeven.** Klik op deze optie om de werkbalken Standaard en Opmaak op twee afzonderlijke lijnen weer te laten geven (zoals in figuur 1.4).

- **Knoppen toevoegen of verwijderen.** Als je op deze optie klikt, verschijnt er een snelmenu waarmee je de knoppen op de werkbalken Standaard en Opmaak kunt aanpassen.

Wanneer je Knoppen toevoegen of verwijderen selecteert, toont Excel een snelmenu met alle knoppen die bij de desbetreffende werkbalk horen. Alle knoppen die momenteel op die werkbalk worden weergegeven, worden voorafgegaan door een vinkje. Als je via dit snelmenu een knop aan de werkbalk wilt toevoegen, klik je links van de desbetreffende knop, zodat er een vinkje verschijnt. Als je een van de knoppen tijdelijk wilt verwijderen, klik je erop om het vinkje te verwijderen. (Meer informatie over het aanpassen van de knoppen op de Excel-werkbalken vind je in hoofdstuk 12.)

Werkbalken

Normaal gesproken staan de werkbalken Standaard en Opmaak naast elkaar, zodat er meer schermruimte overblijft voor het werkblad. Het nadeel is wel dat een hoop knoppen van de werkbalken 'afvallen', en daarom kun je besluiten de werkbalken onder elkaar te zetten (zoals in figuur 1.4). Als je deze wijziging wilt aanbrengen, klik je met de rechtermuisknop op de menubalk of op een van de twee werkbalken en selecteer je Aanpassen onder in het snelmenu dat dan verschijnt. Hiermee open je het dialoogvenster Aanpassen waarin je het tabblad Opties selecteert. Klik hier op het eerste selectievakje (de optie Standaard- en Opmaakwerkbalk weergeven in één rij) om een vinkje te plaatsen, waarna je de knop Meer knoppen nooit meer hoeft te gebruiken.

Tabel 1.2 toont de naam en functie van elke knop op de werkbalk Standaard (zolang je die nog niet zelf hebt aangepast). Tabel 1.3 bevat de naam en functie van alle knoppen die je gewoonlijk aantreft op de werkbalk Opmaak. Wees gerust, je zult al deze knoppen beter leren kennen naarmate je meer ervaring krijgt met Excel.

Tabel 1.2: De knoppen op de werkbalk Standaard

Knop	Naam	Wat de knop doet wanneer je erop klikt
	Nieuw	Opent een nieuwe werkmap met drie lege werkbladen.
	Openen	Opent een bestaande Excel-werkmap.
	Opslaan	Slaat wijzigingen in de actieve werkmap op.
	E-mail	Opent een e-mailbericht, zodat je het werkblad via internet naar iemand kunt sturen.
	Afdrukken	Drukt de werkmap af.
	Afdrukvoorbeeld	Laat zien hoe het werkblad eruitziet wanneer je het afdrukt.
	Spelling	Controleert de spelling van tekst in het werkblad.
	Knippen	Knipt de huidige selectie en verplaatst deze naar het klembord.
	Kopiëren	Kopieert de huidige selectie naar het klembord.
	Plakken	Plakt de huidige inhoud van het klembord in het werkblad.
	Opmaak kopiëren/plakken	Past alle opmaak in de huidige cel toe op de cel die je daarna selecteert.
	Ongedaan maken	Maakt de laatste bewerking ongedaan.
	Opnieuw	Voert de laatste bewerking opnieuw uit.
	Hyperlink invoegen	Hiermee kun je een hyperlink naar een ander bestand, een internetadres (URL) of een specifieke locatie in een ander document invoegen (zie hoofdstuk 10 voor meer informatie over het gebruik van hyperlinks).
Σ	AutoSom	Telt een lijst met waarden op met de functie SOM.
	Oplopend sorteren	Sorteert gegevens in een selectie in alfabetische en/of numerieke volgorde, afhankelijk van het soort gegevens in de cellen.
	Aflopend sorteren	Sorteert gegevens in een selectie in omgekeerde alfabetische en/of numerieke volgorde, afhankelijk van het soort gegevens in de cellen.

Knop	*Naam*	*Wat de knop doet wanneer je erop klikt*
	Wizard Grafieken	Helpt je een nieuwe grafiek in het actieve werkblad te maken (zie hoofdstuk 8 voor meer informatie).
	Tekenen	Toont of verbergt de werkbalk Tekenen, waarmee je diverse vormen en pijlen kunt tekenen (zie hoofdstuk 8 voor meer informatie).
100%	In- en uitzoomen	Verandert het zoompercentage van het scherm, zodat je kunt in- of uitzoomen op de werkbladgegevens.
	Microsoft Excel Help	Hiermee wordt het venster Microsoft Excel Help aan de rechterzijde van het scherm weergegeven. Hierin kun je een vraag typen in het vak Een vraag stellen of bepaalde onderwerpen opzoeken om hulp te krijgen (zie 'Microsoft Excel Help', verderop in dit hoofdstuk, voor meer informatie).
	Werkbalkopties	Toont een snelmenu waarmee je de werkbalken Standaard en Opmaak kunt aanpassen door deze op één rij te laten weergeven en door knoppen toe te voegen en/of te verwijderen. Wanneer de knop Meer knoppen wordt weergegeven, bevat dit snelmenu een palet met alle knoppen die momenteel niet op de werkbalk worden weergegeven.

Tabel 1.3: De knoppen op de werkbalk Opmaak

Knop	*Naam*	*Wat de knop doet wanneer je erop klikt*
Arial	Lettertype	Past een nieuw lettertype toe op de inhoud van de geselecteerde cellen.
10	Punten	Past een nieuwe tekengrootte toe op de inhoud van de geselecteerde cellen.
B	Vet	Maakt de inhoud van de geselecteerde cellen wel of juist niet vet.
I	Cursief	Maakt de inhoud van de geselecteerde cellen wel of juist niet cursief.
U	Onderstrepen	Onderstreept de inhoud van de geselecteerde cellen wel of juist niet.
	Links uitlijnen	Lijnt de inhoud van de geselecteerde cellen links uit.
	Centreren	Centreert de inhoud van de geselecteerde cellen.
	Rechts uitlijnen	Lijnt de inhoud van de geselecteerde cellen rechts uit.
	Samenvoegen en centreren	Centreert de inhoud van de actieve cel over de geselecteerde kolommen door de cellen samen te voegen tot één cel.

Knop	Naam	Wat de knop doet wanneer je erop klikt
$	Valuta	Past de getalnotatie Valuta toe op de geselecteerde cellen, zodat alle waarden worden voorafgegaan door het fl-symbool, duizendtallen worden gescheiden door punten en er twee decimalen worden weergegeven.
%	Procentnotatie	Past de getalnotatie Percentage toe op de geselecteerde cellen: de waarden worden vermenigvuldigd met 100 en weergegeven met een procentteken en zonder decimalen.
,	Duizendtalnotatie	Past de getalnotatie Duizendtal toe op de geselecteerde cellen, zodat duizendtallen worden gescheiden door punten en er twee decimalen worden weergegeven.
	Meer decimalen	Voegt telkens wanneer je op deze knop klikt, één decimaal toe aan de getalnotatie voor de geselecteerde cellen; verwijdert één decimaal wanneer je Shift ingedrukt houdt en op deze knop klikt.
	Minder decimalen	Verwijdert telkens wanneer je op deze knop klikt, één decimaal uit de getalnotatie voor de geselecteerde cellen; voegt één decimaal toe wanneer je Shift ingedrukt houdt en op deze knop klikt.
	Inspringing verkleinen	Hiermee wordt de inspringing van de inhoud van de actieve cel verkleind met ongeveer één tekenbreedte van het standaardlettertype.
	Inspringing vergroten	Hiermee laat je de inhoud van de actieve cel inspringen met ongeveer één tekenbreedte van het standaardlettertype.
	Werkbalk Rand	Selecteert een rand voor de geselecteerde cellen vanuit een palet met randstijlen.
	Opvulkleur	Selecteert in het kleurenpalet een nieuwe kleur voor de achtergrond van de geselecteerde cellen.
A	Tekstkleur	Selecteert in het kleurenpalet een nieuwe kleur voor de tekst in de geselecteerde cellen.
▼	Werkbalkopties	Toont een snelmenu waarmee je de werkbalken Standaard en Opmaak kunt aanpassen door deze op één rij te laten weergeven en door knoppen toe te voegen en/of te verwijderen. Wanneer de knop Meer knoppen wordt weergegeven, bevat dit snelmenu een palet met alle knoppen die momenteel niet op de werkbalk worden weergegeven.

De formulebalk

De formulebalk toont het celadres en de inhoud van de huidige cel. Deze balk bestaat uit drie delen.

> ✔ **Naamvak.** Het eerste, meest linkse deel bevat het adres van de huidige cel.

✔ **Knoppen op de formulebalk.** Het tweede, middelste deel is licht-grijs en bestaat uit vervolgkeuzeknop die bij het naamvak hoort (aan de linkerzijde) en de knop Functie invoegen (met het op-schrift fx).

✔ **Celinhoud.** Het derde, meest rechtse deel completeert de formu-lebalk.

Als de huidige cel leeg is, is het derde deel van de formulebalk ook leeg. Zodra je begint te typen of een werkbladformule gaat maken, komen het tweede en het derde deel van de formulebalk tot leven. Wanneer je een teken typt, verschijnen de knoppen Annuleren en Invoeren in het twee-de gedeelte (zie figuur 1.5) tussen de knop met de pijl omlaag (de ver-volgkeuzepijl) bij het naamvak en de knop Functie invoegen. (In hoofd-stuk 2 vind je meer informatie over het gebruik van deze knoppen.) Na deze reeks knoppen zie je de tekens die je hebt getypt in het derde ge-deelte van de balk; deze zijn gelijk aan de tekens die verschijnen in de werkbladcel.

Als je op de knop Functie invoegen hebt geklikt, worden de tekens die je in het gedeelte voor de celinhoud op de formulebalk hebt getypt even-eens weergegeven in de cel van het werkblad zelf. Nadat je de invoer in

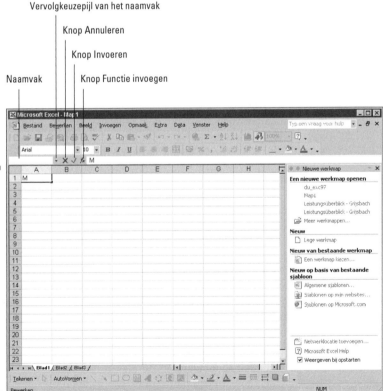

Figuur 1.5: Zodra je begint te typen, ver-schijnen de knoppen Annuleren en Invoeren op de for-mulebalk (tussen de vervolgkeu-zepijl bij Naamvak en de knop Functie in-voegen)

de cel hebt afgesloten (door te klikken op de knop Invoeren op de formulebalk) toont Excel de gehele inhoud of formule in de formulebalk en verdwijnen de knoppen Invoeren en Annuleren uit het middelste deel van de formulebalk. De inhoud van de cel wordt daarna in de formulebalk weergegeven wanneer deze cel actief is.

Je weg vinden in het werkmapvenster

Wanneer je Excel voor het eerst start, verschijnt er een lege werkmap in het werkmapvenster, direct onder de formulebalk (mits je het programma niet hebt gestart door te dubbelklikken op het pictogram van een Excel-werkmap). Wanneer het werkmapvenster kleiner dan schermvullend, maar niet geminimaliseerd is (zie opnieuw figuur 1.4), heeft het zijn eigen systeemmenu (dat toegankelijk is via het werkmappictogram), titelbalk en formaatknoppen (zie figuur 1.6). De titelbalk bevat tevens de naam van de werkmap. (Een nieuwe map heeft een tijdelijke bestandsnaam, zoals Map1. De volgende nieuwe werkmap krijgt de naam Map2 enzovoort, totdat je het bestand voor het eerst opslaat.)

Veranderende werkbalken

Raak niet al te zeer gewend aan de posities van de knoppen wanneer je de werkbalk Standaard of Opmaak voor het eerst gebruikt. Excel 2002 gebruikt een nieuwe intelligente functie waarbij het programma de laatst gebruikte knop automatisch verplaatst naar een hogere positie op de werkbalk. Dit betekent bijvoorbeeld dat als je een knop in het palet Meer knoppen gebruikt, deze knop direct wordt toegevoegd aan het zichtbare gedeelte van de werkbalk. Hierbij wordt een van de ongebruikte knoppen aan het einde van de werkbalk verbannen naar het palet Meer knoppen. Het eindresultaat is een steeds veranderende werkbalk waarvan je nooit zeker weet waar een benodigde knop wordt weergegeven (of niet wordt weergegeven, als hij tijdelijk is verbannen naar het palet Meer knoppen).

Het zou handig zijn als het mogelijk was de positie van de knoppen op de werkbalken vast te zetten, zodat je altijd weet waar een gewenste knop zich bevindt. Helaas biedt Excel 2002 geen methode hiervoor. Je kunt de oorspronkelijke indeling van de knoppen op de werkbalken (en de opties in de menu's) echter herstellen door met de rechtermuisknop op de menubalk of de balk met de werkbalken Standaard en Opmaak te klikken en de optie Aanpassen te kiezen in het snelmenu dat dan verschijnt. Het dialoogvenster Aanpassen wordt dan geopend. Klik hierin op de tab Opties en vervolgens, in het gelijknamige tabblad, op de knop Gebruikersgegevens opnieuw instellen. Excel toont dan een waarschuwingsvenster waarin wordt vermeld dat de record van de opdrachten die je in Excel hebt geselecteerd, zal worden verwijderd. Als je in dit venster op Ja klikt, wordt de oorspronkelijke volgorde van de knoppen op de werkbalken (en de opties in de menu's) hersteld.

Systeemmenu van werkmap

Knop Maximaliseren van werkmap

Titelbalk van werkmap   Knop Minimaliseren van werkmap   Knop Sluiten van werkmap

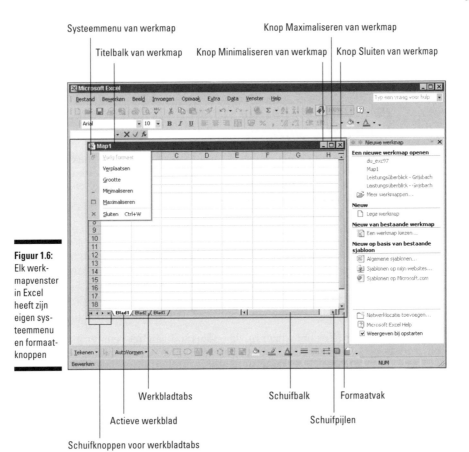

Figuur 1.6:
Elk werk-
mapvenster
in Excel
heeft zijn
eigen sys-
teemmenu
en formaat-
knoppen

Werkbladtabs

Schuifbalk

Formaatvak

Actieve werkblad

Schuifpijlen

Schuifknoppen voor werkbladtabs

Onder in het werkmapvenster zie je knoppen waarmee je door de werkbladen bladert, gevolgd door de werkbladtabs waarmee je de werkbladen in de werkmap activeert (elke nieuwe werkmap bevat drie werkbladen). Aangezien je op het scherm slechts een klein percentage van het
totale aantal kolommen en rijen van een werkblad te zien krijgt, bevat
het werkmapvenster aan de rechterkant en aan de onderkant een
schuifbalk. Met de horizontale schuifbalk (rechts van de werkbladtabs)
kun je kolommen van het huidige werkblad die op dat moment niet
zichtbaar zijn, alsnog laten weergeven. Met de verticale schuifbalk
(rechts in het werkmapvenster) kun je rijen van het huidige werkblad
die op dat moment niet op het scherm worden weergegeven, zichtbaar
maken. Op het snijpunt van de horizontale en verticale schuifbalken, in
de rechterbenedenhoek van het venster, zie je een formaatvak, waarmee je de grootte en vorm van het werkmapvenster kunt wijzigen, mits
dit niet is gemaximaliseerd.

Wanneer je Excel start, kun je op Blad1 van de werkmap Map1 direct
een nieuwe spreadsheet gaan maken, die wordt weergegeven in het ge-
maximaliseerde werkmapvenster. Als je de titelbalk, het systeemmenu

en de formaatknoppen van de werkmap wilt scheiden van de menubalk, klik je op de knop Vorig formaat op de menubalk. Het werkmapvenster wordt dan verkleind, zodat al deze onderdelen van de menubalk verdwijnen (zie nogmaals figuur 1.6).

De grootte en positie van het werkmapvenster handmatig wijzigen

Wanneer je werkt met een werkmapvenster dat niet is gemaximaliseerd (zoals in figuur 1.6), kun je de grootte van het venster handmatig wijzigen via het formaatvak in de rechterbenedenhoek van het venster, op het snijpunt van de horizontale en verticale schuifbalk.

Als je de afmetingen van het werkmapvenster wilt wijzigen, plaats je de muisaanwijzer op dit formaatvak; de vorm van de aanwijzer verandert dan in een tweepuntige pijl. Terwijl de aanwijzer deze vorm heeft, sleep je hem om de grootte van de zijde(n) van het venster te wijzigen. De muisaanwijzer krijgt pas de vorm van een tweepuntige pijl wanneer je hem op de rand van het venster plaatst. Zolang de aanwijzer zich binnen het venster bevindt, behoudt hij zijn normale pijlvorm.

- Als je de aanwijzer op de onderrand van het venster plaatst en de aanwijzer recht omhoog sleept, wordt het werkmapvenster lager. Als je de aanwijzer recht omlaag sleept, wordt het venster hoger.

- Als je de aanwijzer op de rechterrand van het venster plaatst en de aanwijzer naar links sleept, wordt het werkmapvenster smaller. Als je de aanwijzer naar rechts sleept, wordt het venster breder.

- Als je de aanwijzer op de rechterbenedenhoek van het venster plaatst en de aanwijzer diagonaal naar linksboven sleept, wordt het werkmapvenster zowel lager als smaller. Als je de aanwijzer naar rechtsonder sleept, wordt het venster breder en hoger.

Wanneer de omtrekken van het werkmapvenster de gewenste afmetingen hebben, laat je de primaire muisknop los, waarna Excel de afmetingen van het werkmapvenster aanpast.

Nadat je de grootte van een werkmapvenster met de formaatknop hebt gewijzigd, moet je deze nogmaals gebruiken als je de oorspronkelijke afmetingen van het venster wilt herstellen. Er is helaas geen magische knop beschikbaar waarmee je de vorige afmetingen van het werkmapvenster automatisch kunt terugtoveren.

Je kunt niet alleen het formaat van werkmapvensters wijzigen, je kunt ze ook verplaatsen in het gebied tussen de formulebalk en de statusbalk in het programmavenster van Excel.

Zo verplaats je een werkmapvenster:

1. Klik op de titelbalk van het werkmapvenster en houd de primaire muisknop ingedrukt.

2. Sleep het venster naar de gewenste positie en laat de muisknop los.

Als je problemen ondervindt wanneer je objecten met de muis versleept, kun je een werkmapvenster ook verplaatsen door de volgende stappen uit te voeren:

1. Klik op het werkmappictogram in de titelbalk van het werkmapvenster om het systeemmenu te openen en selecteer de optie Verplaatsen, of druk op Ctrl+F7.

    De muisaanwijzervorm verandert nu van een dik wit kruis in een vierpuntige aanwijzer.

2. Versleep het venster met de vierpuntige aanwijzer of druk op de pijltoetsen op het toetsenbord (←, ↑, → en ↓) om het werkmapvenster naar de gewenste positie te verplaatsen.

3. Druk op Enter om het venster op de nieuwe positie neer te zetten.

    De muisaanwijzer krijgt nu weer de vorm van een dik wit kruis.

Navigeren door de bladen

Helemaal onder in het Excel-werkmapvenster, in het gebied waarin de horizontale schuifbalk zich bevindt, vind je knoppen waarmee je door de werkbladen kunt bladeren en drie tabs voor de drie werkbladen in de werkmap. Excel geeft aan welk werkblad actief is door de tab ervan wit weer te geven als deel van het zichtbare werkblad (in plaats van grijs, zoals de tabs van de niet-actieve werkbladen). Bovendien is de naam van de actieve werkmap vet. Als je een ander werkblad wilt activeren (zodat dit wordt weergegeven en de informatie erin zichtbaar is in het werkmapvenster), klik je op de tab ervan.

Als je meer werkbladen aan je werkmap toevoegt (in hoofdstuk 7 wordt uitgelegd hoe je dit doet) en de tab voor het werkblad waarmee je wilt werken niet wordt weergegeven, kun je de schuifknoppen voor de werkbladen gebruiken om de tabs te laten verschijnen. Klik op de knop met de naar links of naar rechts wijzende driehoek om telkens één werkblad in die richting op te schuiven. Klik op de knoppen met de naar links of naar rechts wijzende driehoek en een verticaal streepje als je de werkbladen zodanig wilt verschuiven dat de tab van het eerste of het laatste werkblad zichtbaar is.

De statusbalk

De balk onder in het programmavenster van Excel heet de *statusbalk,* omdat deze balk informatie geeft over de huidige status van Excel. Links op de statusbalk worden berichten weergegeven over de status van de bewerking die je momenteel in het programma uitvoert. Wanneer je Excel voor het eerst start, wordt hier het bericht Gereed weergegeven (zie figuur 1.7) om aan te geven dat het programma gereed is om de volgende informatie of opdracht te ontvangen.

De rechterzijde van de statusbalk bevat diverse vakken met informatie die je vertelt dat een bepaalde staat voor Excel is geactiveerd. De werking van het programma is afhankelijk van welke staat is geactiveerd. Wanneer je Excel voor het eerst start, bevat het NumLock-vak in de statusbalk bijvoorbeeld de tekst NUM. Als je op de toets CapsLock drukt, wordt alle tekst in hoofdletters getypt en verschijnt de indicator CAPS links van NUM. Druk op de toets ScrollLock (zodat je met behulp van de pijltoetsen door het werkblad kunt schuiven); nu zal de indicator SCRL verschijnen.

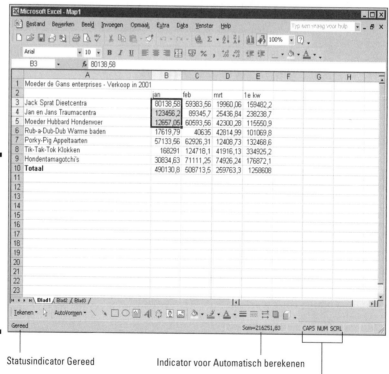

Figuur 1.7:
Op de statusbalk wordt automatisch de som weergegeven van de waarden in geselecteerde cellen in het werkblad

Statusindicator Gereed

Indicator voor Automatisch berekenen

Indicatoren voor CapsLock, NumLock en ScrollLock

Totalen automatisch berekenen

Het breedste vak (het tweede vak van links) in de statusbalk toont de som van de waarden in geselecteerde cellen. Je kunt dit vak gebruiken om het totaal van een groep waarden in het werkblad weer te geven. (Aan het begin van hoofdstuk 3 lees je hoe je groepen cellen in een werkblad selecteert.) Figuur 1.7 toont bijvoorbeeld een doorsneewerkblad waarin een aantal cellen met waarden in een kolom is geselecteerd. Het totaal van de waarden in de geselecteerde cellen wordt automatisch weergegeven op de werkbalk.

Deze automatische berekening op de statusbalk kan niet alleen de som van de waarden in de momenteel geselecteerde cellen weergeven, maar ook andere statische gegevens aangeven (zoals het aantal waarden of het gemiddelde van deze waarden). Je hoeft alleen maar met de rechtermuisknop op Automatische berekening te klikken en in het snelmenu een van de volgende opties te selecteren.

- ✔ Als je het gemiddelde van de waarden in de momenteel geselecteerde cellen wilt weten, kies je in het snelmenu de optie Gemiddelde.

- ✔ Selecteer de optie Aantal om de cellen op te tellen die getallen bevatten (cellen die tekst bevatten, worden dus niet meegeteld).

- ✔ Selecteer de optie AantalArg om alle niet-lege cellen op te tellen, ongeacht het type inhoud ervan.

- ✔ Klik op de optie Max als je als resultaat de cel met de grootste waarde van de geselecteerde cellen wilt hebben. Voor de laagste waarde selecteer je Min.

- ✔ Selecteer de optie Geen wanneer je Excel niets wilt laten doen.

- ✔ Als je de normale functie van de automatische berekening wilt herstellen, klik je erop met de rechtermuisknop en kies je de optie Som in het snelmenu.

Het NumLock-vak in de statusbalk en het numerieke toetsenblok

De aanduiding NUM in het NumLock-vak geeft aan dat je de cijfers op het numerieke deel van het toetsenbord kunt gebruiken om waarden in te voeren in de spreadsheet. Wanneer je op de NumLock-toets drukt, verdwijnt de aanduiding NUM in dit vak. Je weet dan dat je het numerieke toetsenblok kunt gebruiken om de celaanwijzer te verplaatsen. Als je in dit geval bijvoorbeeld op 6 drukt, wordt de celaanwijzer één cel naar rechts verplaatst, in plaats van dat de waarde 6 wordt ingevoerd in de formulebalk.

Taakvensters in Excel 2002

Als je Excel 2002 voor het eerst start met een lege werkmap, dan opent het programma automatisch het taakvenster Nieuwe werkmap (zie nogmaals figuur 1.4). Je kunt dit venster gebruiken om werkmappen die je onlangs hebt bewerkt te openen of om nieuwe werkmappen te maken (zie hoofdstuk 2 voor details hierover). Naast het nieuwe taakvenster Nieuwe werkmap vind je in Excel 2002 nog twee andere standaardtaakvenster; de taakvensters Klembord en Zoeken.

Je gebruikt het taakvenster Klembord om gegevens die je naar Windows Klembord (in combinatie met alle Office XP-programma's, dus niet alleen Excel) kopieert te bekijken en te plakken. In hoofdstuk 4 vind je meer details over deze functie. Met het taakvenster Zoeken kun je bestanden op de harde schijf vinden. Ook deze functie is van toepassing op alle Office-programma's, en dus niet alleen op Excel. Je kunt deze functie dus ook gebruiken om bijvoorbeeld e-mailberichten te zoeken. Tevens kun je met Zoeken bepaalde waarden en tekst in de huidige werkmap zoeken (zie hoofdstuk 4 voor meer details hierover).

Naast deze standaardvensters die bij het werken in Excel altijd beschikbaar zijn, tref je ook speciale taakvensters aan die alleen bij het uitvoeren van bepaalde taken verschijnen. Als je bijvoorbeeld op Invoegen ⇨ Figuur ⇨ Illustratie klikt, verschijnt het taakvenster Illustratie invoegen. Je kunt dit gebruiken om bepaalde afbeeldingen die je wilt invoegen te zoeken. Ook kun je de nieuwe voorziening Mediagalerie openen, waarin je de afbeeldingen per categorie kunt bekijken (zie hoofdstuk 8 voor meer informatie hierover).

Je kunt de weergave van de Excel-taakvenster altijd uitschakelen door op de knop Sluiten te klikken. Als je een taakvenster sluit terwijl je in Excel aan het werk bent (zodat er meer cellen op het beeldscherm kunnen worden weergegeven), blijft het gesloten totdat je de optie Beeld ⇨ Taakvenster of Beeld ⇨ Werkbalken ⇨ Taakvenster kiest.

Wanneer het taakvenster wordt weergegeven, kun je het gewenste type taakvenster selecteren door op de vervolgkeuzeknop links van de knop Sluiten van het taakvenster te klikken. Vervolgens selecteer je het type taakvenster dat je wilt gebruiken. Je kunt kiezen uit Nieuwe werkmap, Klembord en Zoeken. Nadat je een nieuw type taakvenster hebt geselecteerd, kun je met behulp van de knoppen Vorige en Volgende door de verschillende typen taakvensters lopen (de knoppen hebben de vorm van een pijl naar links en een pijl naar rechts).

Indien je het taakvenster Nieuwe werkmap niet automatisch wilt laten weergeven bij het starten van Excel, kun je deze optie uitschakelen door het vinkje in het selectievakje bij Weergeven bij opstarten te verwijderen. Dit selectievakje vind je onder in het taakvenster. Je kunt dit ook doen via het tabblad Weergave van het dialoogvenster Opties (kies Extra ⇨ Opties).

Haal me uit deze cel!

Excel biedt diverse methoden om te navigeren in elk van de enorme werkbladen van een werkmap. Een van de gemakkelijkste manieren is te klikken op de tab van het blad waarmee je wilt werken en de schuifbalken in het werkmapvenster te gebruiken om nieuwe delen van het werkblad weer te geven. Daarnaast biedt het programma allerlei toetsaanslagen die je niet alleen kunt gebruiken om een ander deel van het werkblad weer te geven, maar ook om een andere cel te activeren.

De geheimen van bladeren

Om te begrijpen hoe je door een Excel-werkblad bladert, moet je dit werkblad beschouwen als één grote rol papyrus die links en rechts is bevestigd aan rollen. Als je het deel van het papyruswerkblad dat aan de rechterzijde is verborgen wilt weergeven, draai je aan de linkerrol totdat het gewenste gedeelte zichtbaar is. Als je een deel van het werkblad wilt bekijken dat aan de linkerzijde is verborgen, draai je aan de rechterrol totdat deze cellen verschijnen.

Niet-weergegeven kolommen zichtbaar maken met de horizontale schuifbalk

Je kunt de *horizontale schuifbalk* gebruiken om door de kolommen van een werkblad te bladeren. Als je kolommen die aan de rechterzijde niet meer op het scherm passen, wilt laten weergeven, klik je op de rechterschuifpijl in de horizontale schuifbalk. Als je kolommen die aan de linkerzijde niet op het scherm passen, wilt bekijken, klik je op de linkerschuifpijl op de horizontale schuifbalk.

Om snel in een van beide richtingen door de kolommen te bladeren, klik je op de desbetreffende schuifpijl in de schuifbalk en *houd je de primaire muisknop ingedrukt* totdat de gewenste kolommen worden weergegeven. Wanneer je op deze manier naar rechts bladert, wordt het *horizontale schuifblokje* (het grijze vak tussen de linker- en rechterschuifpijl in de schuifbalk) steeds kleiner; tegen de tijd dat je aanbelandt in de achterste regionen, zoals kolom BA, is het schuifblokje piepklein. Als je vervolgens op de linkerschuifpijl klikt en de muisknop ingedrukt houdt om snel terug te bladeren door de kolommen, wordt het horizontale schuifblokje steeds groter naarmate je dichter bij kolom A in de buurt komt; wanneer je terug bent bij het begin, neemt dit schuifblokje de hele schuifbalk in beslag.

Je kunt het schuifblokje in de horizontale schuifbalk gebruiken om snel naar links of naar rechts door de kolommen in een werkblad te schuiven. Sleep het schuifblokje eenvoudigweg in de gewenste richting langs de balk.

Niet-weergegeven rijen zichtbaar maken met de verticale schuifbalk

Je kunt de *verticale schuifbalk* gebruiken om omhoog en omlaag door de rijen van een werkblad te bladeren. Als je wilt bladeren naar rijen die zich bevinden onder de momenteel weergegeven rijen, klik je op de schuifpijl onder de verticale werkbalk. Als je omhoog wilt bladeren naar rijen die niet meer zichtbaar zijn (behalve wanneer rij 1 de eerste weergegeven rij is), klik je op de schuifpijl boven de verticale werkbalk.

Als je snel door de rijen wilt bladeren, klik je op de gewenste schuifpijl in de verticale schuifbalk en houd je de muisknop ingedrukt, net zoals je bij de horizontale schuifbalk deed. Naarmate je verder omlaagbladert met de omlaagwijzende schuifpijl, wordt het *verticale schuifblokje* (het grijze vak tussen de twee schuifpijlen in de schuifbalk) steeds kleiner; wanneer je pakweg rij 100 gepasseerd bent, is het schuifblokje nog maar heel klein. Als je vervolgens klikt op de omhoogwijzende schuifpijl en de muisknop ingedrukt houdt om snel terug te bladeren door de rijen, wordt het verticale schuifblokje steeds groter; tegen de tijd dat rij 1 weer in zicht komt, vult het schuifblokje bijna de hele schuifbalk.

Je kunt het verticale schuifblokje gebruiken om snel omhoog en omlaag te schuiven door de rijen in een werkblad. Sleep hiervoor het schuifblokje in de gewenste richting langs de balk.

Bladeren van scherm naar scherm

Je kunt de horizontale en verticale schuifbalk ook gebruiken om scherm voor scherm door de kolommen en rijen van het werkblad te bladeren. Klik hiervoor op het lichtgrijze deel van de schuifbalk dat *niet* wordt ingenomen door het schuifblokje of de schuifpijlen. Als je bijvoorbeeld één scherm naar rechts wilt schuiven terwijl het schuifblokje zich tegen de linkerschuifpijl bevindt, klik je in het lichtgrijze deel van de schuifbalk, rechts van het schuifblokje. Als je weer één scherm naar links wilt schuiven, klik je in het lichtgrijze deel links van het schuifblokje.

Op dezelfde manier kun je één scherm omhoog- of omlaagschuiven door te klikken in het lichtgrijze deel van de verticale schuifbalk boven of onder het verticale schuifblokje.

Toetsen waarmee je de celaanwijzer verplaatst

Het enige nadeel van het gebruik van de schuifbalken om je te verplaatsen is dat de schuifbalken alleen andere delen van het werkblad weergeven; ze veranderen de positie van de actieve cel niet. Met andere woorden: als je informatie wilt invoeren in een andere werkbladcel dan de actieve cel (of in een groep andere cellen), moet je de cel of groep cellen waarin je de gegevens wilt invoeren, nog steeds eerst selecteren voordat je kunt gaan typen. Bij één cel doe je dat door erop te klikken; bij een groep cellen door de muisaanwijzer erover te slepen.

Excel biedt allerlei toetsencombinaties waarmee je de celaanwijzer kunt verplaatsen naar een andere cel. Wanneer je een van deze combinaties gebruikt, bladert het programma automatisch naar een niet-weergegeven deel van het werkblad indien dit nodig is om de nieuwe actieve cel weer te geven. In tabel 1.4 worden deze toetsencombinaties toegelicht en wordt aangegeven hoe ver de celaanwijzer wordt verplaatst.

Bij toetsencombinaties die gebruikmaken van pijltoetsen moet je de cursorverplaatsingstoetsen gebruiken of moet de NumLock-modus van het toetsenbord uitgeschakeld zijn als je het numerieke toetsenblok wilt gebruiken. Als je deze pijltoetsen probeert te gebruiken om de celaanwijzer te verplaatsen terwijl de NumLock-toets ingedrukt is (dit wordt aangegeven met de aanduiding NUM op de statusbalk), worden cijfers ingevoerd in de huidige cel of gebeurt er helemaal niets.

Tabel 1.4: Toetsen(combinaties) die de celaanwijzer verplaatsen

Toets(encombinatie)	Positie waar de celaanwijzer naartoe wordt verplaatst
→ of Tab	Eén cel naar rechts.
← of Shift+Tab	Eén cel naar links.
↑	Eén rij omhoog.
↓	Eén rij omlaag.
Home	Eerste cel van de huidige rij.
Ctrl+Home	Eerste cel van het werkblad (A1).
Ctrl+End of End, Home	De cel in het werkblad op het snijpunt van de laatste kolom met gegevens en de laatste rij met gegevens (oftewel de laatste cel van het zogeheten actieve deel van het werkblad).
PgUp	Eén scherm omhoog in dezelfde kolom.
PgDn	Eén scherm omlaag in dezelfde kolom.
Ctrl+→ of End, →	De eerste gevulde cel rechts van de huidige cel in dezelfde rij, die wordt voorafgegaan of gevolgd door een lege cel.
Ctrl+ ← of End, ←	De eerste gevulde cel links van de huidige cel in dezelfde rij, die wordt voorafgegaan of gevolgd door een lege cel.
Ctrl+ ↑ of End, ↑	De eerste gevulde cel boven de huidige cel in dezelfde kolom, die wordt voorafgegaan of gevolgd door een lege cel.
Ctrl+ ↓ of End, ↓	De eerste gevulde cel onder de huidige cel in dezelfde kolom, die wordt voorafgegaan of gevolgd door een lege cel.
Ctrl+PgDn	De laatste gevulde cel in het volgende werkblad van dezelfde werkmap.
Ctrl+PgUp	De laatste gevulde cel in het vorige werkblad van dezelfde werkmap.

Blokverplaatsingen

De toetsencombinaties uit tabel 1.4 die bestaan uit de Ctrl- of de End-toets en een pijltoets zijn zeer handig als je snel van het ene naar het andere uiteinde van een grote tabel wilt gaan of als je je wilt verplaatsen van de ene naar de andere tabel in een deel van een werkblad dat veel blokken met cellen bevat.

- Als de celaanwijzer zich bevindt in een lege cel links van een tabel met cellen die je wilt bekijken, druk je op Ctrl+ → om de meest linkse cel van de tabel (in dezelfde rij) te selecteren.

- Wanneer je nogmaals op Ctrl+ → drukt, wordt de celaanwijzer verplaatst naar de laatste cel uiterst rechts in de tabel (mits die rij in de tabel geen lege cellen bevat).

- Als je van richting verandert en op Ctrl+ ↑ drukt, verplaatst Excel de celaanwijzer naar de onderste cel in de tabel (ook in dit geval geldt: mits die kolom van de tabel geen lege cellen bevat).

- Als je nogmaals op Ctrl+ ↑ drukt, terwijl de actieve cel zich onder in de tabel bevindt, verplaatst Excel de aanwijzer naar de eerste cel boven in de volgende tabel onder de huidige tabel (mits zich geen andere cellen met inhoud in dezelfde kolom boven die tabel bevinden).

- Als je op Ctrl of End en een pijltoets drukt en er zich geen gevulde cellen bevinden in de richting van de geselecteerde pijltoets, plaatst Excel de celaanwijzer rechts van de cel aan de rand van het werkblad in die richting.

- Als cel C15 de actieve cel is, rij 15 geen gevulde cellen meer bevat en je op Ctrl+ → drukt, verplaatst Excel de celaanwijzer naar cel IV15, uiterst rechts in het werkblad.

- Als cel C15 de actieve cel is, kolom C geen gevulde cellen meer bevat en je op Ctrl+ ↑ drukt, verplaatst Excel de celaanwijzer naar cel C65536, helemaal onder in het werkblad.

Wanneer je Ctrl en een pijltoets gebruikt om je van de ene rand van de tabel naar de andere of tussen tabellen te verplaatsen, houd je Ctrl ingedrukt terwijl je op een van de vier pijltoetsen drukt (dit wordt aangegeven door het *plusteken* in de toetsencombinaties, zoals Ctrl+ →).

Wanneer je End en een pijltoets gebruikt, moet je de End-toets indrukken en loslaten *voordat* je op de pijltoets drukt (dit wordt aangegeven door de *komma* in de toetsencombinaties, zoals End, →). Als je End indrukt en weer loslaat, verschijnt de aanduiding END op de statusbalk om aan te geven dat Excel verwacht dat je op een van de pijltoetsen drukt.

Aangezien je de Ctrl-toets ingedrukt kunt houden terwijl je op de verschillende gewenste pijltoetsen drukt, vormt de *Ctrl-plus-pijltoets*methode een vloeiender methode om te navigeren in blokken cellen dan de *End-gevolgd-door-pijltoets*methode.

Rechtstreeks naar een bepaalde cel gaan

De functie Ga naar van Excel vormt een gemakkelijke manier om recht-streeks naar een bepaalde cel in een werkblad te gaan. Als je deze func-tie wilt gebruiken, open je het dialoogvenster Ga naar door de gelijkna-mige optie in het menu Bewerken te kiezen of door op Ctrl+G of de func-tietoets F5 te drukken. Typ in het vak Verwijzing van het dialoogvenster Ga naar het adres van de cel waar je naartoe wilt gaan, en klik op OK of druk op Enter. Wanneer je het celadres in het vak Verwijzing typt, kun je de kolomletter(s) invoeren in hoofd- of in kleine letters.

Wanneer je de functie Ga naar gebruikt om de celaanwijzer te verplaat-sen, onthoudt Excel de verwijzingen van de laatste vier cellen die je hebt 'bezocht'. Deze celverwijzingen worden weergegeven in het vak Ga naar. Zo kun je gemakkelijk snel van de huidige positie naar een vorige positie in een werkblad gaan door te drukken op F5 en Enter (tenminste, als je de functie Ga naar hebt gebruikt om naar de huidige positie te gaan).

De celaanwijzer vastzetten met ScrollLock

Je kunt de toets ScrollLock gebruiken om de positie van de celaanwijzer in het werkblad te 'bevriezen', zodat je met toetsen zoals PgUp en PgDn naar niet-weergegeven delen van het werkblad kunt bladeren zonder dat de oorspronkelijke positie van de celaanwijzer verandert (waardoor deze toetsen in feite op dezelfde manier werken als de schuifbalken).

Nadat je ScrollLock indrukt en met het toetsenbord door het werkblad bladert, selecteert Excel geen nieuwe cel terwijl het nieuwe deel van het werkblad zichtbaar wordt. Als je de celaanwijzer wilt 'ontdooien' terwijl je met het toetsenbord door het werkblad bladert, druk je nogmaals op ScrollLock.

Rechtstreeks bestellen via het menu

In gevallen waarin de werkbalken Standaard en Opmaak van Excel geen kant-en-klare knop voor een bepaalde taak bieden, moet je de menuop-ties van het programma gebruiken. Excel overdrijft hierbij een beetje, aangezien het programma, naast de normale menu's die je vindt in de menubalk van bijna alle Windows-toepassingen, ook een aanvullend systeem van *snelmenu's* biedt.

Snelmenu's worden zo genoemd omdat ze snel toegang bieden tot de menuopties die gewoonlijk worden gebruikt om het object waaraan het menu is gekoppeld (zoals een werkbalk, werkmapvenster of werkblad-cel) te bewerken. Daardoor bevatten snelmenu's vaak opties die je in verschillende menu's van de menubalk aantreft.

De menu's doorgronden

Net zoals wanneer je de celaanwijzer in het werkblad verplaatst, biedt Excel je de keuze tussen de muis en het toetsenbord om opties in de menu's te selecteren. Om een menu met de muis te openen, klik je op de menunaam op de menubalk. Wil je een menu openen met het toetsen-bord, dan houd je de Alt-toets ingedrukt terwijl je drukt op de onder-streepte letter in de menunaam. Als je bijvoorbeeld Alt indrukt en ver-volgens op W drukt (Alt+W dus), opent Excel het menu Bewerken, om-dat de *w* in Bewerken is onderstreept.

Je kunt ook de Alt-toets of de functietoets F10 indrukken en weer losla-ten om toegang te krijgen tot de menubalk. Vervolgens druk je op de toets → totdat het menu dat je wilt openen, geselecteerd is. Om het menu te openen, druk je op ↓.

Nadat je een menu hebt geopend, kun je een van de opties erin selecteren door erop te klikken met de muis, door te drukken op de toets met de let-ter die in de optienaam onderstreept is, of door net zolang op ↓ te druk-ken totdat de gewenste optie geselecteerd is, waarna je op Enter drukt.

Terwijl je de Excel-opties leert kennen, kun je het openen van een menu en het selecteren van een menuoptie combineren. Klik hiervoor met de muis op het menu en sleep de aanwijzer omlaag door het geopende menu totdat de gewenste optie is geselecteerd, waarna je de muisknop loslaat. Je bereikt hetzelfde resultaat met het toetsenbord door de Alt-toets ingedrukt te houden terwijl je achtereenvolgens drukt op de toets met de letter die in de menunaam onderstreept is en de toets met de let-ter die in de optienaam onderstreept is. Om bijvoorbeeld het actieve werkmapvenster te sluiten met de optie Sluiten in het menu Bestand, houd je Alt ingedrukt en typ je B, S.

Aan sommige opties in de Excel-menu's zijn sneltoetsen toegekend (deze worden in het menu weergegeven, achter de optienaam). Je kunt deze sneltoetsen gebruiken om direct de gewenste optie te selecteren, in plaats van eerst het menu te moeten openen. Als je bijvoorbeeld de wijzigingen in de werkmap wilt opslaan, druk je op Ctrl+S, in plaats van de optie Opslaan in het menu Bestand te kiezen.

Veel opties in de menu's geven toegang tot een dialoogvenster dat aan-vullende opties en opdrachten bevat (zie 'Graven in dialoogvensters', verderop in dit hoofdstuk). Als het selecteren van een menuoptie tot gevolg heeft dat er een dialoogvenster geopend wordt, zie je dit aan het feit dat de optienaam wordt gevolgd door drie puntjes (het *beletsel-teken*). Zo weet je bijvoorbeeld dat je met Bestand ⇨ Opslaan als een dialoogvenster opent, omdat deze optie in het menu wordt weergegeven als Opslaan als ...

Let er ook op dat menuopties niet altijd beschikbaar zijn. Een optie is niet beschikbaar als deze lichtgrijs (*gedimd*) wordt weergegeven in het menu. Een optie in een menu blijft lichtgrijs totdat het document voldoet aan de voorwaarden waaronder de optie werkt. De optie Plakken in het menu Bewerken blijft bijvoorbeeld lichtgrijs zolang het klembord leeg is. Zodra je echter informatie naar het klembord verplaatst of kopieert met de optie Knippen of Kopiëren in het menu Bewerken, wordt de optie Plakken normaal weergegeven wanneer je het menu Bewerken opent, om aan te geven dat de optie nu beschikbaar is.

Zo zie je ze wel, zo weer niet

De menu's in Excel 2002 zien er niet altijd hetzelfde uit wanneer je ze opent. Dankzij een andere 'intelligente' uitvinding van Microsoft wordt een menu, wanneer je dit voor het eerst opent, in verkorte vorm weergegeven, waarbij enkele opties ontbreken. Deze 'korte' vorm van het menu bevat alleen de opties die je recentelijk hebt gebruikt, terwijl opties die je al een tijdje niet hebt gebruikt, zijn verdwenen. Als er een verkorte vorm van een menu wordt weergegeven, zie je dat aan het feit dat zich onder in het menu een vervolgknop bevindt (aangegeven door twee v's boven elkaar die samen een soort pijl omlaag vormen).

Als je zowel de tijd als het geduld hebt om gedurende enkele seconden een verkort menu te laten staan, vervangt Excel deze verkorte vorm automatisch door de volledige versie. Als je noch de tijd, noch het geduld hebt om te wachten, kun je Excel dwingen alle menuopties weer te geven door onder in het menu op de vervolgknop te klikken zoals beschreven in de volgende stappen.

 Wanneer het volledige menu verschijnt, worden de voorheen ontbrekende menuopties weergegeven met een donkerder achtergrond dan de opties die zich al in het menu bevonden. Zo zie je in één oogopslag welke menuopties aan het menu zijn toegevoegd. Dit helpt je echter niet de nieuwe posities te vinden van de menuopties die zowel in de korte als in de lange versie van het menu worden weergegeven (aangezien veel opties zijn verschoven door de nieuwe, toegevoegde opties).

Als je geen zin hebt om verstoppertje te spelen met de Excel-menu's, kun je deze 'handige' nieuwe functie uitschakelen door de volgende stappen uit te voeren:

1. Klik met de rechtermuisknop op de menubalk of de balk met de werkbalken Standaard en Opmaak om het snelmenu te openen.

2. Selecteer de optie Aanpassen in het snelmenu om het dialoogvenster Aanpassen te openen.

3. Selecteer het tabblad Opties van het dialoogvenster Aanpassen.

Je ziet dat er geen vinkje staat in het selectievakje bij Altijd volledige menu's weergeven (standaard staat er een vinkje in het selectievakje bij Volledige menu's weergeven na een korte vertraging).

4. Plaats een vinkje in het selectievakje bij Altijd volledige menu's weergeven.

Op het moment dat je deze optie selecteert, verplaatst Excel automatisch het vinkje van het selectievakje bij Volledige menu's weergeven na een korte vertraging naar het selectievakje bij Altijd volledige menu's weergeven.

5. Klik op de knop Sluiten om het dialoogvenster te sluiten.

Wanneer je onbekend bent met Excel, is het ten zeerste aan te raden deze functie uit te schakelen; zo voorkom je dat je de menuopties die je wel gebruikt, steeds kwijtraakt doordat de opties die je niet gebruikt pas na een tijdje worden weergegeven.

Let op: Als je niet wilt dat na enkele seconden de volledige menu's worden weergegeven, kun je deze functie uitschakelen door het vinkje bij de optie Volledige menu's weergeven na een korte vertraging te verwijderen (deze optie bevindt zich onder de optie Laatst gebruikte opdrachten eerst weergeven in menu's, en is alleen beschikbaar als de laatstgenoemde optie is ingeschakeld).

Wanneer je deze instellingen voor persoonlijke menu's en werkbalken op het tabblad Opties van het dialoogvenster Aanpassen in Excel 2002 wijzigt, worden deze wijzigingen ook toegepast op de werkbalken en menu's in elk ander Office XP-programma dat op je computer is geïnstalleerd, zoals Word 2002 en PowerPoint 2002.

Snelmenu's

In tegenstelling tot gewone menu's, die je zowel met de muis als met het toetsenbord kunt openen, kun je snelmenu's alleen met de muis openen; hetzelfde geldt voor het selecteren van snelmenuopties. Aangezien snelmenu's zijn gekoppeld aan bepaalde objecten op het scherm, zoals een werkmapvenster, een werkbalk of een werkbladcel, gebruikt Excel de *secundaire* muisknop (dat wil zeggen: de rechtermuisknop voor rechtshandigen en de linkerknop voor linkshandigen) om snelmenu's te openen. (En omdat er meer rechts- dan linkshandigen zijn, wordt deze techniek *klikken met de rechtermuisknop* genoemd.)

Figuur 1.8 toont het snelmenu dat is gekoppeld aan de Excel-werkbalken. Om dit menu te openen, plaats je de muisaanwijzer ergens op de werkbalk en klik je met de secundaire muisknop. Let erop dat je niet op de primaire muisknop drukt, want daarmee activeer je de knop waarop de aanwijzer zich bevindt!

Nadat je het snelmenu van de werkbalken hebt geopend, kun je de opties erin gebruiken om de ingebouwde werkbalken weer te geven of te

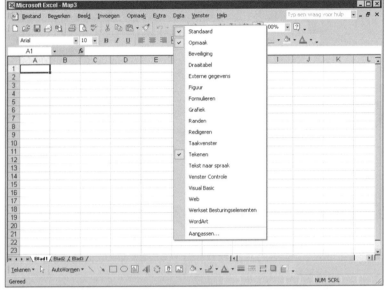

Figuur 1.8:
Het snelmenu van de werkbalken verschijnt als je met de rechtermuisknop op een werkbalk klikt

verbergen of om de werkbalken aan te passen (zie hoofdstuk 12 voor meer informatie).

Figuur 1.9 toont het snelmenu dat is gekoppeld aan elk van de cellen in een werkblad. Om dit menu te openen, plaats je de muisaanwijzer op een cel en druk je de secundaire muisknop in. Je kunt dit snelmenu ook openen en de opties erin toepassen op een groep cellen die je hebt geselecteerd. (In hoofdstuk 3 lees je hoe je meerdere cellen selecteert.)

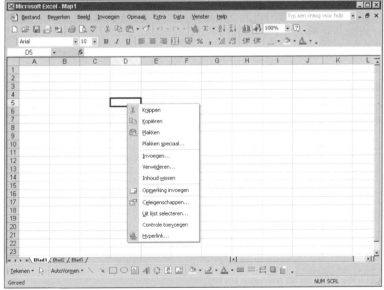

Figuur 1.9:
Het snelmenu van werkbladcellen verschijnt door op Shift+F10 te drukken of met de rechtermuisknop op een cel te klikken

Aangezien de opties in snelmenu's onderstreepte letters bevatten, kun je elk van deze opties selecteren door erop te klikken met de linker- of rechtermuisknop of door te drukken op de toets met de letter die in de optienaam onderstreept is. Je kunt daarnaast ook op ↓ of ↑ drukken totdat de gewenste opties is geselecteerd en vervolgens op Enter drukken om deze opdracht uit te voeren.

Het enige snelmenu dat je met het toetsenbord kunt openen, is het snelmenu dat is gekoppeld aan cellen in een werkblad. Om dit snelmenu weer te geven in de rechterbovenhoek van de huidige cel, druk je op Shift+F10. Deze toetsencombinatie werkt voor elk type Excel-blad, behalve voor grafieken; hieraan is dit type snelmenu niet gekoppeld.

Graven in dialoogvensters

Veel Excel-menuopties geven toegang tot een dialoogvenster dat allerlei opties bevat die je kunt toepassen op de menuoptie. In de figuren 1.10 en 1.11 zie je de dialoogvensters Opslaan als en Opties. In tabel 1.5 wordt een overzicht gegeven van bijna alle verschillende soorten knoppen, tabs en vakken die in Excel worden gebruikt.

Figuur 1.10: Het dialoogvenster Opslaan als bevat invoervakken, keuzelijsten, vervolgkeuzelijsten en opdrachtknoppen

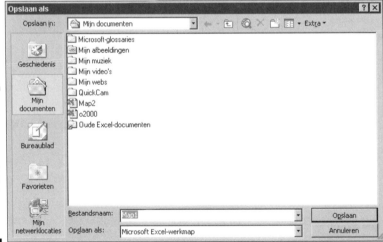

Tabel 1.5: De onderdelen van een dialoogvenster

Knop of vak	*Functie*
Tabblad	Biedt een manier om een bepaalde reeks opties weer te geven in een complex dialoogvenster, zoals het dialoogvenster Opties in figuur 1.11, waarin je allerlei verschillende soorten programma-instellingen kunt wijzigen.
Invoervak	Hierin kun je nieuwe informatie typen. Veel invoervakken bevatten standaardgegevens die je kunt wijzigen of vervangen.

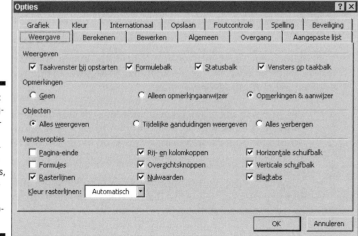

Figuur 1.11: Het dialoogvenster Opties bevat allerlei tabbladen, selectievakjes, keuzerondjes en opdrachtknoppen

Knop of vak	Functie
Keuzelijst	Toont een lijst met mogelijkheden waaruit je kunt kiezen. Als de keuzelijst meer items bevat dan in het vak kunnen worden weergegeven, bevat de lijst een schuifbalk waarmee je nieuwe items kunt weergeven. Sommige keuzelijsten zijn gekoppeld aan een invoervak, zodat je nieuwe informatie in het invoervak kunt plaatsen door deze erin te typen of te selecteren in de bijbehorende keuzelijst.
Vervolgkeuzelijst	Vormt een compacte versie van een standaardkeuzelijst; in plaats van dat er meerdere keuzemogelijkheden tegelijk worden weergegeven, wordt in een vervolgkeuzelijst alleen het actieve item (dat aanvankelijk ook de standaardinstelling voor de desbetreffende optie was) weergegeven. De overige keuzemogelijkheden kun je laten weergeven door de vervolgkeuzelijst te openen; dit doe je door te klikken op de pijl omlaag naast het vak. Uit de geopende lijst kun je vervolgens een nieuwe keuzemogelijkheid selecteren, net zoals je bij een standaardkeuzelijst zou doen.
Selectievakje	Het vierkantje voor een optie in een dialoogvenster die je kunt in- of uitschakelen. Zo'n optie is ingeschakeld (oftewel: actief) wanneer het selectievakje gemarkeerd is (dat wil zeggen: een vinkje bevat). Wanneer het selectievakje leeg is, is de bijbehorende optie niet actief.
Keuzerondje	Opties met een keuzerondje ervoor zijn opties die elkaar wederzijds uitsluiten. Een keuzerondje bestaat uit een cirkeltje; daarachter staat de naam van de optie. Opties met een keuzerondje staan altijd in groepen, waarbinnen slechts één rondje (optie) tegelijk geselecteerd kan zijn. De optie die binnen de groep actief is, herken je aan de zwarte stip in het cirkeltje.
Kringvelden	Kringvelden bestaan uit een tweetal kleine vakjes boven elkaar. Het bovenste vakje bevat een omhoogwijzende pijl, terwijl het onderste vakje een omlaagwijzende pijl bevat. Je gebruikt kringvelden om door een reeks vooraf ingestelde opties te bladeren totdat je de gewenste optie hebt geselecteerd.
Opdrachtknop	Voert een bewerking uit. Een opdrachtknop is rechthoekig en bevat de naam van de opdracht. Als de naam van een opdrachtknop wordt gevolgd door drie puntjes (...), toont Excel een nieuw dialoogvenster met nog meer opties wanneer je op deze knop klikt.

Opmerking: Je kunt een dialoogvenster wel verplaatsen, maar de grootte of vorm ervan kun je niet wijzigen; deze zijn vastgesteld door de programmeur.

Veel dialoogvensters bevatten standaardinstellingen of -waarden die automatisch worden geselecteerd, tenzij je nieuwe instellingen kiest voordat je het dialoogvenster sluit.

✔ Als je een dialoogvenster wilt sluiten en de gewijzigde instellingen wilt toepassen, klik je op OK of op Sluiten (de knop met het woord Sluiten als opschrift, dus niet de knop met het x-teken). Sommige dialoogvensters hebben geen OK-knop.

✔ Als de OK-knop wordt omgeven door een donkere rand, wat vaak het geval is, kun je ook op Enter drukken om de gekozen instellingen toe te passen.

✔ Als je een dialoogvenster wilt sluiten zonder de nieuwe instellingen toe te passen, klik je op de knop Annuleren of op de knop Sluiten (de knop met het x-teken, en niet de knop met het woord Sluiten) in het dialoogvenster of druk je op Esc.

In de meeste dialoogvensters worden verwante opties bij elkaar in een groep geplaatst (die meestal wordt omgeven door een kader). Zo'n kader met een groep aanverwante opties noemen we een *groepsvak*. Wanneer je met de muis een optie in een dialoogvenster wilt instellen, klik je eenvoudig op de gewenste instelling; als het een optie is die je instelt door tekst in te voeren, plaats je de invoegpositie in het invoervak (door hierin te klikken) en vervang je de bestaande inhoud door de nieuwe tekst.

Wanneer je echter opties instelt via het toetsenbord, moet je soms eerst een groep activeren voordat je een van de opties in die groep kunt selecteren:

✔ Druk op Tab totdat een van de opties in de groep is geselecteerd. (Met Shift+Tab activeer je de vorige groep.)

✔ Wanneer je op Tab (of Shift+Tab) drukt, geeft Excel aan welke optie wordt geactiveerd; Excel doet dit door de standaardinvoer te selecteren of door een stippellijn te plaatsen rond de naam van de optie.

✔ Nadat je een optie hebt geactiveerd, kun je de instelling ervan wijzigen door te drukken op ↑ of ↓ (dit geldt voor groepen keuzerondjes en voor items in een keuzelijst of vervolgkeuzelijst), door te drukken op de spatiebalk (hiermee schakel je selectievakjes in of juist uit) of door nieuwe informatie te typen (in geval van invoervakken).

Je kunt een optie ook selecteren door Alt ingedrukt te houden en ondertussen te drukken op de toets met de letter die in de naam van de optie onderstreept is.

- ✔ Als je Alt indrukt en ondertussen drukt op de toets met de letter die in de naam van een optie-met-invoervak onderstreept is, selecteer je de inhoud van dat invoervak (die je vervolgens kunt vervangen door de nieuwe inhoud te typen).

- ✔ Als je Alt indrukt en ondertussen drukt op de toets met de letter die in de naam van een optie-met-selectievakje onderstreept is, schakel je deze optie in (door het vinkje te plaatsen) of juist uit (door het vinkje te verwijderen).

- ✔ Als je Alt indrukt en ondertussen drukt op de toets met de letter die in de naam van een optie-met-keuzerondje onderstreept is, schakel je deze optie in en schakel je tegelijkertijd de optie die geselecteerd was uit.

- ✔ Als je Alt indrukt en ondertussen drukt op de toets met de letter die in het opschrift van een opdrachtknop onderstreept is, wordt de desbetreffende opdracht uitgevoerd of wordt er een ander dialoogvenster geopend.

Naast de uitgebreide dialoogvensters uit de figuren 1.10 en 1.11, kom je ook een eenvoudiger type dialoogvenster tegen, dat wordt gebruikt om berichten en waarschuwingen weer te geven (deze dialoogvensters worden dan ook wel *berichtvensters* of *waarschuwingsvensters* genoemd). De meeste dialoogvensters van dit type bevatten alleen de knop OK, waarop je moet klikken om het dialoogvenster te sluiten nadat je het bericht hebt gelezen.

Online hulp

Je kunt Excel 2002 om hulp vragen terwijl je het programma gebruikt. Het enige probleem met dit traditionele helpsysteem is dat het alleen behulpzaam is wanneer je bekend bent met het Excel-jargon. Als je niet weet hoe Excel een bepaalde functie noemt, zul je problemen ondervinden bij het vinden van de Help-onderwerpen (net als wanneer je in het woordenboek een woord wilt opzoeken waarvan je de spelling niet kent). Om dit probleem te verhelpen, maakt Excel gebruik van een speciale functie, waarmee je in je eigen woorden een vraag kunt stellen. De Office-assistent probeert vervolgens je vraag, die je in goed Nederlands hebt gesteld, te vertalen naar de Excel-taal, zodat vervolgens de Help-onderwerpen met de gewenste informatie kunnen worden weergegeven.

De antwoordwizard

Met behulp van de antwoordwizard kun je in Excel 2002 vragen stellen in gewoon Nederlands. Klik op de vervolgkeuzelijst Een vraag stellen op de menubalk (de vervolgkeuzelijst bij het invoervak met de tekst 'Typ een vraag voor hulp'). Druk vervolgens op Enter. De antwoordwizard geeft nu een lijst met relevante onderwerpen. Als je bijvoorbeeld de vraag 'een werkblad afdrukken' typt, krijg je een lijst met onderwerpen over afdrukken te zien (zie figuur 1.12).

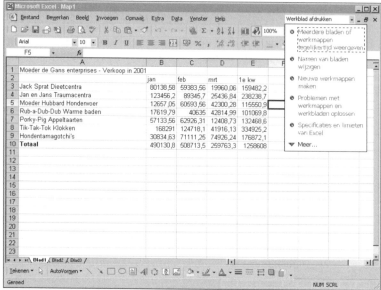

Figuur 1.12:
Typ een vraag in het invoervak Een vraag stellen en de ant-woord-wizard geeft een lijst met relevante onderwer-pen

Klik op een van de onderwerpen in de lijst om hierover meer informatie te krijgen. Nu wordt het dialoogvenster Microsoft Excel Help geopend (zie figuur 1.13). In dit venster zie je een lijst met onderwerpen die met je vraag te maken hebben. Deze lijst heeft opsommingstekens met de vorm van kleine driehoekjes. Klik op het onderwerp of het bijbehorende opsommingsteken om meer informatie te krijgen (er verschijnt een streep onder de tekst zodra je de muisaanwijzer erop plaats, zoals dat ook bij een koppeling gebruikelijk is).

Zodra je op een onderwerp of het bijbehorende opsommingsteken klikt, wordt de informatie onder het onderwerp weergegeven (het driehoekje wijst nu naar beneden in plaats van naar rechts). Wellicht kom je in de tekst nog meer opsommingstekens tegen. Ook dan kun je weer op de te-kens of de bijbehorende onderwerpen klikken om meer informatie te krijgen.

Als je dat wilt, kun je in één keer alle onderwerpen met betrekking tot een bepaald Help-onderwerp bekijken. Klik hiertoe op de koppeling Al-les weergeven in de rechterbovenhoek van het Help-venster. Klik op de knop Maximaliseren van het Help-venster om alle tekst van de onder-werpen te laten weergeven. Je kunt de helpinformatie desgewenst ook afdrukken: klik op de knop Afdrukken (onder de titelbalk van het dia-loogvenster).

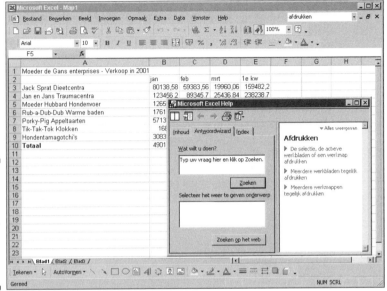

Figuur 1.13:
Selecteer
een onder-
werp in de
lijst; het dia-
loogvenster
Microsoft
Excel Help
verschijnt

In gesprek met Clippit

Als je klaar bent met het bekijken van de helponderwerpen in het dialoogvenster Microsoft Excel Help, keer je terug naar Excel en je werkblad door op de knop Sluiten van het Help-venster te klikken. Zodra je
dit doet, wordt het programmavenster van Excel weer gemaximaliseerd, zodat het hele scherm gebruikt wordt.

Let op: Je kunt dezelfde helponderwerpen ook vinden door op Help ⇨
Microsoft Excel Help te klikken of door op F1 te drukken. Op dat moment verschijnt Clippit, een cartoonfiguurtje dat dienst doet als Office-
assistent.

Typ de trefwoorden of je vraag in het invoervak boven het hoofd van
het cartoonfiguurtje. Druk op Enter of klik op de knop Zoeken. De Office-
assistent geeft nu een lijst met relevante onderwerpen (vergelijkbaar
met de lijst die onder het vak Een vraag stellen verschijnt). Klik op een
onderwerp in de lijst en het dialoogvenster Microsoft Excel Help komt
tevoorschijn. De Office-assistent nestelt zich boven in het venster.

Wanneer je het Help-venster sluit, sluit je eveneens Clippit. Als je echter
op Esc drukt voordat je een helponderwerp selecteert, verdwijnt het invoervak van de Office-assistent, maar blijft het cartoonfiguurtje zelf wél
op het scherm. Als je van hem af wilt zijn, klik je met de rechtermuisknop op het cartoonfiguurtje en selecteer je de optie Verbergen. Het is
aan te raden om de Office-assistent uit te schakelen en je te beperken
tot het invoervak Een vraag stellen.

Contextafhankelijke hulp

Je kunt contextafhankelijke hulp opvragen door Help ⇨ Wat is dit? te kiezen of door op Shift+F1 te drukken. Wanneer je een van deze twee dingen doet, verandert de vorm van de muisaanwijzer: er wordt een vraagteken aan toegevoegd (zie figuur 1.14). Als je hulp wilt over een bepaalde optie of een deel van het venster van Excel 2002, klik je daar met de vraagteken-aanwijzer op. Stel, je wilt de som van een kolom met getallen berekenen. Je weet dat dit met de knop AutoSom op de werkbalk Standaard heel eenvoudig is, maar je bent vergeten hoe je die knop ook alweer gebruikt. Je wilt dus je geheugen opfrissen over het gebruik van de knop AutoSom. In dat geval klik je met de vraagtekenaanwijzer op de knop AutoSom, waarna het programma het tekstvak AutoSom weergeeft met een korte uitleg over het gebruik van deze functie.

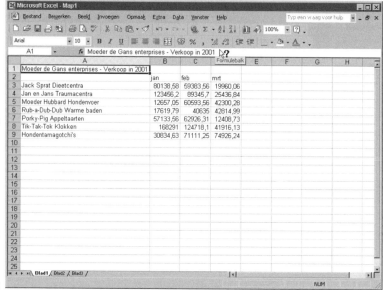

Figuur 1.14: Klik met de vraagteken-aanwijzer op een object en Excel geeft een toelichting over het object en het gebruik ervan

Je kunt de contextafhankelijke hulp ook gebruiken om informatie op te vragen over een van de opties in de menu's. Stel, je wilt meer weten over de optie Volledig scherm in het menu Beeld. Als je informatie over de werking en het gebruik van deze optie wilt hebben, kies je Help ⇨ Wat is dit? of druk je op Shift+F1. Vervolgens klik je met de vraagteken-aanwijzer op het menu Beeld en daarna op de optie Volledig scherm. Het tekstvak Volledig scherm (menu Beeld) verschijnt dan, waarin je het een en ander kunt lezen over het gebruik van deze optie (bijvoorbeeld dat je er het maximale aantal werkbladcellen mee kunt weergeven op het scherm). Druk op Esc of nogmaals op Shift+F1 om de functie Wat is dit? weer uit te schakelen.

Sluitingstijd

Wanneer je klaar bent en Excel wilt verlaten, kun je het programma op verschillende manieren afsluiten:

- ✔ Klik op de knop Sluiten van het programmavenster van Excel.

- ✔ Kies Bestand ➪ Afsluiten.

- ✔ Dubbelklik op het pictogram van het systeemmenu van het programmavenster (het pictogram met de letter X in de linkerbovenhoek van het scherm).

- ✔ Druk op Alt+F4.

Als je Excel afsluit nadat je aan een werkmap hebt gewerkt en de laatste wijzigingen niet hebt opgeslagen, laat het programma een pieptoon horen en toont het een waarschuwingsvenster waarin wordt gevraagd of je de wijzigingen wilt opslaan. Wil je de wijzigingen opslaan voordat je Excel afsluit, klik dan op de knop Ja. (In hoofdstuk 2 vind je meer informatie over het opslaan van documenten.) Als je alleen maar hebt geoefend met het werkblad en de wijzigingen niet wilt bewaren, klik je op Nee, waarna het document wordt weggegooid.

Hoofdstuk 2

Een nieuwe spreadsheet maken

*W*anneer je eenmaal weet hoe je Excel 2002 opent, wordt het tijd om te leren hoe je het programma daadwerkelijk *gebruikt*. In dit hoofdstuk wordt uitgelegd hoe je allerlei soorten informatie in die kleine, lege werkbladcellen plaatst. De functies AutoCorrectie en AutomatischAanvullen worden besproken en je leest hoe deze functies je kunnen helpen minder fouten te maken en sneller te werken. Er wordt ook informatie gegeven over enkele andere manieren om het monnikenwerk van gegevensinvoer tot een minimum te beperken, zoals een reeks cellen vullen met de functie AutoDoorvoeren en dezelfde informatie invoeren in meerdere cellen tegelijk.

Nadat je hebt ontdekt hoe je een werkblad vult met deze ruwe gegevens, leer je de belangrijkste les: hoe je de informatie opslaat op schijf, zodat je die niet opnieuw hoeft in te voeren!

Wat voor gegevens ga je in de nieuwe werkmap invoeren?

Wanneer je Excel start zonder een document te openen, zoals het geval is wanneer je het programma start door te klikken op de knop Microsoft Excel op de Office-werkbalk (zie hoofdstuk 1), verschijnt er een lege werkmap in een nieuw werkmapvenster. Deze werkmap, die de voorlopige naam Map1 heeft, bevat drie lege werkbladen (genaamd Blad1, Blad2 en Blad3). Om te gaan werken in een nieuwe spreadsheet, voer je eenvoudigweg informatie in op het eerste werkblad in het werkmapvenster Map1.

Gegevens invoeren

Hier volgen enkele eenvoudige richtlijnen (een soort etiquette voor gegevensinvoer) die je in gedachten moet houden wanneer je een spreadsheet gaat maken op Blad1 van de nieuwe werkmap:

- Rangschik de informatie zoveel mogelijk in gegevenstabellen die aangrenzende kolommen en rijen beslaan. Begin de tabellen in de linkerbovenhoek van het werkblad en werk bij voorkeur omlaag (in plaats van opzij). Waar dit nodig is, scheid je de verschillende tabellen door niet meer dan één lege kolom of rij.

- Wanneer je deze tabellen maakt, sla dan geen kolommen of rijen over enkel en alleen om ruimte tussen de informatie te creëren. In hoofdstuk 3 wordt uitgelegd hoe je de gewenste hoeveelheid witruimte tussen aangrenzende kolommen en rijen creëert door kolommen breder te maken, rijen hoger te maken en de uitlijning te wijzigen.

- Reserveer één kolom links van de tabel voor de rijkoppen van de tabel.

- Reserveer één rij boven de tabel voor de kolomkoppen van de tabel.

- Als de tabel een titel vereist, plaats deze dan in de rij boven de kolomkoppen. Plaats de titel in dezelfde kolom als de rijkoppen. In hoofdstuk 3 wordt uitgelegd hoe je de titel centreert in alle kolommen van de tabel.

Nadat in hoofdstuk 1 is uitgelegd hoe groot de werkbladen in een werkmap zijn, vraag je je wellicht af waarom nu wordt benadrukt dat deze ruimte niet mag worden gebruikt om de ingevoerde gegevens verder uit elkaar te plaatsen. Gezien de enorme hoeveelheid ruimte die elk Excel-werkblad biedt, zou je immers denken dat ruimtebesparing een van de laatste dingen is waar je je druk over moet maken.

Je hebt volledig gelijk... op één kleinigheidje na: ruimtebesparing in een werkblad betekent geheugenbesparing. Naarmate een tabel met gegevens groter wordt en zich uitstrekt over kolommen en rijen in nieuwe delen van het werkblad, besluit Excel namelijk dat er beter een bepaalde hoeveelheid computergeheugen voor het werkblad kan worden gereserveerd en wordt deze ruimte zolang vrijgehouden, voor het geval je dit gebied vult met gegevens. Dit betekent dat als je kolommen en rijen overslaat die je niet noodzakelijkerwijs moet overslaan (alleen maar om de gegevens overzichtelijker te maken), er computergeheugen wordt verspild dat je anders zou kunnen gebruiken om meer informatie in het werkblad op te slaan.

Onthoud het volgende...

De hoeveelheid computergeheugen die beschikbaar is voor Excel bepaalt de uiteindelijke grootte van de spreadsheet die je kunt maken, niet het totaal aantal cellen in de werkbladen van de werkmap. Wanneer het geheugen volraakt, beschik je dus over minder ruimte, ongeacht hoeveel kolommen en rijen er over zijn om te worden gevuld. Om zoveel mogelijk informatie in een werkblad te kunnen invoeren, moet je de gegevens zo dicht mogelijk op elkaar plaatsen.

Gegevens invoeren

De basisregel voor het invoeren van gegevens in een werkblad luidt als volgt:

Om gegevens in een werkblad te kunnen invoeren, plaats je de celaanwijzer in de cel waarin je de gegevens wilt invoeren en begin je te typen.

Voordat je de celaanwijzer kunt plaatsen in de cel waarin je de informatie wilt invoeren, moet de aanduiding Gereed worden weergegeven op de statusbalk (om aan te geven dat de modus Gereed actief is). Wanneer je begint te typen, verandert het woord Gereed in Invoeren (om aan te geven dat de invoermodus actief is).

Druk op Esc als de aanduiding Gereed niet wordt weergegeven.

Zodra je in de modus Gereed begint te typen, verschijnen de ingevoerde tekens zowel in een cel in het werkblad als in de formulebalk boven in het venster. Als je informatie begint te typen die uiteindelijk in de huidige cel moet worden geplaatst, treedt er ook een verandering in de formulebalk op, aangezien er twee nieuwe knoppen, Annuleren en Invoeren, verschijnen tussen het naamvak (met het adres van de huidige cel) en de knop Formule bewerken.

Terwijl je blijft typen, toont Excel de ingevoerde informatie zowel op de formulebalk als in de actieve cel in het werkblad (zie figuur 2.1). De in-

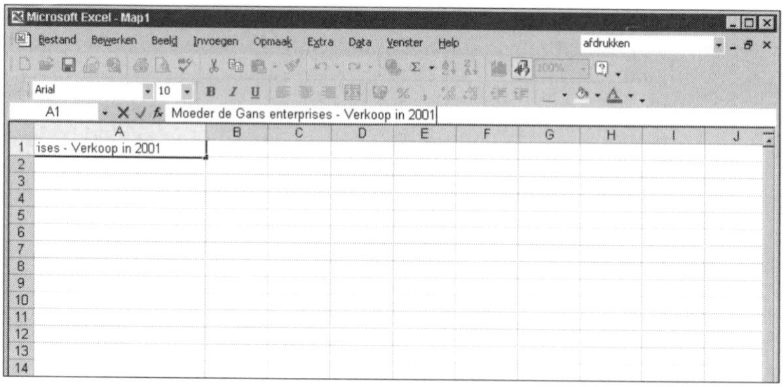

Figuur 2.1:
De gege-
vens die je
typt, ver-
schijnen
zowel in de
huidige cel
als in de
formulebalk

voegpositie (het knipperende verticale streepje dat fungeert als cursor) wordt echter alleen weergegeven aan het einde van de tekens in de cel.

Nadat je de gegevens hebt ingevoerd, moet je deze nog steeds in de cel plaatsen, zodat ze hierin aanwezig blijven. Hiermee schakelt het programma tevens over van de modus Invoeren naar de modus Gereed, zodat je een andere cel kunt selecteren om daarin gegevens in te voeren of te bewerken.

Om de celinvoer af te sluiten en Excel tegelijkertijd over te laten schakelen naar de modus Gereed, kun je klikken op de knop Invoeren op de formulebalk, drukken op Enter of drukken op een pijltoets ($\downarrow$, $\uparrow$, $\rightarrow$, $\leftarrow$) om zo naar een andere cel te gaan.

Hoewel elk van deze methoden de informatie in de cel plaatst, doet elke methode daarna iets anders. Let daarom op het volgende:

- Als je klikt op de knop Invoeren op de formulebalk, wordt de tekst in de cel geplaatst en blijft de cel waarin je zojuist informatie hebt ingevoerd actief.

- Druk je op Enter, dan wordt de tekst in de cel geplaatst en wordt de cel in de rij eronder de actieve cel.

- Na het indrukken van een pijltoets wordt de tekst in de cel geplaatst en wordt de celaanwijzer verplaatst naar de eerstvolgende cel in de richting van de pijl. Als je op $\downarrow$ drukt, wordt de cel in de volgende rij actief, net zoals wanneer je de invoer afsluit met de Enter-toets. Na een druk op $\rightarrow$ wordt de celaanwijzer naar de cel in de volgende kolom verplaatst. Met $\leftarrow$ verplaats je de celaanwijzer naar de cel in de vorige kolom. En als je op $\uparrow$ drukt, wordt de celaanwijzer verplaatst naar de cel in de rij boven de huidige cel.

- Als je op Tab drukt, wordt de tekst in de cel geplaatst en verplaatst de celaanwijzer zich naar de cel die direct rechts van de cel staat (hetzelfde bereik je door $\rightarrow$ te drukken). Als je op

---

De gewenste cel activeren met de Enter-toets

Excel verplaatst de celaanwijzer automatisch naar de volgende cel in de kolom (naar de cel onder de huidige cel dus) wanneer je op Enter drukt om de celinvoer te voltooien. Maar misschien wil je dit wel helemaal niet. Kies in dat geval Extra ⇨ Opties en selecteer de tab Bewerken; op het tabblad Bewerken pas je vervolgens de instellingen aan je wensen aan.

Als je wilt dat de celaanwijzer niet wordt verplaatst wanneer je op Enter drukt, verwijder je het vinkje in het selectievakje Selectie verplaatsen na ENTER uit. Als je wilt dat door het drukken op Enter niet de cel onder, maar de cel boven of links of rechts van de huidige cel wordt geactiveerd, kies je de gewenste richting in de vervolgkeuzelijst Richting (Rechts, Omhoog of Links). Ten slotte klik je op OK of druk je op Enter om de wijziging te bevestigen.

Shift+Tab drukt, wordt de celaanwijzer verplaatst naar de cel die direct links van de cel staat (hetzelfde bereik je door op de ← te drukken).

Welke methode je ook gebruikt om de gegevens in de cel te plaatsen, Excel schakelt de formulebalk uit door de knoppen Annuleren en Invoeren te verwijderen. De ingevoerde gegevens blijven aanwezig in de cel in het werkblad (op enkele uitzonderingen na, die verderop in dit hoofdstuk worden toegelicht) en telkens wanneer je deze cel activeert, worden de gegevens opnieuw weergegeven in de formulebalk.

Als je, terwijl je de gegevens typt of nadat je ze hebt ingevoerd maar de invoer nog niet hebt afgesloten, merkt dat je de gegevens in de verkeerde cel zat te typen, kun je de formulebalk leegmaken en uitschakelen door te klikken op de knop Annuleren (de knop met het x-teken) of door te drukken op Esc. Het kan echter ook gebeuren dat je pas merkt dat de verkeerde cel actief was *nadat* je de invoer hebt bevestigd. In dat geval moet je de gegevens naar de juiste cel verplaatsen (zoals wordt uitgelegd in hoofdstuk 4) of moet je de informatie verwijderen (zie ook hoofdstuk 4) en opnieuw invoeren in de juiste cel.

Gegevenstypen

Terwijl je gegevens in een spreadsheet invoert, analyseert Excel, zonder dat je het merkt, alles wat je invoert en rangschikt dit onder een van de drie mogelijke gegevenstypen: een stuk *tekst*, een *waarde* of een *formule*.

Zodra Excel ontdekt dat de invoer een formule is, berekent het programma automatisch de formule en geeft het de berekende uitkomst weer in de werkbladcel (de formule zelf wordt echter nog steeds weergegeven in de formulebalk). Als Excel vindt dat de invoer geen formule is (wat een formule is, wordt verderop in dit hoofdstuk uitgelegd), bepaalt het programma of de gegevens kunnen worden aangemerkt als tekst of als een waarde.

Excel maakt dit onderscheid tussen tekst en waarden om te bepalen hoe de gegevens op het werkblad moeten worden uitgelijnd. Tekst wordt uitgelijnd tegen de linkerzijde van de cel, terwijl waarden worden uitgelijnd tegen de rechterrand. Aangezien de meeste formules alleen werken met waarden, weet het programma, door onderscheid te maken tussen tekst en waarden, ook welke gegevens wel en niet kunnen worden gebruikt in de formules die je samenstelt. Het volstaat te zeggen dat je formules goed kunt verprutsen als ze verwijzen naar cellen met tekst, terwijl Excel waarden verwacht.

Aanwijzingen voor tekst

Tekstgegevens zijn gegevens die Excel niet kan classificeren als een formule of een waarde. Daarom is tekst de vergaarbak van alle Excel-gegevenstypen. Als praktische regel bestaan de meeste tekstgegevens (ook wel *labels* genoemd) uit een combinatie van letters en leestekens of letters en cijfers. Tekst wordt voornamelijk gebruikt voor titels, koppen en opmerkingen in het werkblad.

Je kunt direct zien of Excel celinvoer accepteert als tekst, aangezien tekst automatisch links in de cel wordt uitgelijnd. Als de tekst breder is van de cel, lopen de gegevens door in de aangrenzende cel(len) rechts ervan, *mits deze leeg is/zijn* (zie figuur 2.2).

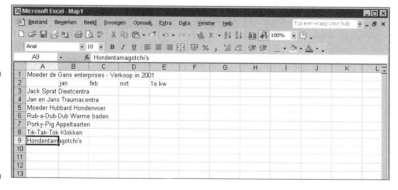

Figuur 2.2: Lange tekst loopt over in aangrenzende lege cellen

Dit betekent echter dat, als je achteraf informatie invoert in een cel waarin tekst wordt weergegeven uit de cel links van de huidige cel, Excel de overlopende tekst bijsnijdt (zie figuur 2.3). Schrik echter niet: Excel verwijdert deze tekens niet uit de cel, maar geeft ze alleen niet weer om zo ruimte te maken voor de nieuwe gegevens. Als je het 'ontbrekende' deel van een lange tekst wilt laten weergeven, moet je de kolom met de desbetreffende cel breder maken (in hoofdstuk 3 wordt uitgelegd hoe je dit doet).

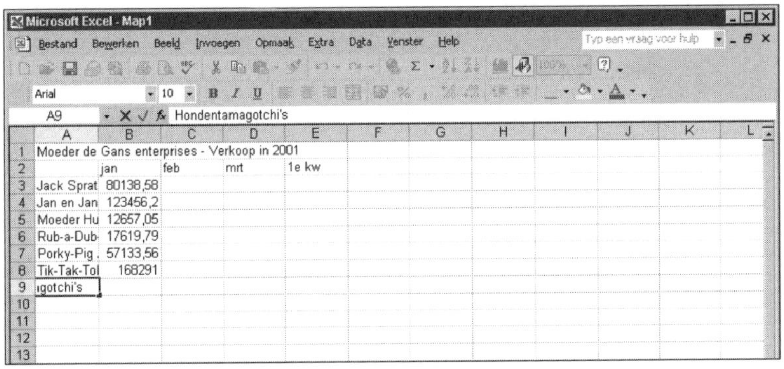

Figuur 2.3:
Celinvoer in
de rechter-
cellen snij-
den de over-
lopende
tekst in de
linkercellen

	A	B	C	D	E	F	G	H	I	J	K	L
1	Moeder de Gans enterprises - Verkoop in 2001											
2		jan	feb	mrt	1e kw							
3	Jack Sprat	80138,58										
4	Jan en Jan	123456,2										
5	Moeder Hu	12657,05										
6	Rub-a-Dub	17619,79										
7	Porky-Pig	57133,56										
8	Tik-Tak-Tol	168291										
9	igotchi's											
10												
11												
12												
13												

Hoe Excel waarden evalueert

Waarden vormen de bouwstenen van de meeste formules die je in Excel maakt. Er zijn twee soorten waarden: getallen die hoeveelheden vertegenwoordigen (zoals 14 winkels of 140.000 gulden) en getallen die datums (zoals 30 juli 1995) of tijden (zoals 14:00 uur) representeren.

Je kunt ook op een andere manier controleren of Excel gegevens accepteert als een waarde, aangezien waarden rechts worden uitgelijnd in een cel. Als de ingevoerde waarde breder is dan de kolom waarin de cel zich bevindt, geeft Excel de waarde automatisch weer in de *wetenschappelijke notatie* (waarbij 6E+08 bijvoorbeeld staat voor een 6, gevolgd door acht nullen, wat een totaal oplevert van 600 miljoen). Als je de normale notatie van de omgezette waarde weer terugwilt, moet je de desbetreffende kolom breder maken (zie hoofdstuk 3).

Voor Excel is tekst één grote nul

Je kunt de automatische berekening in de statusbalk gebruiken om te bewijzen dat Excel aan alle tekstinvoer de waarde 0 (nul) toekent. Typ een getal, bijvoorbeeld 10, in een cel en typ vervolgens een willekeurige tekst, zoals Excel is net een doos bonbons, in de cel direct eronder. Sleep de aanwijzer vervolgens omhoog, zodat beide cellen (de cel met de waarde 10 en de cel met de tekst) zijn geselecteerd. Bekijk de automatische berekening op de statusbalk: deze bevat de aanduiding SOM=10 en bewijst zo dat de tekst niets heeft toegevoegd aan de totale waarde van deze twee cellen.

De juiste waarden invoeren

Wanneer je een nieuw werkblad maakt, ben je waarschijnlijk veel tijd kwijt met het invoeren van getallen die allerlei soorten hoeveelheden vertegenwoordigen, variërend van het geld dat je hebt verdiend (of verloren) tot het percentage van het kantoorbudget dat is uitgegeven aan koffie en cake.

Als je een numerieke waarde (een getal dus) invoert die een *positieve* waarde representeert, zoals de hoeveelheid geld die je het afgelopen jaar hebt verdiend, typ je de cijfers, bijvoorbeeld 459600, en sluit je de invoer af door te klikken op de knop Invoeren, te drukken op de Enter-toets of iets dergelijks. Bij het invoeren van een numerieke waarde die een *negatieve* waarde vertegenwoordigt, zoals het geld dat het kantoor het afgelopen jaar heeft uitgegeven aan koffie en cake, typ je een minteken (-) voor de cijfers, zoals -175 (wat niet zoveel is voor koffie en cake als je zojuist € 459600 hebt verdiend), en sluit je de invoer af.

Als je een geschoolde boekhouder bent, kun je een negatieve waarde (voor jouw *uitgaven*) tussen haakjes zetten, zoals (175). Als je haakjes gebruikt voor negatieve getallen, plaatst Excel echter automatisch een minteken voor dit getal, wat betekent dat als je (175) typt voor de uitgaven aan koffie en cake, Excel dit automatisch omzet in -175. (Als je per se wilt, kun je toch je geliefde haakjes blijven gebruiken voor uitgaven; in hoofdstuk 3 wordt uitgelegd hoe je dat doet.)

Voor numerieke waarden die bedragen in guldens vertegenwoordigen, zoals de hoeveelheid geld die je het afgelopen jaar hebt verdiend, kun je guldentekens (in dit geval een F) en punten (.) toevoegen, net zoals je dit op papier zou doen. Let er echter op dat wanneer je een getal met punten invoert, Excel aan die waarde een getalnotatie toekent die overeenkomt met het gebruik van de punten (in hoofdstuk 3 vind je meer informatie over getalnotaties en het gebruik ervan). Wanneer je het guldenteken voor een financiële waarde plaatst, kent Excel een geschikte valutanotatie toe aan de waarde (waarbij automatisch punten worden ingevoerd tussen duizendtallen).

Wanneer je numerieke waarden met decimalen invoert, gebruik je de komma als scheidingsteken. Tijdens het invoeren van decimale waarden ('cijfers achter de komma'), voegt het programma automatisch een nul toe voor de decimale komma (Excel plaatst dus 0,34 in een cel wanneer je ,34 invoert) en worden eindnullen na de decimale komma verwijderd (Excel plaatst 12,5 in een cel wanneer je 12,50 invoert).

Als je niet weet wat het decimale equivalent is van een waarde die een breuk bevat, voer de waarde dan in met de breuk. Stel, bijvoorbeeld, je weet niet dat 2,1875 het decimale equivalent is van 2 3/16; in dat geval typ je 2 3/16 in de cel (waarbij je een spatie invoegt tussen de 2 en de 3). Nadat je de invoer hebt afgesloten en deze cel activeert, zie je 2 3/16 in de cel in het werkblad, maar 2,1875 in de formulebalk. Zoals je zult zien in hoofdstuk 3, kun je de weergave van 2 3/16 in de cel gemakkelijk aanpassen, zodat deze overeenkomt met de 2,1875 in de formulebalk.

Als je echter alleen een breuk wilt invoeren, zoals 3/4 of 5/8, moet je deze laten voorafgaan door een nul. Je typt dus bijvoorbeeld 0 3/4 of 0 5/8 (let erop dat je een spatie typt tussen de nul en de breuk). Als je dit niet doet, raakt Excel in de war en denkt dan dat je de datums 3 april (3/4) en 5 augustus (5/8) invoert.

Wanneer je in een cel een numerieke waarde invoert die een percentage vertegenwoordigt, heb je de volgende mogelijkheden:

- ✔ Je kunt het getal delen door 100 en het decimale equivalent invoeren (door de decimale komma twee plaatsen naar links te verschuiven; typ bijvoorbeeld ,12 voor 12 procent).

- ✔ Je kunt het getal invoeren met het procentteken (bijvoorbeeld 12%).

In beide gevallen slaat Excel de decimale waarde op in de cel (in dit geval 0,12). Als je het procentteken gebruikt, kent Excel een procentnotatie toe aan de waarde in het werkblad, zodat deze wordt weergegeven als 12%.

Een vast aantal decimalen instellen

Als je een groot aantal waarden moet invoeren dat hetzelfde aantal decimalen gebruikt, kun je de instelling Vast aantal decimalen inschakelen, zodat het programma de decimalen voor je invoert. Deze functie is met name handig als je honderden financiële getallen moet invoeren die allemaal twee decimalen bevatten (voor het aantal centen).

Voer de volgende stappen uit om een vast aantal decimalen in te stellen voor numerieke waarden:

1. Kies Extra ➪ Opties.

    Het dialoogvenster Opties verschijnt nu.

2. Klik op de tab Bewerken.

3. Klik op het selectievakje Vast aantal decimalen, zodat er een vinkje in het selectievakje komt te staan.

    Excel stelt het aantal decimalen standaard in op twee posities links van het laatste cijfer dat je typt. Als je het standaardaantal posities wilt wijzigen, voer je stap 4 uit; zo niet, ga dan verder met stap 5.

4. Typ een nieuwe waarde in het vak Posities of wijzig de waarde met behulp van het kringveld.

    Je kunt de instelling voor Posities bijvoorbeeld wijzigen in 3 als je getallen met de volgende decimalen wilt invoeren: 00,000.

5. Klik op OK of druk op Enter.

Laat je niet vastpinnen op het aantal decimalen!

Wanneer de optie Vast aantal decimalen is ingeschakeld, voegt Excel een decimale komma toe aan alle numerieke waarden die je invoert. Als je echter een getal zonder decimalen wilt invoeren of een getal waarin de decimale komma zich op een andere positie dan de standaardpositie bevindt, moet je de decimale komma zelf typen. Als je bijvoorbeeld het getal 1099 wilt invoeren in plaats van 10,99, terwijl het aantal decimalen is vastgezet op twee posities, typ je 1099, in de cel.

Vergeet alsjeblieft niet de functie Vast aantal decimalen uit te schakelen voordat je gaat werken aan een ander werkblad of Excel afsluit. Als je dit niet doet en bijvoorbeeld de waarde 20 wilt invoeren, wordt dit veranderd in 0,2 en heb je geen idee wat er aan de hand is!

Nadat je het aantal vaste decimalen in numerieke waarden hebt ingesteld, voegt Excel automatisch de decimale komma toe aan elke numerieke waarde die je invoert. Het enige wat je hoeft te doen, is de cijfers te typen en de invoer in de cel af te sluiten. Als je bijvoorbeeld de numerieke waarde 100,99 wilt invoeren nadat je twee vaste decimalen hebt ingesteld, typ je de cijfers 10099. Wanneer je de invoer afsluit, plaatst Excel automatisch een decimale komma op twee posities vanaf rechts in het ingevoerde getal, zodat de cel uiteindelijk de waarde 100,99 bevat.

Wanneer je de normale invoer van numerieke waarden wilt herstellen (dat wil zeggen: invoer waarbij je zelf de decimale komma toevoegt), open je het dialoogvenster Opties, klik je op de tab Bewerken, schakel je de optie Vast aantal decimalen uit en klik je op OK of druk je op Enter. Excel verwijdert dan de aanduiding VAST uit de statusbalk.

Typen vanaf het numerieke toetsenblok

De functie Vast aantal decimalen is nog handiger wanneer je het blok cellen waarin je de getallen wilt invoeren selecteert (zie verderop in dit hoofdstuk) en op NumLock drukt, zodat je alle gegevens in deze cellen kunt invoeren via het numerieke toetsenblok (dat lijkt op een rekenmachine met tien toetsen).

Het enige wat je in dit geval moet doen om het bereik met waarden in elke cel in te voeren, is de cijfers in te typen en op Enter te drukken op het numerieke toetsenblok, waarna Excel de decimale komma invoert op de juiste plaats en de volgende cel in de kolom selecteert. Wanneer je de laatste waarde in een kolom hebt ingevoerd en op Enter drukt, wordt automatisch de cel boven in de volgende kolom in de selectie geactiveerd.

De figuren 2.4 en 2.5 illustreren hoe deze methode werkt. In figuur 2.4 is de functie Vast aantal decimalen ingeschakeld (met de standaardinstelling van twee decimalen) en is het blok cellen van B3 tot en met D9 geselecteerd. Je ziet dat er al zes waarden zijn ingevoerd in de cellen B3 tot en met B8 en dat de zevende waarde (30834,63) in cel B9 zojuist is ingevoerd. Als je deze waarde wilt invoeren terwijl de functie Vast aantal decimalen is ingeschakeld, typ je 3083463 op het numerieke toetsenblok.

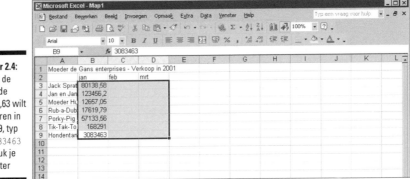

Figuur 2.4: Als je de waarde 30834,63 wilt invoeren in cel B9, typ je 3083463 en druk je op Enter

Figuur 2.5 laat zien wat er gebeurt wanneer je op Enter drukt (op het hoofdgedeelte van het toetsenbord of op het numerieke toetsenblok). Zoals je ziet, voegt Excel niet alleen automatisch de decimale komma toe aan de waarde in cel B9, maar verplaatst het de celaanwijzer ook naar cel C3, waarin je de volgende waarde kunt invoeren.

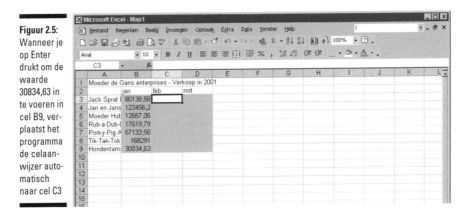

Figuur 2.5: Wanneer je op Enter drukt om de waarde 30834,63 in te voeren in cel B9, verplaatst het programma de celaanwijzer automatisch naar cel C3

Datums invoeren

Op het eerste gezicht lijkt het misschien vreemd dat datums en tijden in de cellen van een werkblad als waarden worden ingevoerd, in plaats van als tekst. De reden hiervoor is dat data en tijden die zijn ingevoerd als *waarden* kunnen worden gebruikt in formules, terwijl dit niet geldt voor datums en tijden die worden beschouwd als *tekst*. Als je bijvoorbeeld twee data als waarden invoert, kun je een formule maken die de meest recente datum aftrekt van de oudere datum en het aantal tussenliggende dagen uitrekent. Dit is niet mogelijk als de twee datums zijn ingevoerd als tekst.

Excel bepaalt of de ingevoerde datum of tijd een waarde of een tekst is aan de hand van de gebruikte notatie. Als je een van de ingebouwde datum- en tijdnotaties van Excel gebruikt, herkent het programma die datum of tijd als waarde. Als je geen van deze notaties gebruikt, voert het programma de datum of tijd in als tekst.

Excel herkent de volgende tijdnotaties:

15:21

15:21:04

3:21 PM

3:21:04 PM

Excel kent de volgende datumnotaties. (Merk op dat voor de afkortingen van maanden altijd de eerste drie letters van de maand worden gebruikt, behalve bij maart: jan, feb, mrt, apr enzovoort.)

2 november 2001

2-11-01 of 2/11/01

2-nov-01 of 2/nov/01of zelfs 2nov01

2-nov of 2/nov of 2nov

nov-01 of nov/01 of nov01

Datumsystemen

Data worden opgeslagen als getallen die aangeven hoeveel dagen zijn verstreken vanaf een bepaalde begindatum. Tijden worden opgeslagen als decimale breuken die het verstreken gedeelte van de periode van 24 uur aangeven. Excel ondersteunt het 1900-datumsysteem, dat wordt gebruikt door Excel voor Windows en waarbij 1 januari 1900 de begindatum (met nummer 1) is, en het 1904-systeem, dat wordt gebruikt door Excel voor de Macintosh en waarbij 2 januari 1904 de begindatum is.

Als je ooit moet werken met een werkmap die is gemaakt met Excel voor de Macintosh en die datums bevat die niet lijken te kloppen wanneer je het bestand opent, kun je dit probleem verhelpen door Extra ⇨ Opties te selecteren, te klikken op de tab Berekenen en in het vak Werkmapopties de optie Datumsysteem 1904 in te schakelen voordat je op OK klikt.

Datums in de 21e eeuw

In tegenstelling tot wat je zou misschien denken, hoef je bij datums in de 21e eeuw alleen de laatste twee cijfers van het jaar te typen. Stel dat je in een werkblad de datum 6 januari 2002 wilt invoeren; dan typ je het volgende in de doelcel: 1-6-02. Als je de datum 15 februari 2010 in een werkblad wilt invoeren, typ je het volgende in de doelcel: 15-2-10.

Dit systeem, waarbij je alleen de laatste twee cijfers van jaartallen in de 21e eeuw typt, werkt echter alleen voor datums in de eerste drie decennia van de huidige eeuw (2000 tot en met 2029). Als je datums wilt invoeren die vallen in het jaar 2030 of later, moet je de vier cijfers van het jaartal invoeren.

Dit betekent echter ook dat als je een datum in de eerste drie decennia van de 20e eeuw wilt invoeren (1900 tot en met 1929), je de vier cijfers van het jaartal moet typen. Een voorbeeld: de datum 21 juli 1925 voer je als volgt in de doelcel in: 21-7-1925. Typ je alleen de laatste twee cijfers (25) van het jaartal, dan voert Excel de datum in voor het jaar 2025 in plaats van 1925.

Zelfs wanneer je de vier getallen van het jaartal invoert, kort Excel dit af tot de laatste twee cijfers. Dit betekent helaas dat de datums 21 juli 1925 en 21 juli 2025 er in de cellen hetzelfde uitzien: 21-7-25. De enige manier om de datums uit elkaar te houden, is de desbetreffende cel te selecteren en goed te kijken wat er in de formulebalk staat (21-7-1925 of 21-7-2025) of een datumnotatie toe te passen waarbij de vier cijfers van het jaartal in de cel worden weergegeven (in hoofdstuk 3 vind je meer informatie over dit onderwerp).

Fantastische formules fabriceren

Formules zijn de ware werkpaarden van het werkblad in Excel. Als je een formule correct opstelt, berekent de formule het juiste antwoord wanneer je deze in de cel invoert. Vervolgens wordt de formule automatisch bijgewerkt en wordt de uitkomst opnieuw berekend wanneer je een van de waarden die de formule gebruikt, wijzigt.

Je vertelt Excel dat je in de huidige cel een formule gaat invoeren (in plaats van tekst of een waarde) door de formule te beginnen met het is-gelijkteken (=). Bij de meeste eenvoudige formules wordt het isgelijkteken gevolgd door een ingebouwde functie, zoals SOM of GEMIDDELDE. (De paragraaf 'Een functie in een formule invoegen met de knop Functie invoegen en het formulepalet', verderop in dit hoofdstuk, bevat meer informatie over het gebruik van functies in formules.) Andere eenvoudige formules gebruiken een reeks waarden of celverwijzingen, bestaande uit waarden die van elkaar worden gescheiden door een of meer van de volgende wiskundige operatoren:

+ (Plusteken) voor optellen.

- (Minteken) voor aftrekken.

* (Sterretje) voor vermenigvuldigen.

/ (Schuine streep) voor delen.

^ (Dakje of accent circonflexe) voor machtsverheffen.

Als je bijvoorbeeld in cel C2 een formule wilt maken die een ingevoerde waarde in cel A2 vermenigvuldigt met een waarde in cel B2, typ je de volgende formule in cel C2:

```
=A2*B2
```

Voer de volgende stappen uit om deze formule in te voeren in cel C2:

1. Selecteer cel C2.

2. Typ de hele formule =A2*B2 in de cel.

3. Druk op Enter.

Of:

1. Selecteer cel C2.

2. Typ = (isgelijkteken).

3. Selecteer cel A2 in het werkblad met behulp van de muis of het toetsenbord.

   Hiermee wordt de celverwijzing A2 in de formule in de cel geplaatst (zie figuur 2.6).

4. Typ *.

   In Excel wordt voor vermenigvuldigen niet het maalteken gebruikt dat je vroeger op school hebt geleerd (x), maar het sterretje (*).

5. Selecteer cel B2 in het werkblad met de muis of het toetsenbord.

   Hiermee plaats je de celverwijzing B2 in de formule (zie figuur 2.7).

6. Klik op de knop Invoeren om de formule te voltooien, waarbij de celaanwijzer in cel C2 blijft staan.

   Excel toont het berekende antwoord in cel C2, terwijl de formule =A2*B2 wordt weergegeven in de formulebalk (zie figuur 2.8).

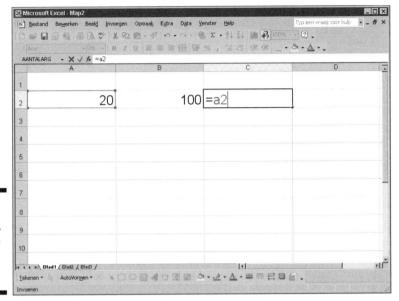

Figuur 2.6:
Om de formule te beginnen, typ je = en selecteer je cel A2

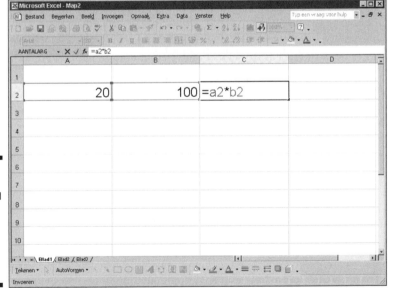

Figuur 2.7:
Om het tweede deel van de formule te voltooien, typ je * en selecteer je cel B2

Wanneer je de formule =A2*B2 hebt ingevoerd in cel C2 van het werkblad, toont Excel de berekende uitkomst, afhankelijk van de waarden die momenteel zijn ingevoerd in de cellen A2 en B2. Het grootste voordeel van elektronische spreadsheets is de mogelijkheid van formules om hun berekende uitkomst automatisch aan te passen aan wijzigingen in de cellen waarnaar door de formule wordt verwezen.

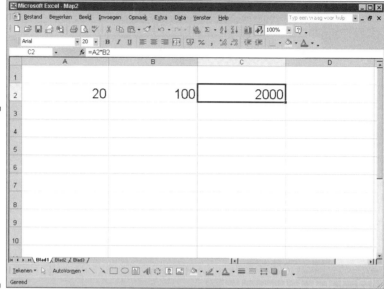

Figuur 2.8: Wanneer je klikt op de knop Invoeren, toont Excel de uitkomst in cel C2, terwijl de formule wordt weergegeven in de formulebalk

Nadat je dus een formule hebt gemaakt die, zoals de voorgaande, *verwijst* naar de waarden in bepaalde cellen (in plaats van de waarden zelf te bevatten), kun je de waarden in die cellen wijzigen, waarna Excel automatisch de formule opnieuw berekent. Hierbij worden de nieuwe waarden gebruikt en wordt de bijgewerkte uitkomst weergegeven in het werkblad. Stel, je verandert in het voorbeeld uit figuur 2.8 de waarde in cel B2 van 100 in 50. Zodra je deze wijziging in cel B2 doorvoert, berekent Excel de formule opnieuw en wordt het nieuwe antwoord, 1000, weergegeven in cel C2.

Aanwijzen wat je wilt hebben

Als je in een formule celverwijzingen wilt opnemen, kun je die verwijzingen met de hand typen, maar een veel handiger methode is de cellen in kwestie te *selecteren*; deze methode wordt *aanwijzen* genoemd. Cellen aanwijzen is niet alleen sneller dan celverwijzingen invoeren, maar verkleint ook de kans dat je de verkeerde celverwijzing invoert. Wanneer je een celverwijzing typt, kun je maar al te gemakkelijk de verkeerde kolomletter of het verkeerde rijnummer invoeren, terwijl je deze fout niet kunt ontdekken door alleen naar het resultaat in de cel te kijken.

Als je de cel die je in een formule wilt gebruiken, selecteert door erop te klikken of door de celaanwijzer naar de cel te verplaatsen, is de kans veel kleiner dat je de verkeerde celverwijzing invoert.

De standaardvolgorde wijzigen waarin rekenkundige bewerkingen worden uitgevoerd

Veel formules die je maakt, voeren meer dan één rekenkundige bewerking uit. Excel voert alle berekeningen uit van links naar rechts, volgens een strikte pikorde (de standaardvolgorde van rekenkundige bewerkingen). In deze volgorde wegen de bewerkingen vermenigvuldigen en delen zwaarder dan optellen en aftrekken en die worden daarom eerst uitgevoerd, zelfs als deze bewerkingen niet als eerste in de formule staan (wanneer deze van links naar rechts wordt gelezen).

Bekijk de bewerkingen in de volgende formule eens:

```
=A2+B2*C2
```

Als cel A2 de waarde 5, B2 de waarde 10 en C2 de waarde 2 bevat, levert dit de volgende formule op:

```
=5+10*2
```

In deze formule vermenigvuldigt Excel 10 met 2, wat gelijk is aan 20, *waarna* dit resultaat wordt opgeteld bij 5, wat de uitkomst 25 oplevert. Als je wilt dat Excel de waarden in de cellen A2 en B2 bij elkaar optelt *voordat* het resultaat wordt vermenigvuldigd met de waarde in cel C2, moet je de eerste bewerking als volgt tussen haakjes plaatsen:

```
=(A2+B2)*C2
```

De haakjes rond de optelling vertellen Excel dat deze bewerking eerst moet worden uitgevoerd, waarna het resultaat moet worden vermenigvuldigd. Als cel A2 de waarde 5, B2 de waarde 10 en C2 de waarde 2 bevat, telt Excel 5 en 10 bij elkaar op, wat de uitkomst 15 oplevert, en vermenigvuldigt deze uitkomst met 2, wat leidt tot het eindresultaat 30.

In ingewikkelder formules moet je mogelijk meerdere haakjes binnen elkaar plaatsen (dan krijg je net zoiets als die houten Russische poppetjes die in elkaar passen) om de volgorde aan te geven waarin de bewerkingen moeten plaatsvinden. Wanneer je haakjes binnen haakjes gebruikt, voert Excel eerst de bewerking tussen de binnenste haakjes uit en gebruikt de uitkomst in de volgende bewerkingen, waarbij het programma zich een weg naar buiten baant. Kijk bijvoorbeeld eens naar de volgende formule:

```
=(A4+(B4-C4))*D4
```

Excel trekt in dit geval eerst de waarde in cel C4 af van de waarde in B4 en telt het verschil op bij de waarde in cel A4. Tot slot wordt deze som vermenigvuldigd met de waarde in D4.

Zonder de twee reeksen haakjes zou Excel eerst de waarde in C4 vermenigvuldigen met de waarde in D4, vervolgens de waarde in A4 optellen bij die in B4 en tot slot de eerste uitkomst aftrekken van de tweede.

Je hoeft je niet al te veel zorgen te maken over het nesten van haakjes in een formule. Als je geen 'haakje sluiten' (het)-teken dus) toevoegt voor elk 'haakje openen' (het (-teken) in de formule, toont Excel een waarschuwingsvenster waarin de oplossing wordt voorgesteld die ervoor zorgt dat er een gelijk aantal haakjes openen en haakjes sluiten aanwezig zijn. Als je het eens bent met de suggestie die het programma doet, klik je eenvoudig op de knop Ja. Let wel goed op dat je niet per ongeluk de tekens { en } en de tekens [en] gebruikt. Er volgt dan een onverbiddelijke foutmelding.

Foutwaarden in formules

Onder bepaalde omstandigheden kunnen zelfs de beste formules zich vreemd gaan gedragen wanneer je ze in je werkblad hebt ingevoerd. Je merkt het direct wanneer een formule in de war raakt: in plaats van de berekende waarde die je in de cel verwacht, verschijnt er een vreemd, onbegrijpelijk bericht in hoofdletters dat begint met een hekje (#) en eindigt met een uitroepteken (!) of, in één geval, op een vraagteken (?). Deze vreemde meldingen worden *foutwaarden* genoemd. Het doel van deze foutwaarden is aan te geven dat een bepaald element (in de formule zelf of in een cel waarnaar de formule verwijst) ertoe leidt dat Excel niet de verwachte berekende waarde oplevert.

Het ergste van foutwaarden is dat ze kunnen doorwerken in andere formules in het werkblad. Als een formule een foutwaarde in een cel oplevert en een tweede formule in een andere cel verwijst naar de berekende waarde van de eerste formule, levert de tweede formule dezelfde foutwaarde op.

Als er een foutwaarde in een cel verschijnt, moet je proberen te achterhalen waardoor de fout wordt veroorzaakt en de formule in het werkblad aanpassen. Tabel 2.1 bevat enkele foutwaarden die je kunt tegenkomen en geeft uitleg over de meestvoorkomende oorzaken.

Tabel 2.1: Foutwaarden die kunnen worden weergegeven ten gevolge van foutieve formules

Wat wordt weergegeven in de cel	Wat er aan de hand is
#DEEL/0!	Deze waarde verschijnt wanneer in de formule wordt gedeeld door een cel die de waarde 0 bevat of, wat vaker het geval is, leeg is. Delen door nul is in de wiskunde nooit toegestaan.

Wat wordt weer-gegeven in de cel	Wat er aan de hand is
#NAAM?	Deze waarde verschijnt wanneer de formule verwijst naar de naam van een bereik (zie hoofdstuk 6 voor meer informatie over namen van bereiken) die in dit werkblad niet bestaat. Deze foutwaarde wordt weergegeven wanneer je de verkeerde naam invoert of een tekst in de formule niet tussen aanhalingstekens plaatst, zodat Excel denkt dat deze tekst verwijst naar de naam van een bereik.
#LEEG!	Deze waarde verschijnt meestal wanneer je een spatie invoegt (terwijl je een puntkomma had moeten gebruiken) om celverwijzingen te scheiden die worden gebruikt als argumenten voor een functie.
#GETAL!	Deze waarde verschijnt wanneer Excel een probleem ondervindt met een getal in de formule, zoals het verkeerde type argument in een Excel-functie of een berekening die een waarde oplevert die te groot of te klein is om te worden weergegeven in het werkblad.
#VERW!	Deze waarde verschijnt wanneer Excel een ongeldige celverwijzing tegenkomt, zoals wanneer je een cel verwijdert waarnaar in een cel wordt verwezen of cellen plakt over de cellen waarnaar in een formule wordt verwezen.
#WAARDE!	Deze waarde verschijnt wanneer je het verkeerde type argument of operator in een functie gebruikt of wanneer je een wiskundige berekening wilt uitvoeren met cellen die tekst bevatten.

Fouten in de gegevensinvoer herstellen

We zouden allemaal willen dat we perfect waren, maar aangezien slechts weinigen onder ons dat zijn, kunnen we ons beter voorbereiden op die onvermijdelijke gevallen waarin we er een zooitje van maken. Wanneer je grote hoeveelheden gegevens invoert, kunnen er maar al te gemakkelijk typefouten in je werk sluipen. Bij het streven naar de perfecte spreadsheet zijn er enkele dingen die je kunt doen. Ten eerste kun je ervoor zorgen dat Excel automatisch bepaalde typefouten direct corrigeert met de functie AutoCorrectie. Ten tweede kun je typefouten handmatig corrigeren terwijl je de gegevens invoert of nadat je de gegevens hebt ingevoerd.

De functie AutoCorrectie

De functie AutoCorrectie is een godsgeschenk voor diegenen onder ons die voortdurend dezelfde typefouten maken. Met AutoCorrectie kun je Excel 2002 wijzen op de typefouten die je zelf regelmatig maakt en het programma vertellen hoe deze fouten automatisch moeten worden gecorrigeerd.

Wanneer je Excel voor het eerst installeert, weet de functie AutoCorrectie al dat twee beginhoofdletters in ingevoerde tekst moeten worden gecorrigeerd (door de tweede hoofdletter te veranderen in een kleine letter) en dat de reeds ingestelde typefouten en andere tekst moeten worden vervangen door de opgegeven tekst.

Je kunt de lijst met vervangingen uitbreiden terwijl je Excel gebruikt.
Deze lijst kan bestaan uit twee soorten vervangingen: je kunt typefouten
die je regelmatig maakt toevoegen en ze laten vervangen door de juiste
spelling, en je kunt afkortingen of acroniemen toevoegen en ze laten
vervangen door hun volledige schrijfwijze.

Zo voeg je vervangingen toe:

1. Kies Extra ⇨ AutoCorrectie om het dialoogvenster AutoCorrectie
    te openen.

2. Typ de typefout of afkorting in het invoervak Vervang.

3. Typ de correctie of volledige vorm in het invoervak Door.

4. Klik op de knop Toevoegen of druk op Enter om de nieuwe typ-
    fout of afkorting toe te voegen aan de AutoCorrectie-lijst.

5. Klik op OK om het dialoogvenster AutoCorrectie te sluiten.

Regels voor celbewerking

Ondanks de hulp van AutoCorrectie zul je toch met bepaalde fouten te
maken krijgen. De manier waarop je deze fouten corrigeert, hangt af van
het feit of je ze opmerkt voor- of nadat je de celinvoer hebt bevestigd:

✔ Als je de fout opmerkt *voordat* je de invoer afsluit, kun je de fout
  verwijderen door net zo vaak op Backspace (de toets direct boven de Enter-toets) te drukken totdat je alle onjuiste tekens uit de
  cel hebt verwijderd. Vervolgens kun je de rest van de gegevens of
  de formule typen en de invoer afsluiten.

✔ Merk je de fout pas op *nadat* je de celinvoer hebt afgesloten, dan
  kun je óf alle gegevens vervangen, óf alleen de fout corrigeren.

✔ Wanneer het korte gegevens betreft, kun je deze waarschijnlijk
  het beste vervangen. Als je de celinhoud wilt vervangen, selecteer je de desbetreffende cel, typ je de vervangende informatie en
  sluit je de bewerking af door te klikken op de knop Invoeren of te
  drukken op de Enter-toets of op een pijltoets.

✔ Wanneer de fout gemakkelijk is te herstellen en de gegevens vrij
  lang zijn, kun je waarschijnlijk beter de celinhoud bewerken in
  plaats van deze te vervangen. Wil je de informatie in een cel bewerken, dubbelklik dan op de cel, of selecteer de cel en druk op F2.

✔ Wanneer je dubbelklikt op de te bewerken cel of wanneer je deze cel selecteert en op F2 drukt, wordt de formulebalk geactiveerd; deze bevat nu ook de knoppen Annuleren en Invoeren. Tevens wordt de invoegpositie in de desbetreffende werkbladcel geplaatst. (Als je dubbelklikt, wordt de invoegpositie geplaatst op de plek waar je klikte; als je op F2 drukt, wordt de invoegpositie achter het laatste teken in de cel geplaatst.)

✔ De modusaanduiding op de statusbalk verandert in Bewerken. In deze modus kun je de invoegpositie met de muis of met de pijltoetsen verplaatsen naar de tekens in de cel die je wilt bewerken.

In tabel 2.2 worden de toetsen vermeld die je kunt gebruiken om de invoegpositie in de celinhoud te verplaatsen en ongewenste tekens te verwijderen. Als je nieuwe tekens wilt invoegen op de invoegpositie, begin je gewoon te typen. Wil je bestaande tekens op de invoegpositie verwijderen terwijl je nieuwe tekens typt, dan druk je op Ins om over te schakelen van de normale invoegmodus naar de overschrijfmodus. Om de normale invoegmodus te herstellen, druk je nogmaals op Ins. Wanneer je de gewenste correcties in de celinhoud hebt aangebracht, moet je deze bewerking bevestigen door op Enter te drukken, waarna Excel de inhoud van de cel bijwerkt.

Tabel 2.2: Toetsen waarmee je de celinhoud bewerkt

Toets(en)	Resultaat
Del	Verwijdert het teken rechts van de invoegpositie.
Backspace	Verwijdert het teken links van de invoegpositie.
→	Verplaatst de invoegpositie één teken naar rechts.
←	Verplaatst de invoegpositie één teken naar links.
↑	Verplaatst de invoegpositie, indien deze zich aan het einde van de celinhoud bevindt, naar diens voorgaande positie.
End of ↑	Plaatst de invoegpositie na het laatste teken in de celinhoud .
Home	Plaatst de invoegpositie voor het eerste teken in de celinhoud.
Ctrl+→	Plaatst de invoegpositie voor het volgende woord in de celinhoud.
Ctrl+←	Plaatst de invoegpositie voor het voorgaande woord in de celinhoud.
Ins	Schakelt tussen de invoegmodus en de overschrijfmodus.

Terwijl de modus Bewerken actief is, moet je de invoer van de bewerkte celinhoud afsluiten door te klikken op de knop Invoeren of door te drukken op Enter. Je kunt de pijltoetsen alleen gebruiken om de invoer af te sluiten wanneer de modus Invoeren actief is. Wanneer de bewerkingsmodus is geactiveerd, heeft het gebruik van de pijltoetsen tot gevolg dat de invoegpositie verplaatst wordt binnen de gegevens die je bewerkt, en niet naar een nieuwe cel.

Twee bewerkingsmethoden: in de cel of op de formulebalk

Excel biedt je de keuze tussen de celinhoud bewerken in de cel zelf of in de formulebalk. Hoewel het meestal geen probleem is de inhoud rechtstreeks in de cel te bewerken, verdient bewerken in de formulebalk de voorkeur wanneer het gaat om zeer lange gegevens (zoals tekst die meerdere alinea's inneemt). Excel breidt de formulebalk namelijk uit, zodat de gehele celinhoud over meerdere regels wordt weergegeven, terwijl in de cel de inhoud aan de rechterkant van het scherm kan aflopen.

Als je de inhoud wilt bewerken in de formulebalk in plaats van in de cel zelf, moet je de celaanwijzer in de cel plaatsen en dubbelklikken op de celinhoud in de formulebalk (bijvoorbeeld op het teken je wilt wijzigen).

Gegevensinvoer vergemakkelijken

Voordat het onderwerp gegevensinvoer wordt afgesloten, worden enkele methoden behandeld die deze taak vergemakkelijken. Deze tips hebben betrekking op de functies AutomatischAanvullen en AutoDoorvoeren, gegevens invoeren in een vooraf geselecteerd blok cellen en dezelfde gegevens invoeren in meerdere blokken cellen tegelijk.

De functie AutomatischAanvullen

Je kunt de functie AutomatischAanvullen van Excel 2002 niet aanpassen. Je moet slechts weten dat deze functie aanwezig is terwijl je gegevens invoert. De softwareontwikkelaars van Microsoft hebben deze functie ontworpen in een poging de hoeveelheid typewerk te verminderen.

AutomatischAanvullen is een soort domme gedachtenlezer die vooruitloopt op wat je mogelijk wilt gaan invoeren op basis van wat je eerder hebt ingevoerd. Deze functie komt in actie wanneer je een kolom met tekst invoert. De functie wordt niet gebruikt voor waarden of formules of wanneer je rijen met tekst invoert. Wanneer je een kolom met tekst invoert, bekijkt AutomatischAanvullen de gegevens die je eerder in die kolom hebt ingevoerd en kopieert deze automatisch naar een volgende rij wanneer je nieuwe gegevens typt die beginnen met dezelfde letter als de aanwezige gegevens.

Stel, je typt Jack Sprat Dieetcentra (een van de bedrijven die eigendom zijn van Moeder de Gans Enterprises) in cel A3. Vervolgens verplaats je de celaanwijzer naar cel A4 en druk je op J (hoofdletter of kleine letter).

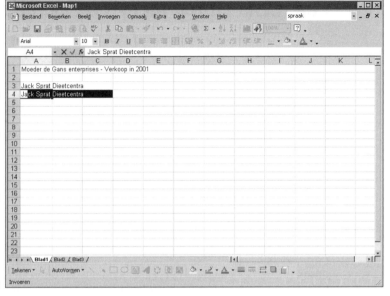

Figuur 2.9:
Automa-
tischAanvul-
len kopieert
voorgaande
gegevens
als je in de-
zelfde kolom
nieuwe ge-
gevens typt
die begin-
nen met
dezelfde
letter

AutomatischAanvullen voegt dan onmiddellijk de tekst 'Jack Sprat Dieetcentra' in de cel toe achter de J (zie figuur 2.9).

Dit is zeer handig als je Jack Sprat Dieetcentra wilt gebruiken als rijkop in cel A3 en cel A4. Aangezien de functie AutomatischAanvullen echter weet dat je mogelijk heel andere gegevens wilt invoeren die toevallig be-ginnen met dezelfde letter als de vorige gegevens, wordt alles wat is in-gevoegd na de eerste letter (in dit voorbeeld alles vanaf 'ack') geselec-teerd. Daardoor kun je de kopie van AutomatischAanvullen vervangen door verder te typen (wat hier het geval is, omdat je Jan en Jans Trau-macentra, een van de andere bedrijven van Moeder de Gans, wilde in-voeren in cel A4).

Als je een kopie die is aangeleverd door de functie AutomatischAanvul-len vervangt door eroverheen te typen, levert deze functie geen kopieën meer voor de desbetreffende letter. Nadat je in dit voorbeeld Jack Sprat Dieetcentra in cel A4 hebt veranderd in Jan en Jans Traumacentra, ge-beurt er niets wanneer je een J typt in cel A5. Pas nadat je Jac hebt ge-typt, stelt de functie AutomatischAanvullen de tekst Jack Sprat Dieet-centra voor.

Als je last hebt van de functie AutomatischAanvullen bij het opgeven van stukken tekst die allemaal met dezelfde letter beginnen, dan kun je deze functie uitschakelen. Kies Extra ➪ Opties en selecteer het tabblad Bewerken. Verwijder nu het vinkje uit het selectievakje bij Automatisch aanvullen voor celwaarden activeren. Klik vervolgens op OK.

Een reeks vullen met AutoDoorvoeren

In veel van de werkbladen die je met Excel maakt, zul je een reeks oplopende datums en getallen invoeren. Zo is het bijvoorbeeld mogelijk
dat je de twaalf maanden, van januari tot en met december, moet invoeren of dat je rijen moet nummeren van 1 tot en met 100.

Met de functie AutoDoorvoeren van Excel kun je een dergelijke herhalende taak snel uitvoeren. Het enige wat je hoeft te doen, is de eerste
waarde in de reeks invoeren. In de meeste gevallen is AutoDoorvoeren
slim genoeg om te begrijpen hoe de reeks moet worden aangevuld wanneer je de vulgreep naar rechts sleept (als je de reeks in de kolommen
ernaast wilt vervolgen) of omlaagsleept (om de reeks voort te zetten in
de rijen eronder).

De vulgreep heeft de vorm van een plusteken (+) en verschijnt alleen
wanneer je de muisaanwijzer plaatst op de rechterbenedenhoek van de
cel (of van de laatste cel wanneer je een blok cellen hebt geselecteerd).
Onthoud dat als je een celselectie versleept met de witte kruiscursor in
plaats van met de vulgreep, Excel alleen de selectie *uitbreidt* naar de cellen waarover je de vulgreep sleept (zie hoofdstuk 3). Als je met de pijlaanwijzer over een celselectie sleept, *verplaatst* Excel de selectie (zie
hoofdstuk 4).

Wanneer je een selectie maakt met de vulgreep, kun je slechts in één di-
mensie slepen: alleen horizontaal of alleen verticaal. Met andere woorden: je kunt de reeks uitbreiden of het bereik vullen *naar links* of *naar
rechts* vanaf het celbereik met de beginwaarden, óf je kunt de reeks uitbreiden of het bereik vullen *boven* of *onder* het celbereik met de beginwaarden. Je kunt de reeks echter niet uitbreiden en het bereik niet vullen in twee dimensies tegelijk (zoals omlaag en naar rechts).

Terwijl je met de muis sleept, geeft het programma aan welke informatie wordt ingevoerd in de laatste geselecteerde cel in het bereik door
deze informatie weer te geven naast de muisaanwijzer (als een soort
scherminfo). Wanneer je de muisknop loslaat nadat je het bereik hebt
uitgebreid met de vulgreep, maakt Excel een reeks in alle geselecteerde
cellen of vult Excel het hele bereik met de beginwaarde. Rechts van de
laatste cel in het bereik geeft Excel een vervolgkeuzepijl weer. Als je op
deze pijl klikt, verschijnt er een snelmenu (AutoDoorvoeren-opties).
Met behulp van dit snelmenu kun je de standaardopmaak en -vulling
van Excel aanpassen. Als je bijvoorbeeld de vulgreep gebruikt, kopieert
Excel een waarde in een cellenbereik. Om een tweede reeks toe te voegen, kun je in het snelmenu AutoDoorvoeren-opties de opdracht Reeks
doorvoeren selecteren.

De figuren 2.10 en 2.11 geven aan hoe je AutoDoorvoeren gebruikt om
een rij met maanden te vullen, te beginnen met januari in cel B2 en ein-
digend met juni in cel G2. Typ hiervoor januari in cel B2 en plaats de
muisaanwijzer op de vulgreep in de rechterbenedenhoek van deze cel,
waarna je naar rechts sleept, naar cel G2 (zie figuur 2.10). Wanneer je de

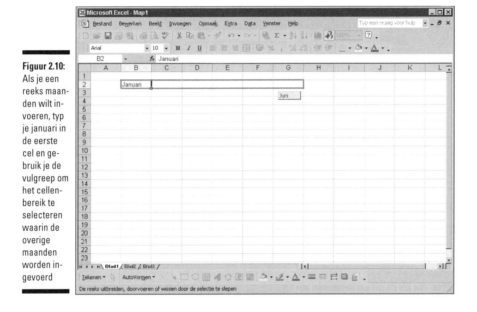

Figuur 2.10:
Als je een reeks maanden wilt invoeren, typ je januari in de eerste cel en gebruik je de vulgreep om het cellenbereik te selecteren waarin de overige maanden worden ingevoerd

muisknop loslaat, plaatst Excel de rest van de maanden (februari tot en met juni) in de geselecteerde cellen (zie figuur 2.11). Merk op dat de cellen met de maanden geselecteerd blijven, zodat je de kans hebt de reeks te wijzigen. (Als je te ver hebt gesleept, kun je de vulgreep naar links slepen om de lijst met maanden kleiner te maken; als je niet ver genoeg hebt gesleept, kun je de vulgreep naar rechts slepen om de lijst langer te maken.)

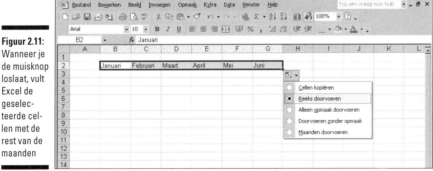

Figuur 2.11:
Wanneer je de muisknop loslaat, vult Excel de geselecteerde cellen met de rest van de maanden

Je kunt de opties van het snelmenu AutoDoorvoeren-opties (dat je opent door op de vervolgkeuzepijl te klikken die tevoorschijn komt op de vulgreep rechts van juni) gebruiken om de standaardreeks aan te passen. Selecteer de opdracht Cellen kopiëren om Excel januari in de geselecteerde cellen te laten kopiëren. Je laat de geselecteerde cellen vullen met de opmaak van cel B2 (zie hoofdstuk 3 voor details over cel-opmaak) door in het snelmenu de optie Alleen opmaak doorvoeren te kiezen. Om Excel de reeks maanden in de geselecteerde cellen te laten vullen zonder de opmaak van cel B2 te kopiëren, selecteer je de optie Doorvoeren zonder opmaak. In tabel 2.3 vind je een aantal verschillende waarden die door AutoDoorvoeren worden gebruikt en de reeksen die Excel hiervan kan maken.

Tabel 2.3: Voorbeelden van reeksen die je kunt maken met AutoDoorvoeren

Waarde in de eerste cel	De reeks die AutoDoorvoeren maakt in de volgende drie cellen
juni	juli, augustus, september
jun	jul, aug, sep
dinsdag	woensdag, donderdag, vrijdag
din	woe, don, vrij
1-4-99	2-4-99, 3-4-99, 4-4-99
jan-00	feb-00, mrt-00, apr-00
15-feb	16-feb, 17-feb, 18-feb
10:00 PM	11:00 PM, 12:00 AM, 1:00 AM
1e kwartaal	2e kwartaal, 3e kwartaal, 4e kwartaal
1e kw	2e kw, 3e kw, 4e kw
K1	K2, K3, K4
Product 1	Product 2, Product 3, Product 4
1e product	2e product, 3e product, 4e product

Kopiëren met AutoDoorvoeren

Je kunt de functie AutoDoorvoeren gebruiken om tekst naar een cellen-bereik te kopiëren (in plaats van de cellen te vullen met verwante gegevens). Als je tekst naar een cellenbereik wilt kopiëren, moet je Ctrl inge-drukt houden terwijl je de vulgreep versleept. Wanneer je dit doet, ver-schijnt er een plusteken rechts van de vulgreep; dit teken geeft aan dat AutoDoorvoeren de inhoud van de actieve cel *kopieert*, in plaats van er een reeks mee te maken. (Je kunt ook zien dat de inhoud wordt gekopi-eerd, doordat de scherminfo die verschijnt naast de muisaanwijzer ter-wijl je sleept, dezelfde tekst bevat als de oorspronkelijke cel.) Als je be-sluit dat je de reeks wilt gebruiken, hoef je alleen maar op de vervolg-keuzepijl te klikken bij de vulgreep bij de cel die je het laatst hebt geko-pieerd. Selecteer de optie Reeks doorvoeren in het snelmenu AutoDoor-voeren-opties.

Je moet Ctrl ingedrukt houden om *tekst* te kopiëren met de vulgreep, maar het omgekeerde geldt als je *waarden* kopieert. Als je bijvoorbeeld het getal 17 in een cel invoert en vervolgens de vulgreep over de rij sleept, kopieert Excel de waarde 17 naar de geselecteerde cellen. Houd je echter Ctrl ingedrukt terwijl je de vulgreep versleept, dan vult Excel de reeks met oplopende waarden (17, 18, 19 enzovoort). Als je per ongeluk een reeks getallen maakt terwijl je eigenlijk slechts één waarde wilde kopiëren, klik je op de opdracht Cellen kopiëren in het snelmenu Auto-Doorvoeren-opties.

Aanpaste lijsten maken voor AutoDoorvoeren

Je kunt niet alleen de stapgrootte wijzigen voor een reeks die je maakt met AutoDoorvoeren, je kunt ook je eigen reeksen maken. Binnen Moeder de Gans Enterprises vind je bijvoorbeeld de volgende bedrijven:

- Jack Sprat Dieetcentra
- Jan en Jans Traumacentra
- Moeder Hubbard Hondenvoer
- Rub-a-Dub-Dub Warme baden en kuuroorden
- Porky Pig Appeltaarten
- Tik-tak-tok Klokkenreparaties
- Japanse Hondentamagotchi's

In plaats van deze reeks bedrijven in te voeren in de cellen van elk nieuw werkblad (of ze te kopiëren uit een bestaand werkblad), kun je een aangepaste reeks maken die de lijst met bedrijven weergeeft nadat je Jack Sprat Dieetcentra hebt ingevoerd in de eerste cel en de vulgreep sleept over de cellen waarin je de rest van de bedrijven wilt invoeren.

Voer de volgende stappen uit om een aangepaste lijst te maken:

1. Kies Extra ➪ Opties om het dialoogvenster Opties te openen (zie figuur 2.12).

2. Klik op de tab Aangepaste lijst. Op dit tabblad vind je de vakken Aangepaste lijst en Gegevens in lijst.

   Terwijl je dit doet, wordt de optie NIEUWE LIJST automatisch geselecteerd in het vak Aangepaste lijst.

   Als je de aangepaste lijst al in een reeks cellen hebt getypt, ga je verder met stap 3. Heb je de gegevens nog niet in een geopend werkblad ingevoerd, dan ga je verder met stap 6.

3. Klik in het invoervak bij Lijst importeren uit cellen en minimaliseer het dialoogvenster (door op de knop met het raster rechts van het invoervak te klikken), zodat je de lijst kunt zien en de reeks cellen kunt selecteren (zie hoofdstuk 3 voor meer informatie).

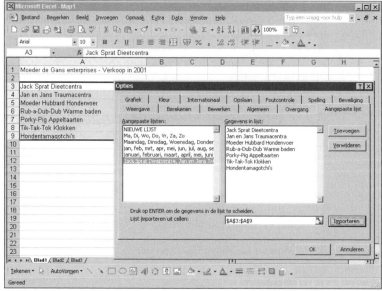

Figuur 2.12:
Een aange-
paste lijst
met bedrij-
ven maken
op basis van
bestaande
gegevens in
het werk-
blad

4. Nadat je de cellen hebt geselecteerd, klik je op de knop met het raster om het dialoogvenster weer te maximaliseren.

   Deze knop vervangt automatisch de minimaliseerknop die je bij stap 3 hebt gebruikt.

5. Klik op de knop Importeren om de lijst te kopiëren naar het vak Gegevens in lijst.

   Ga verder met stap 8.

6. Klik in het vak Gegevens in lijst en typ elk item (in de gewenste volgorde), waarbij je na elk item op Enter drukt.

   Wanneer alle items in de aangepaste lijst in de gewenste volgorde in het vak Gegevens in lijst staan, ga je verder met stap 7.

7. Klik op de knop Toevoegen om de lijst toe te voegen aan het vak Aangepaste lijst.

   Herhaal de vorige stappen om alle gewenste aangepaste lijsten te maken. Ga verder met stap 8 wanneer je klaar bent.

8. Klik op OK of druk op Enter om het dialoogvenster Opties te sluiten en terug te keren naar het huidige werkblad in de actieve werkmap.

Nadat je een aangepaste lijst aan Excel hebt toegevoegd, hoef je voortaan alleen het eerste item in een cel in te voeren, waarna je de vulgreep kunt gebruiken om de lijst uit te breiden naar de cellen ernaast of rechts ervan.

Als je het eerste item niet helemaal met de hand wilt invoeren, gebruik je de functie AutoCorrectie (die eerder in dit hoofdstuk is besproken) om een afkorting voor het eerste item te maken die wordt vervangen zodra je deze hebt ingevoerd (zoals jsdc voor Jack Sprat Dieetcentra).

Gegevens invoeren in een blok

Wanneer je een tabel met informatie gaat invoeren in een nieuw werkblad, kun je deze taak vereenvoudigen door alle lege cellen waarin je informatie wilt invoeren te selecteren voordat je begint te typen. Klik in de eerste cel van de gegevenstabel en selecteer vervolgens alle cellen in de overige kolommen en rijen (in hoofdstuk 3 lees je hoe je een cellenbereik selecteert). Nadat je het blok cellen hebt geselecteerd, typ je de gegevens in de eerste cel.

Wanneer je een blok cellen (een *bereik*) hebt geselecteerd voordat je informatie invoert, beperkt Excel de invoer als volgt tot dat bereik:

- ✔ Wanneer je op de knop Invoeren klikt of op Enter drukt om de invoer af te sluiten, verplaatst het programma de celaanwijzer automatisch naar de volgende cel in het bereik.

- ✔ In een cellenbereik dat uit meerdere rijen en kolommen bestaat, verplaatst Excel de celaanwijzer omlaag in de kolom terwijl je gegevens invoert. Wanneer de celaanwijzer de laatste cel in de kolom heeft bereikt, wordt deze verplaatst naar de eerste geselecteerde cel in de volgende kolom rechts van de eerste kolom. Als het cellenbereik slechts één rij beslaat, verplaatst Excel de aanwijzer van links naar rechts door de rij.

- ✔ Wanneer je informatie hebt ingevoerd in de laatste cel van het geselecteerde bereik, selecteert Excel de eerste cel van de voltooide gegevenstabel. Om de selectie van de cellen op te heffen, klik je met de muisaanwijzer op een van de cellen in het werkblad (binnen of buiten het geselecteerde bereik) of druk je op een pijltoets.

Let erop dat je niet op een pijltoets drukt om de celinvoer binnen een geselecteerd cellenbereik af te sluiten. Als je op een pijltoets drukt, wordt de selectie opgeheven terwijl Excel de celaanwijzer verplaatst. Gebruik de volgende methoden om de celaanwijzer in een cellenbereik te verplaatsen zonder de selectie op te heffen:

- ✔ Druk op Enter om verder te gaan naar de cel vlak onder de huidige cel (dus in de volgende rij) en vervolgens naar de cel rechts van de huidige cel (dus in de volgende kolom) in het bereik. Druk op Shift+Enter om naar de cel boven de huidige cel te gaan.

- ✔ Druk op Tab om verder te gaan naar de cel rechts van de huidige cel (dus in de volgende kolom) en vervolgens naar de cel onder de huidige cel (dus in de volgende rij) in het bereik. Druk op Shift+Tab om naar de cel links van de huidige cel te gaan.

✔ Druk op Ctrl+punt (.) om van de ene hoek van het bereik naar de andere hoek te gaan.

Snel gegevens invoeren

Je kunt veel tijd en energie besparen wanneer je dezelfde gegevens (tekst, waarden of formules) wilt invoeren in een groot aantal cellen in een werkblad. Je kunt de informatie in één bewerking invoeren in alle cellen. Selecteer eerst de cellenbereiken waarin je de informatie wilt invoeren. (Je kunt in dit geval meer dan één cellenbereik selecteren, zoals wordt uitgelegd in hoofdstuk 3.) Typ de invoer op de formulebalk en druk op Ctrl+Enter om de gegevens in de cellen in te voeren.

Het belangrijkste bij deze bewerking is dat je de Ctrl-toets ingedrukt houdt terwijl je op Enter drukt, zodat Excel de informatie op de formulebalk invoegt in alle geselecteerde cellen. Als je vergeet Ctrl in te drukken en alleen op Enter drukt, plaatst Excel de gegevens alleen in de eerste cel van het geselecteerde bereik.

Je kunt gegevens in een lijst met formules sneller invoeren door de optie Opmaak en formules van lijsten doorvoeren op het tabblad Bewerken van het dialoogvenster Opties in te schakelen (selecteer hiervoor Extra ➪ Opties). Wanneer dit selectievakje is ingeschakeld, past Excel op nieuwe gegevens die je in de volgende rij van een lijst invoert automatisch dezelfde opmaak toe als op de voorgaande gegevens in die rij en worden formules in de voorgaande rijen overgenomen. Deze nieuwe functie werkt echter pas nadat je de formules en de opmaak van de gegevensreeks in de laatste drie rijen voor de nieuwe rij handmatig hebt toegepast.

Formules beter laten functioneren

Eerder in dit hoofdstuk heb je gezien hoe je formules maakt waarmee je Excel een reeks eenvoudige rekenkundige bewerkingen kunt laten uitvoeren, zoals optellen, aftrekken, vermenigvuldigen en delen. In plaats van ingewikkelder formules zelf te maken door deze bewerkingen te combineren, kun je beter een Excel-functie zoeken die deze taak voor je uitvoert.

Een *functie* is een voorgedefinieerde formule die een bepaalde berekening uitvoert. Het enige wat jij hoeft te doen, is de waarden aan te leveren waarop je de functie wilt toepassen (in spreadsheettaal worden dergelijke waarden de *argumenten van de functie* genoemd). Net als bij eenvoudige formules kun je de argumenten voor de meeste functies invoeren als numerieke waarde (bijvoorbeeld 22 of -4,56) of, wat gebruikelijker is, als een celverwijzing (zoals B10) of een cellenbereik (zoals C3:F3).

Net als bij een formule die je zelf maakt, moet elke functie die je gebruikt, beginnen met een isgelijkteken (=), zodat Excel weet dat de functie moet worden ingevoerd als formule, en niet als tekst. Na het isgelijk-teken typ je de naam van de functie (naar wens in hoofdletters of in klei-ne letters, mits je de naam niet verkeerd spelt). Achter de naam van de functie voer je de argumenten in die zijn vereist om de berekeningen uit te voeren. Alle functieargumenten staan tussen haakjes.

Als je de functie rechtstreeks in een cel typt, mag je geen spaties invoe-gen tussen het isgelijkteken, de functienaam en de argumenten tussen haakjes. Sommige functies vereisen meer dan één waarde om hun bere-kening te kunnen uitvoeren. Wanneer dit het geval is, scheid je twee op-eenvolgende waarden steeds door een puntkomma (geen spatie).

Nadat je het isgelijkteken, de functienaam en het 'haakje openen' (dat het begin van de functieargumenten aangeeft) hebt getypt, kun je de cel of cellen die je als eerste argument wilt gebruiken *aanwijzen*, in plaats van de celverwijzing te typen. Wanneer de functie meer dan één argu-ment gebruikt, kun je de cellen of cellenbereiken die je als tweede argu-ment wilt gebruiken, aanwijzen nadat je de puntkomma hebt getypt waarmee je het eerste argument afsluit.

Nadat je het laatste argument hebt ingevoerd, typ je een 'haakje sluiten' om het einde van de reeks argumenten aan te geven; daarna klik je op de knop Invoeren of druk je op Enter of op een pijltoets om de functie in de cel te plaatsen, waarna Excel de uitkomst berekent.

Een functie in een formule invoegen met de knop Functie invoegen

Hoewel je een functie kunt invoeren door deze rechtstreeks in een cel te typen, biedt Excel ook de knop Functie invoegen op de formulebalk. Zo-dra je op deze knop klikt, opent Excel het dialoogvenster Functie invoe-gen (zie figuur 2.13) waarin je de te gebruiken functie kunt selecteren. Nadat je de functie hebt geselecteerd, opent Excel het dialoogvenster Functieargumenten. In dit dialoogvenster kun je de functieargumenten opgeven. Het grote voordeel van dit dialoogvenster merk je pas zodra je met een onbekende functie of een complexe functie wilt werken. Er is allerlei hulp beschikbaar door op de koppeling Help-informatie over deze functie te klikken.

Selecteer de cel met de formule en de functie die je wilt bewerken voor-dat je op de knop Functie invoegen (de knop met de aanduiding *fx*) klikt. Het dialoogvenster Functie invoegen verschijnt nu (zie nogmaals figuur 2.13).

Het dialoogvenster bestaat uit drie vakken: Zoek een functie, Of selec-teer een categorie en Selecteer een functie. Excel selecteert standaard de categorie Laatst gebruikt in de vervolgkeuzelijst Of selecteer een ca-tegorie en geeft de functies die je voornamelijk gebruikt weer in het vak Selecteer een functie.

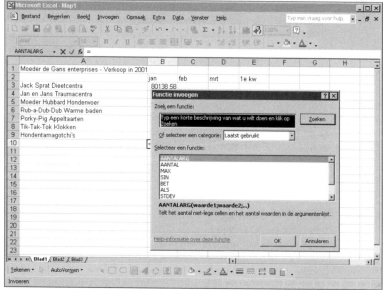

Figuur 2.13:
Selecteer
de functie
die je wilt
gebruiken in
het dialoog-
venster
Functie in-
voegen

Als de gewenste functie niet bij de laatste gebruikte functies staat, moet
je de categorie selecteren in de vervolgkeuzelijst Of selecteer een categorie. Als je niet weet welke categorie je moet hebben, kun je de functie zoeken door een beschrijving van de werking van de functie in het vak Zoek
een functie te typen. Vervolgens druk je op Enter of klik je op Zoeken.
Typ bijvoorbeeld totaal als je alle functies wilt zoeken die totalen berekenen en selecteer vervolgens de gewenste functie in het lijstje met resultaten. Zodra je een functie selecteert, toont het dialoogvenster Functie invoegen de benodigde argumenten en de werking van de functie.

Nadat je de gewenste functie hebt geselecteerd, klik je op OK om de
functie in de huidige cel in te voegen. Het dialoogvenster Functieargumenten verschijnt nu. In dit dialoogvenster zie je de noodzakelijke argumenten voor de functie en eventueel een aantal optionele argumenten.
Stel dat je de functie Som selecteert in de vervolgkeuzelijst Selecteer
een functie; vervolgens klik je op OK. Het programma voegt dan het volgende in bij de huidige cel en in de formulebalk (na het isgelijkteken):

```
SOM()
```

Het dialoogvenster Functieargumenten verschijnt en geeft de argumenten van deze functie weer (zie figuur 2.14). In dit dialoogvenster kun je
argumenten voor de SOM-functie toevoegen.

Zoals het dialoogvenster Functieargumenten uit figuur 2.16 aangeeft,
kun je maximaal 30 getallen selecteren die bij elkaar worden opgeteld.
Wat het dialoogvenster echter niet vertelt, is dat deze getallen zich niet
in afzonderlijke cellen hoeven te bevinden. Meestal zul je een reeks getallen in aaneengesloten cellen (een bereik) selecteren waarvan je de
som wilt berekenen.

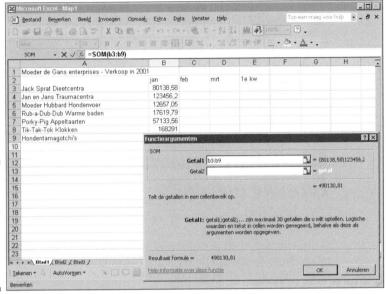

Figuur 2.14:
Specificeer
de argu-
menten voor
de functie in
het dialoog-
venster
Functiear-
gumenten

Om het eerste argument in het dialoogvenster te selecteren, klik je op de cel (of sleep je over het blok cellen) in het werkblad, terwijl de invoegpositie zich bevindt in het vak Getal1. Excel toont het celadres (of het bereikadres) in het vak Getal1, terwijl tegelijkertijd de waarde in de cel (of in de cellen) rechts van het vak wordt weergegeven. Excel geeft de voorlopige som weer onder in het formulepalet, achter de woorden Resultaat formule =.

Onthoud dat, wanneer je cellen selecteert, je dit dialoogvenster met argumenten kunt verkleinen, zodat alleen de inhoud van het vak Getal1 en de knop Maximaliseren worden weergegeven. Klik hiervoor op de knop rechts in het vak Getal1. Nadat je het dialoogvenster met argumenten hebt geminimaliseerd, zodat je de cellen voor het eerste argument kunt selecteren, kun je het dialoogvenster weer uitbreiden door te klikken op de knop Maximaliseren (de knop uiterst rechts). In plaats van het dialoogvenster te minimaliseren, kun je het ook tijdelijk verplaatsen door erop te klikken en het naar een andere positie te slepen.

Als je meer dan één cel (of cellenbereik) in een werkblad bij elkaar wilt optellen, druk je op Tab of klik je op het vak Getal2 om de invoegpositie in dit vak te plaatsen Excel reageert hierop door de argumentenreeks uit te breiden met het invoervak Getal3. In het vak Getal2 specificeer je de tweede cel die (of het tweede bereik dat) moet worden opgeteld bij de cellen in het vak Getal1. Nadat je in de cel hebt geklikt of de aanwijzer over het tweede cellenbereik hebt gesleept, toont het programma het celadres (of de celadressen), met rechts ervan de waarde(n) in de cel(len), terwijl de voorlopige som onder in het palet wordt weergegeven achter de woorden Resultaat formule = (zie figuur 2.16). Als de cellen die je wilt selecteren onzichtbaar zijn doordat ze overlapt worden door het dialoogvenster met argumenten, kun je de grootte van dit venster terugbrengen tot de inhoud van het invoervak dat je momenteel bewerkt (Getal2, Getal3 enzovoort) en de knop Maximaliseren; je doet dit door te klikken op de knop Minimaliseren van het desbetreffende invoervak.

Wanneer je alle cellen en cellenbereiken die je bij elkaar wilt optellen, hebt aangewezen, klik je op OK om het formulepalet te sluiten en de functie SOM in de huidige cel te plaatsen.

Een functie bewerken met de knop Formule invoegen

Met de knop Formule invoegen kun je formules (met name formules met functies) rechtstreeks in de formulebalk bewerken. Als je deze knop wilt gebruiken, selecteer je de cel met de formule die je wilt bewerken en klik je op de knop Functie invoegen (de knop met het fx-teken vóór de inhoud van de huidige cel in de formulebalk).

Zodra je een functie hebt geselecteerd in het dialoogvenster Functie invoegen, verschijnt het dialoogvenster Functieargumenten, waarin je de argumenten van de functie kunt bewerken. Selecteer de celreferenties in de vakken (Getal1, Getal2, Getal3 enzovoort) en breng vervolgens de noodzakelijke wijzigingen in de celadressen aan of selecteer een nieuw cellenbereik. Onthoud dat Excel automatisch cellen en cellenbereiken die je in het werkblad selecteert aan het huidige argument toevoegt. Als je het huidige argument wilt vervangen, moet je het selecteren en op Del drukken om de celadressen te verwijderen. Hierna kun je de nieuwe cel of het nieuwe cellenbereik voor het argument selecteren. (Je kunt het dialoogvenster altijd minimaliseren of naar een andere positie slepen als het in de weg staat.)

Wanneer je de formule hebt bewerkt, klik je in het dialoogvenster Functieargumenten op OK of druk je op Enter om het venster te sluiten en de formule in het werkblad bij te werken.

De functie AutoSom

Voordat dit fascinerende onderwerp wordt afgesloten, wordt de knop AutoSom op de werkbalk Standaard (de knop met het Griekse sigmateken) toegelicht. Deze functie is zijn gewicht in goud waard, aangezien deze niet alleen de functie SOM invoegt, maar ook het meest voor de hand liggende cellenbereik in de huidige kolom of rij selecteert en deze automatisch invoert als functieargument. Negen van de tien keer selecteert Excel het juiste cellenbereik waarvan je de som wilt weten. In dat tiende geval kun je het bereik handmatig corrigeren door de gewenste cellen te selecteren.

Als je op de knop AutoSom klikt, wordt standaard de functie SOM in de huidige cel ingevoegd. Je kunt deze knop echter ook gebruiken om een andere functie in te voegen. Klik hiertoe eerst op de vervolgkeuzepijl van de knop en selecteer vervolgens in het snelmenu de gewenste functie (bijvoorbeeld GEM, AANTAL, MAX, MIN). Als je in dit snelmenu op de knop Meer functies klikt, verschijnt het dialoogvenster Functie invoegen (net als of je op de knop Functie invoegen op de formulebalk zou hebben geklikt).

Figuur 2.15 laat zien hoe je de functie AutoSom gebruikt om de totale verkoop van Jack Sprat Dieetcentra in rij 3 te berekenen. Selecteer in dit geval cel E3, waarin het totaal van het eerste kwartaal moet worden weergegeven, en klik op de knop AutoSom. Excel voegt de functie SOM (compleet met isgelijkteken) in op de formulebalk, plaatst een *selectiekader* (de bewegende stippellijn) rond de cellen B3, C3 en D3 en gebruikt het cellenbereik B3:D3 als argument voor de functie SOM.

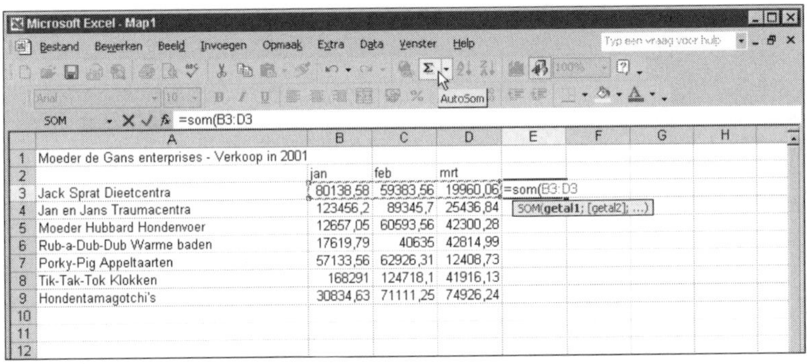

Figuur 2.15:
De knop
AutoSom
gebruiken
om het totaal te berekenen van
de verkoop
van Jack
Sprat Dieetcentra in
rij 3

Figuur 2.16 toont het werkblad nadat je de functie in cel E3 hebt ingevoegd. De berekende som verschijnt in cel E3, terwijl de volgende formule wordt weergegeven op de formulebalk:

```
=SOM(B3:D3)
```

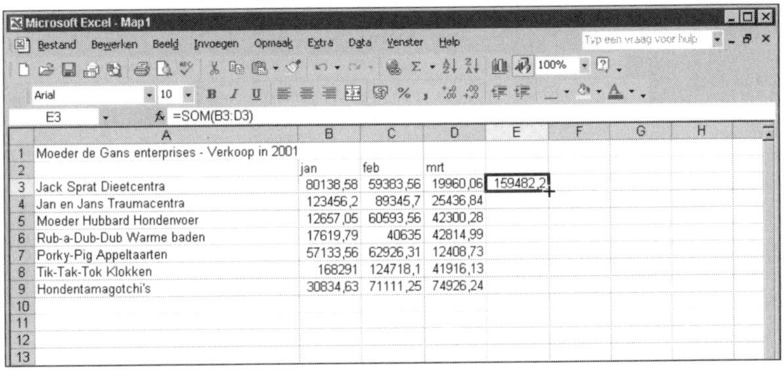

Figuur 2.16:
Het werkblad met het
totaal voor
het eerste
kwartaal
van Jack
Sprat Dieetcentra

Nadat je de functie hebt ingevoerd om de totale verkoop van Jack Sprat Dieetcentra te berekenen, kun je deze formule naar de overige bedrijven kopiëren door de vulgreep omlaag te slepen in kolom E totdat het cellenbereik E3:E9 is geselecteerd.

Figuur 2.17 laat zien hoe je de functie AutoSom kunt gebruiken om de totale verkoop in januari voor alle bedrijven te berekenen in kolom B. Selecteer cel B10, waarin het totaal moet worden weergegeven. Wanneer je klikt op de knop AutoSom, plaatst Excel het selectiekader rond de cellen B3 tot en met B9 en voert het cellenbereik B3:B9 in als argument voor de functie SOM.

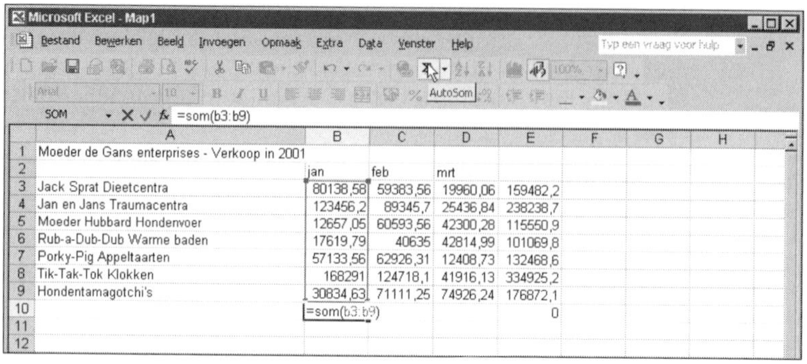

Figuur 2.17:
De knop AutoSom gebruiken om de totale verkoop in januari in kolom B te berekenen

In figuur 2.18 zie je het werkblad nadat de functie is ingevoerd in cel B10 en de formule met de functie AutoDoorvoeren is gekopieerd naar de cellen C10, D10 en E10. (Om de functie AutoDoorvoeren te gebruiken, sleep je de vulgreep naar rechts en laat je de muisknop los in cel E10.)

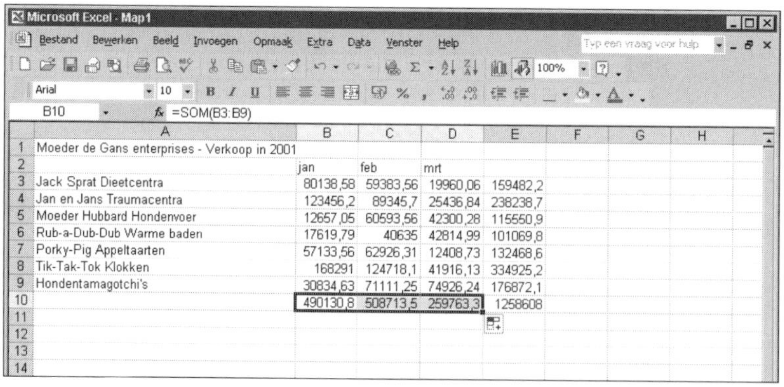

Figuur 2.18:
Het werkblad nadat de formule SOM is gekopieerd

De gegevens in veiligheid stellen

Al het werk dat je in de werkbladen in een werkmap uitvoert, loopt gevaar zolang je de werkmap nog niet als bestand op schijf hebt opgeslagen. Als de stroom uitvalt of de computer door de een andere oorzaak vastloopt voordat je de werkmap opslaat, heb je pech. Je moet alle bewerkingen dan opnieuw uitvoeren, iets wat met name zo vervelend is omdat je deze onaangename taak had kunnen voorkomen door je aan de volgende vuistregel te houden: sla je werk altijd op nadat je zo veel informatie hebt ingevoerd dat je zou balen als je die kwijtraakte.

Om je aan te moedigen je werk regelmatig op te slaan, heeft Excel de knop Opslaan toegevoegd aan de werkbalk Standaard (dit is de derde knop van links, met de afbeelding van een diskette erop). Je hoeft dus niet eens de optie Opslaan in het menu Bestand te selecteren of te drukken op Ctrl+S. Klik eenvoudig op deze knop wanneer je je werk wilt opslaan op de harde schijf.

De eerste keer dat je op de knop Opslaan klikt, toont Excel het dialoogvenster Opslaan als (zie figuur 2.19). Je kunt dit dialoogvenster gebruiken om de tijdelijke documentnaam (Map1, Map2 en dergelijke) te vervangen door een meer omschrijvende naam en om desgewenst een ander station en een andere map te selecteren voordat je het werkmapbestand opslaat op schijf. Dit alles is zeer gemakkelijk:

- Als je de naam van de werkmap wilt wijzigen, typ je de nieuwe bestandsnaam in het vak Bestandsnaam. Wanneer je het dialoogvenster Opslaan als voor het eerst opent, is de voorgestelde naam van het type Map1 geselecteerd; typ de nieuwe bestandsnaam ter vervanging van deze naam.

- Als je de werkmap wilt opslaan op een ander station, klik je op de pijl omlaag naast het vak Opslaan in en klik je op de naam van het gewenste station, zoals Harde schijf (C:) of 3,5-inch diskette (A:) in de vervolgkeuzelijst.

- Als je de werkmap wilt opslaan in een andere map, selecteer je zo nodig het juiste station (zoals hiervóór is beschreven) en klik je op de gewenste map. Wil je de werkmap opslaan in een map die zich bevindt in een andere map, dan dubbelklik je op die map. Uiteindelijk moet de naam van de map waarin je de werkmap wilt opslaan, worden weergegeven in het vak Opslaan in.

Als je het bestand wilt opslaan in een nieuwe map, klik je op de knop Nieuwe map maken (zie nogmaals figuur 2.19) en typ je de naam van de map in het dialoogvenster Nieuwe map, waarna je op OK klikt of op Enter drukt.

Het dialoogvenster Opslaan als van Excel 2002 bevat een aantal grote knoppen aan de linkerzijde: Geschiedenis, Mijn documenten, Bureaublad, Favorieten en Webmappen (deze laatste knop heet Mijn net-

Verwijderen

Zoeken op internet   Nieuwe map maken

Eén niveau naar boven   Weergaven

Figuur 2.19:
Het dialoog-
venster Op-
slaan als

werklocaties als je Windows Me gebruikt). Je kunt deze knoppen gebruiken om de volgende mappen te selecteren waarin je het nieuwe werkmapbestand kunt opslaan:

✔ Klik op de knop Geschiedenis als je de werkmap wilt opslaan in
de map Recent, die zich bevindt in de map Office in de map Microsoft in de map Application Data in de map Windows op de harde schijf.

✔ Klik op de knop Mijn documenten als je de werkmap wilt opslaan
in de map Mijn documenten.

✔ Klik op de knop Bureaublad als je de werkmap wilt opslaan op het
bureaublad van de computer.

✔ Klik op de knop Favorieten als je de werkmap wilt opslaan in de
map Favorieten in de map Windows op de harde schijf.

✔ Klik op de knop Webmappen als je de werkmap wilt opslaan in
een van de webmappen op de webserver van het bedrijf. Deze
knop is met name handig als je een Excel-werkblad wilt publiceren als webpagina op de website of het intranet van je bedrijf.

In Windows 98/Me/2000 mogen bestandsnamen spaties bevatten en
maximaal 255 tekens lang zijn. Dit is goed nieuws, met name als je een
van die DOS- of Windows 3.1-gebruikers bent die zo lang hebben gele-
den onder de beperking voor bestandsnamen van acht tekens met een
extensie van drie tekens. Houd er echter rekening mee dat, als je werkmappen verplaatst naar een computer die geen Windows 98, Me of 2000
gebruikt, de bestandsnamen worden ingekort en worden aangevuld met
de Excel-extensie .xls (die altijd wordt toegevoegd aan de werkmap-

bestanden die je maakt met Excel 2002; Windows 98/Me is echter zo slim om deze bestandsextensies voor je te verbergen).

Nadat je de gewenste wijzigingen hebt aangebracht in het dialoogvenster Opslaan als, klik je op de knop Opslaan of druk je op Enter, waarna Excel 2002 je werk opslaat. Wanneer Excel een werkmapbestand opslaat, slaat het programma alle informatie in elk werkblad in de werkmap op (met inbegrip van de positie van de celaanwijzer) in de opgegeven map op de schijf. Je hoeft het dialoogvenster Opslaan als niet meer te gebruiken, tenzij je de werkmap een andere naam wilt geven of een kopie ervan wilt opslaan in een andere directory (map). Als je een van deze dingen wilt doen, kies dan de optie Opslaan als in het menu Bestand, in plaats van te klikken op de knop Opslaan of op Ctrl+S te drukken.

Documenten herstellen

Excel 2002 biedt een nieuwe herstelfunctie voor documenten die je van dienst kan zijn bij een computercrash, stroomuitval of wanneer het besturingssysteem uitvalt. De functie AutoHerstel slaat je werkmap regelmatig op. Na een computercrash geeft Excel het taakvenster Document herstellen weer (zie figuur 2.20) nadat je computer opnieuw is opgestart.

Als je Excel 2002 voor het eerst gaat gebruiken, is de AutoHerstel-functie zodanig ingesteld dat hij elke tien minuten je werkmap opslaat (mits het bestand al een keer is opgeslagen). Je kunt zelf bepalen of je vaker

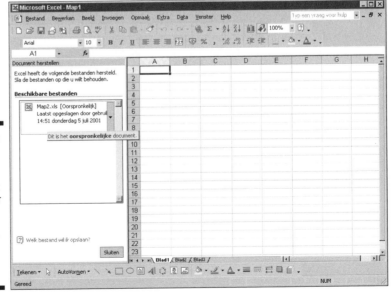

Figuur 2.20:
Gecrasht maar niet verbrand: gebruik het taakvenster Document herstellen om herstelde bestanden op te slaan

of minder vaak wilt laten opslaan. Klik op Extra ➪ Opties en klik op de tab Opslaan. Op het tabblad Opslaan kun je aangeven hoe vaak het werkblad automatisch opgeslagen moet worden (bij AutoHerstel-info opslaan elke 10 minuten). Vervolgens klik je op OK.

In het taakvenster Document herstellen zie je de beschikbare versies van de werkmapbestanden die waren geopend op het moment dat de computercrash plaatsvond. Je ziet zowel de oorspronkelijke versie van de werkmap als de herstelde versie van de werkmap en de tijd waarop het bestand is opgeslagen. Je opent de herstelde versie van de werk-map door de muisaanwijzer op de AutoHerstel-versie te plaatsen (op deze manier kun je bekijken hoeveel van je werk dat je voor de crash niet had opgeslagen beschikbaar is). Klik op de vervolgkeuzepijl en klik in het snelmenu op Openen. Nadat je de herstelde versie hebt geopend, kun je desgewenst de wijzigingen opslaan door Bestand ➪ Opslaan te kiezen op de menubalk van Excel.

Je kunt de herstelde versie ook direct opslaan zonder het bestand eerst te openen. Plaats de muisaanwijzer op de herstelde versie, klik op de vervolgkeuzepijl en klik in het snelmenu op Opslaan. Het is ook mogelijk de herstelde versie te verwijderen (zodat *alleen* de gegevens in het oor-spronkelijke bestand bewaard blijven) door op de knop Sluiten onder-aan het taakvenster Document herstellen te klikken. Zodra je op deze knop klikt, verschijnt er een waarschuwingsvenster dat je de mogelijk-heid biedt de herstelde versie alsnog op te slaan, zodat je deze later kunt bekijken. Als je dat wilt, klik je op het keuzerondje Ja voordat je op OK klikt. Klik op Nee als je alleen de oorspronkelijke versie wilt bewa-ren.

Onthoud dat de AutoHerstel-functie alleen werkt indien je de werkmap zelf al ten minste één keer hebt opgeslagen. Als je dus een nieuwe werk-map hebt gemaakt en je niet de moeite hebt genomen deze op te slaan voordat de computercrash zich voordoet, kan de AutoHerstel-functie niets voor je doen. Daarom is het *zeer* belangrijk er een gewoonte van te maken nieuwe werkmappen meteen op te slaan (Bestand ➪ Opslaan). Natuurlijk kun je ook op Ctrl+S drukken.

Deel II
Bewerken zonder problemen

The 5th Wave By Rich Tennant

'Ik denk dat de muisaanwijzer niet beweegt omdat u
uw hand niet op de muis heeft, maar op de
bordenwisser, meneer Dunt.'

In dit deel...

De zakenwereld zou heus zo erg niet zijn, ware het niet dat tegen de tijd dat je je werk onder de knie hebt, iemand dit voor je verandert. Wanneer je in je leven altijd flexibel moet zijn, kan het zeer vervelend zijn voortdurend te moeten overschakelen en met de stroom mee te moeten roeien. Het is echter de trieste waarheid dat een groot deel van het werk dat je met Excel 2002 doet, bestaat uit het veranderen van de informatie die je zo ijverig in je spreadsheet hebt ingevoerd.

In deel II wordt dit bewerkingsgedeelte opgesplitst in drie fasen: de ruwe gegevens opmaken, de opgemaakte gegevens opnieuw rangschikken en/of soms verwijderen en tot slot de uiteindelijke opgemaakte en bewerkte gegevens afdrukken. Neem van mij aan dat, wanneer je eenmaal weet hoe je spreadsheets bewerkt (zoals je aan de hand van dit boek zult leren), je een heel eind op weg bent om met Excel 2002 uit de voeten te kunnen.

Hoofdstuk 3
Het er mooi uit laten zien

In spreadsheetprogramma's zoals Excel hoef je je gewoonlijk pas zorgen te maken over hoe de gegevens eruitzien nadat je alle gegevens in het werkblad of de werkmap hebt ingevoerd en opgeslagen (zie de hoofdstukken 1 en 2). Pas dan wordt het tijd de informatie te verfraaien, zodat deze duidelijker en gemakkelijker te lezen is.

Nadat je besloten hebt welke opmaak je wilt toepassen op een deel van het werkblad, selecteer je alle cellen die je wilt bewerken en klik je op de gewenste knop of kies je de menuoptie waarmee je de opmaak toepast. Dit betekent dat je, voordat je alles leert over de fantastische opmaakfuncties die je kunt gebruiken om cellen te verfraaien, eerst moet weten hoe je de cellen selecteert waarop je de opmaak wilt toepassen. Dit proces wordt *de cellen selecteren* of ook wel *een celselectie maken* genoemd.

Let er ook op dat gegevens invoeren in een cel en deze gegevens opmaken in Excel twee volstrekt verschillende dingen zijn. Aangezien het twee verschillende bewerkingen betreft, kun je de informatie in een opgemaakte cel wijzigen, waarna de nieuwe gegevens de opmaak van de cel overnemen. Op deze manier kun je lege cellen alvast opmaken, zodat wanneer je informatie in die cellen invoert, deze automatisch de opmaak krijgt die op die cellen is toegepast.

Een groep cellen selecteren

Gezien de eentonige rechthoekige aard van het werkblad en de onderdelen ervan, zal het geen verrassing zijn te horen dat alle celselecties die je in een werkblad aanbrengt, rechthoekig zijn. Werkbladen bestaan immers uit blokken cellen die verschillende aantallen kolommen en rijen beslaan.

Een *celselectie* (ook wel een *cellenbereik* genoemd) bestaat uit een verzameling aangrenzende cellen die je hebt geselecteerd om op te maken of te bewerken. De kleinst mogelijke celselectie in een werkblad bestaat uit slechts één cel (de zogeheten *actieve cel*, de cel waarin de celaanwijzer zich bevindt, vormt in werkelijkheid een selectie van één cel). De grootst mogelijke celselectie in een werkblad omvat alle cellen in dat werkblad. De meeste celselecties die je aanbrengt om een werkblad op te maken, zullen hier ergens tussenin liggen en bestaan uit cellen in meerdere aangrenzende rijen en kolommen.

Excel geeft een celselectie in het werkblad aan door het blok te markeren. In figuur 3.1 zie je diverse celselecties van verschillende afmetingen en vormen. In Excel kun je meer dan één cellenbereik tegelijk selecteren (dit staat bekend als een *niet-aaneengesloten selectie*). Hoewel het lijkt alsof figuur 3.1 meerdere celselecties bevat, is het in werkelijkheid een grote, niet-aaneengesloten selectie, waarbij cel D12 (de actieve cel) de laatst geselecteerde cel is.

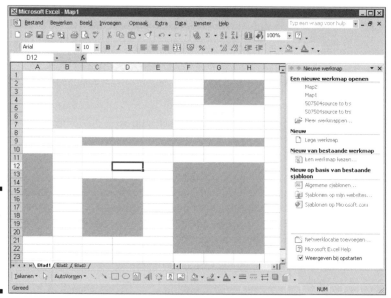

Figuur 3.1:
Diverse cel-
selecties
van ver-
schillende
afmetingen
en vormen

Cellen selecteren via aanwijzen en klikken

 De muis vormt het gemakkelijkste hulpmiddel om cellenbereiken te selecteren. Je plaatst de muisaanwijzer (die de vorm van een dik wit kruis heeft) eenvoudig op de eerste cel en sleept deze vervolgens in de richting waarin je de selectie wilt uitbreiden.

- ✔ Als je de selectie wilt uitbreiden naar kolommen rechts van de eerste cel, sleep je de muisaanwijzer naar rechts.

- ✔ Als je de selectie wilt uitbreiden naar rijen onder de eerste cel, sleep je de muisaanwijzer omlaag.

- ✔ Als je de selectie tegelijkertijd omlaag en naar rechts wilt uitbreiden, sleep je diagonaal naar de cel in de rechterbenedenhoek van het blok dat je wilt selecteren.

Cellen selecteren met Shift

Om deze vertrouwde selectieprocedure te versnellen, kun je de Shift-klikmethode gebruiken. Deze werkt als volgt:

1. Klik op de eerste cel in de selectie.

   Deze cel wordt nu geselecteerd.

2. Beweeg de muisaanwijzer naar de laatste cel in de selectie.

   Deze cel bevindt zich schuin tegenover de eerste cel die je in stap 1 hebt geselecteerd.

3. Houd Shift-toets ingedrukt en klik op de laatste cel in de selectie.

   Excel selecteert nu alle cellen tussen de eerste en de laatste cel.

De Shift-toets werkt in combinatie met de muis als een *uitbreidingstoets*, waarmee je een selectie uitbreidt van het eerste object dat je selecteert tot en met het tweede geselecteerde object. Zie ook de paragraaf 'Een celselectie uitbreiden', verderop in dit hoofdstuk. Met behulp van de Shift-toets selecteer je de eerste en de laatste cel en alle tussenliggende cellen in een werkblad. Dezelfde truc werkt ook in andere situaties, bijvoorbeeld als je meerdere bestandsnamen wilt selecteren.

Als je, wanneer je een selectie maakt met de muis, merkt dat je de verkeerde cellen hebt toegevoegd voordat je de muisknop loslaat, kun je de selectie van deze cellen opheffen en de afmetingen van de selectie aanpassen door de aanwijzer in de tegenovergestelde richting te verplaatsen. Heb je de muisknop al losgelaten, klik dan in de eerste cel in de selectie om alleen die cel te selecteren (en de selectie van alle andere cellen op te heffen) en begin het selectieproces van voren af aan.

Niet-aaneengesloten cellen selecteren

Als je een niet-aaneengesloten selectie wilt maken, die bestaat uit meer dan één blok cellen, selecteer je het eerste cellenbereik. Houd vervolgens de Ctrl-toets ingedrukt terwijl je klikt op de eerste cel van het volgende bereik en sleep de aanwijzer door de cellen in dit bereik. Zolang je Ctrl ingedrukt houdt terwijl je de volgende bereiken sleept, heft Excel de vorige selecties niet op.

De Ctrl-toets werkt in combinatie met de muis als een *toevoegtoets* waarmee je niet-aaneengesloten objecten in Excel kunt selecteren. Zie de paragraaf 'Niet-aaneengesloten cellen selecteren met het toetsenbord', verderop in dit hoofdstuk. Met Ctrl kun je geselecteerde cellen in een werkblad uitbreiden zonder dat de aanwezige selectie wordt opgeheven. Ook deze methode kun je toepassen als je meerdere bestanden wilt selecteren.

Grote hoeveelheden cellen selecteren

Je kunt de cellen in een hele kolom of rij, of zelfs alle cellen in het werkblad selecteren door de volgende handelingen uit te voeren:

- ✔ Als je elke cel in een bepaalde kolom wilt selecteren, klik je op de desbetreffende kolomletter boven in het werkbladvenster.

- ✔ Als je elke cel in een bepaalde rij wilt selecteren, klik je op het desbetreffende rijnummer links in het werkbladvenster.

- ✔ Als je meerdere rijen of kolommen wilt selecteren, sleep je de muisaanwijzer over de desbetreffende kolomletters of rijnummers.

- ✔ Als je meerdere rijen of kolommen wilt selecteren die niet aan elkaar grenzen, houd je de Ctrl-toets ingedrukt terwijl je klikt op de kolomletters of rijnummers van de kolommen of rijen die je aan de selectie wilt toevoegen.

- ✔ Als je elke cel in het werkblad wilt selecteren, klik je op de knop Alles selecteren. Dit is de lege knop in de linkerbovenhoek van het werkblad, die wordt gevormd door het snijpunt van de rij met kolomletters en de kolom met rijnummers.

De cellen in een gegevenstabel selecteren via AutoSelectie

Excel biedt een zeer snelle manier (AutoSelectie genoemd) om alle cellen te selecteren in een gegevenstabel die bestaat uit een aaneengesloten blok. Voer de volgende stappen uit als je AutoSelectie wilt gebruiken:

1. Klik in de eerste cel van de tabel om deze te selecteren.

    Deze cel bevindt zich in de linkerbovenhoek van de tabel.

2. Houd de Shift-toets ingedrukt terwijl je met de pijlpunt dubbel-
    klikt op de rechter- of onderrand van de geselecteerde cel (zie fi-
    guur 3.2).

Figuur 3.2:
Plaats de
muisaanwij-
zer op de
onderrand
van de eer-
ste cel om
de cellen in
de eerste
kolom van
de gege-
venstabel te
selecteren

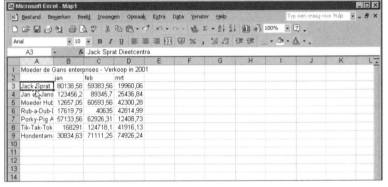

Als je dubbelklikt op de onderste rand van de cel, wordt de celselectie
uitgebreid naar de laatste cel in de eerste kolom (zie figuur 3.3). Als je
dubbelklikt op de rechterrand van de cel, wordt de selectie uitgebreid
naar de laatste cel in de eerste rij.

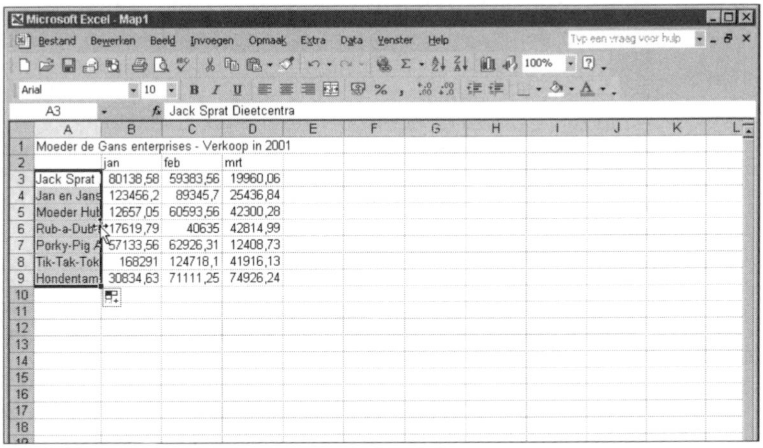

Figuur 3.3:
Als je dub-
belklikt op
de onderste
rand van de
geselec-
teerde cel
terwijl je
Shift inge-
drukt houdt,
wordt de
eerste ko-
lom van de
gegevensta-
bel geselec-
teerd

3a. Blijf de Shift-toets ingedrukt houden en dubbelklik ergens op de
    rechterrand van de celselectie (zie nogmaals figuur 3.3) als de se-
    lectie momenteel bestaat uit de eerste kolom van de tabel.

    Hiermee selecteer je de overige kolommen in de tabel (zie figuur
    3.4).

Figuur 3.4:
Als je dub-
belklikt op
de rechter-
rand van de
huidige se-
lectie terwijl
je Shift inge-
drukt houdt,
wordt de
rest van de
kolommen in
de gege-
venstabel
geselec-
teerd

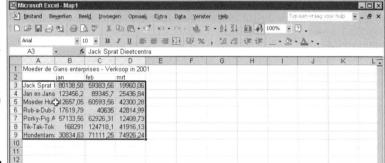

3b. Dubbelklik, terwijl je de Shit-toets nog steeds ingedrukt houdt, ergens op de onderste rand van de huidige selectie als deze momenteel bestaat uit de eerste rij van de tabel.

Hiermee selecteer je de overige rijen in de tabel.

Hoewel het in de voorgaande stappen lijkt alsof je de eerste cel van de
tabel moet selecteren wanneer je AutoSelectie gebruikt, kun je in werkelijkheid elk van de cellen in de vier hoeken van de tabel selecteren.
Wanneer je de celselectie in de tabel vervolgens uitbreidt terwijl je de
Shift-toets ingedrukt houdt, geef je aan in welke richting de selectie
moet worden uitgebreid (naar links door te klikken op de linkerrand;
naar rechts door te dubbelklikken op de rechterrand; omhoog door te
dubbelklikken op de bovenrand; omlaag door te dubbelklikken op de
onderrand) om zo de eerste of laatste rij of kolom in de tabel te selecteren. Nadat je de selectie hebt uitgebreid tot de eerste of laatste rij of kolom, moet je dubbelklikken op de rand waarmee je de huidige celselectie zodanig uitbreidt, dat deze de overige tabelrijen of -kolommen beslaat.

Cellen selecteren met het toetsenbord

Als je liever niet de muis gebruikt, kun je de gewenste cellen selecteren
met het toetsenbord. In overeenstemming met de Shift-klikmethode is
de gemakkelijkste manier om cellen met het toetsenbord te selecteren,
de Shift-toets te combineren met andere toetsen die de celaanwijzer
verplaatsen. (Je vindt deze toetsen in hoofdstuk 1.)

Plaats de celaanwijzer in de eerste cel van de selectie en houd vervolgens Shift ingedrukt terwijl je op de verplaatsingstoetsen drukt. Wanneer je bijvoorbeeld Shift indrukt terwijl je op een van de richtingstoet-
sen, zoals de pijltoetsen (↑, →, ↓, ←), PgUp of PgDn drukt, verankert Ex-

cel de selectie in de huidige cel, terwijl de celaanwijzer zoals gewoonlijk wordt verplaatst en tegelijkertijd de tussenliggende cellen worden gemarkeerd.

Wanneer je cellen op deze manier selecteert, kun je de grootte en vorm van het cellenbereik wijzigen met de verplaatsingstoetsen zolang je Shift niet loslaat. Als je daarentegen Shift loslaat en op een van de verplaatsingstoetsen drukt, wordt de selectie opgeheven en verkleind tot de momenteel geselecteerde cel.

Een celselectie uitbreiden

Als je het te lastig vindt om de Shift-toets ingedrukt te houden terwijl je de celaanwijzer verplaatst, kun je de modus Uitbreiden van Excel activeren door op F8 te drukken voordat je op een verplaatsingstoets drukt. Excel toont de aanduiding UIT (van uitbreiden) op de statusbalk om aan te geven dat het programma alle cellen selecteert waarover je de muisaanwijzer verplaatst (net zoals wanneer je de Shift-toets ingedrukt houdt).

Wanneer je alle gewenste cellen hebt geselecteerd, druk je nogmaals op F8 om de modus Uitbreiden uit te schakelen. De aanduiding UIT verdwijnt van de statusbalk en je kunt de celaanwijzer weer met het toetsenbord verplaatsen zonder alles op je pad te selecteren. Zodra je de celaanwijzer verplaatst, wordt de vorige selectie opgeheven.

AutoSelectie via het toetsenbord

Voor het toetsenbordequivalent van AutoSelectie met de muis (zie de paragraaf 'De cellen in een gegevenstabel selecteren via AutoSelectie', eerder in dit hoofdstuk) combineer je de toets F8 (uitbreidingstoets) of de Shift-toets met de combinatie Ctrl+pijltoetsen of End+pijltoetsen om zo de celaanwijzer van het ene uiteinde van een blok naar het andere uiteinde te verplaatsen en tegelijkertijd de tussenliggende cellen te selecteren.

Voer de volgende stappen uit als je een gegevenstabel wilt selecteren met de toetsenbordversie van AutoSelectie:

1. Plaats de celaanwijzer in de eerste cel.

   Deze cel bevindt zich in de linkerbovenhoek van de tabel.

2. Druk op F8 (of houd de Shift-toets ingedrukt) en druk op Ctrl+→ (of End, →) om de celselectie uit te breiden met de cellen in de kolommen rechts van de eerste cel.

3. Druk vervolgens op Ctrl+↓ (of End, ↓) om de selectie uit te breiden tot de cellen in de rijen eronder.

Onthoud dat de richting van de pijltoetsen in de bovenstaande stappen willekeurig is; je kunt ook eerst op Ctrl+↓ (of End, ↓) drukken en daarna op Ctrl+→ (of End, →). Let er wel op (als je de Shift-toets in plaats van F8 gebruikt) dat je de Shift-toets pas loslaat nadat je de twee laatste stappen hebt uitgevoerd. Als je op F8 hebt gedrukt om de modus Uitbreiden te activeren, vergeet dan niet nogmaals op deze toets te drukken om deze modus uit te schakelen nadat je alle tabelcellen hebt geselecteerd (omdat je anders ongewenste cellen selecteert wanneer je de celaanwijzer verplaatst).

Je kunt ook op Ctrl+* drukken om alle aaneengesloten cellen in een tabel te selecteren.

Niet-aaneengesloten cellen selecteren met het toetsenbord

Meer dan één cellenbereik selecteren met het toetsenbord is iets ingewikkelder dan met de muis. Wanneer je het toetsenbord gebruikt, moet je eerst de celaanwijzer verankeren en daarna de celaanwijzer verplaatsen om het eerste cellenbereik te selecteren. Vervolgens hef je de verankering van de celaanwijzer op en plaats je deze aan het begin van het volgende bereik. Om de verankering van de celaanwijzer op te heffen, druk je op Shift+F8. Hiermee activeer je de modus Toevoegen, waarin je de celaanwijzer kunt verplaatsen naar de eerste cel van het volgende bereik zonder hierbij extra cellen te selecteren. Excel geeft aan dat de verankering van de celaanwijzer is opgeheven door de aanduiding TOEV op de statusbalk te tonen.

Voer de volgende stappen uit als je meer dan één cellenbereik wilt selecteren met het toetsenbord:

1. Plaats de celaanwijzer in de eerste cel van het eerste cellenbereik dat je wilt selecteren.

2. Druk op F8 om de modus Uitbreiden te activeren.

   Verplaats de celaanwijzer om alle cellen in het eerste bereik te selecteren. Je kunt ook de Shift-toets ingedrukt houden terwijl je de celaanwijzer verplaatst.

3. Druk op Shift+F8 om de modus Toevoegen in te schakelen.

   De aanduiding TOEV verschijnt op de statusbalk.

4. Verplaats de celaanwijzer naar de eerste cel van het volgende niet-aaneengesloten bereik dat je wilt selecteren.

5. Druk nogmaals op F8 om de modus Uitbreiden weer te activeren en verplaats de celaanwijzer om alle cellen in dit nieuwe bereik te selecteren.

6. Als je nog meer niet-aaneengesloten cellenbereiken wilt selecteren, herhaal je de stappen 3, 4 en 5 totdat je alle gewenste cellen hebt geselecteerd.

Cellen selecteren met Ga naar

Als je een zeer groot cellenbereik wilt selecteren waarbij je op allerlei verplaatsingstoetsen zou moeten drukken, kun je de functie Ga naar gebruiken om het bereik uit te breiden tot een verre cel. Het enige wat je hiervoor moet doen, is de volgende twee stappen uitvoeren:

1. Plaats de celaanwijzer in de eerste cel van het bereik. Druk vervolgens op F8 om de celaanwijzer te verankeren en de modus Uitbreiden in te schakelen.

2. Druk op F5 of kies Bewerken ⇨ Ga naar om het dialoogvenster Ga naar te openen. Typ het adres van de laatste cel in het bereik (de cel in de hoek diagonaal tegenover de eerste cel) en druk op Enter.

Aangezien de modus Uitbreiden is geactiveerd terwijl je Ga naar gebruikt om naar een andere cel te springen, verplaatst het programma niet alleen de celaanwijzer naar het opgegeven celadres, maar selecteert het tegelijk alle tussenliggende cellen. Vergeet niet op F8 te drukken nadat je het cellenbereik hebt geselecteerd, om te voorkomen dat het programma de selectie in de war stuurt door nog meer cellen toe te voegen wanneer je de celaanwijzer verplaatst.

Tabellen verfraaien met AutoOpmaak

AutoOpmaak is een opmaaktechniek waarbij je vooraf geen cellen hoeft te selecteren. Deze functie is in feite zo automatisch, dat je alleen de celaanwijzer ergens in de gegevenstabel hoeft te plaatsen voordat je de optie AutoOpmaak in het menu Opmaak selecteert.

Zodra je het dialoogvenster AutoOpmaak opent, selecteert Excel automatisch alle cellen in de tabel. Er verschijnt een bericht als je de optie selecteert terwijl de celaanwijzer zich niet in een tabel bevindt of in een van de cellen direct naast een tabel.

Deze optie is niet beschikbaar wanneer je cellen hebt geselecteerd die niet aan elkaar grenzen.

Je kunt een gegevenstabel zeer snel opmaken door een van de zestien ingebouwde opmaakindelingen voor tabellen te selecteren. Voer hiertoe de volgende stappen uit:

1. Kies Opmaak ➪ AutoOpmaak om het dialoogvenster AutoOp-maak te openen.

2. Klik op de voorbeeldtabel in de lijst om de opmaak te selecteren die je op de gegevenstabel in het werkblad wilt toepassen (zie fi-guur 3.5).

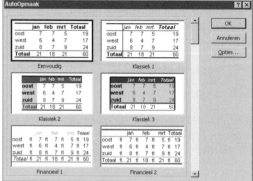

Figuur 3.5:
Kies een tabelop-maak, bij-voorbeeld Eenvoudig, om deze toe te passen op je tabel

Blader eventueel door de lijst om alle beschikbare tabelindelin-gen te bekijken. Wanneer je klikt op een voorbeeld in de lijst, om-geeft Excel dit met een zwarte rand om aan te geven dat deze op-maak is geselecteerd.

3. Klik op OK of druk op Enter om het dialoogvenster AutoOpmaak te sluiten en de geselecteerde opmaak toe te passen op de gege-venstabel in het werkblad.

Wanneer je weet welke tabelopmaak je wilt gebruiken, kun je tijd bespa-ren door te dubbelklikken op het gewenste voorbeeld in de lijst in het dialoogvenster AutoOpmaak. Zo sluit je tegelijkertijd het dialoogven-ster en pas je de opmaak toe op de geselecteerde tabel.

Als je een tabelopmaak hebt geselecteerd die je bij nader inzien niet be-valt, kies je Bewerken ➪ Ongedaan maken AutoOpmaak (of druk je op Ctrl+Z) voordat je iets anders doet. Excel herstelt de vorige toestand van de tabel. Meer informatie over de functie Ongedaan maken vind je in hoofdstuk 4. Besluit je later dat je geen automatische tabelopmaak wilt toepassen, dan kun je alle opmaak verwijderen (zelfs wanneer het te laat is om Ongedaan maken te gebruiken) door het dialoogvenster AutoOpmaak te openen en te klikken op Geen (deze optie bevindt zich helemaal onder in de lijst), waarna je op OK klikt of op Enter drukt.

Elk van de ingebouwde tabelindelingen die AutoOpmaak biedt, bestaat uit een bepaalde combinatie van diverse soorten cel- en gegevensop-maak die Excel in één bewerking toepast op de geselecteerde cellen. Elke opmaak past de koppen en getalnotaties in de tabel op een iets an-dere manier aan.

In figuur 3.5 zag je het dialoogvenster AutoOpmaak waarin de voorbeeld-opmaak Eenvoudig was geselecteerd. Figuur 3.6 toont je een praktijk-voorbeeld: de opmaak Eenvoudig is nu toegepast op de voorbeeldtabel met de verkoopcijfers van Moeder de Gans Enterprises. AutoOpmaak heeft de titel en koppen in rij 1 en 2 vet gemaakt en randen toegevoegd die deze koppen scheiden van de rest van de tabelgegevens. Bovendien is de titel *Moeder de Gans enterprises - Verkoop in 2002* gecentreerd in de kolommen A tot en met E en zijn ook de koppen in de cellen B2 tot en met E2 gecentreerd. De tabelopmaak Eenvoudig past echter geen op-maak toe op de bedragen in de tabel. Figuur 3.7 toont hoe de tabel eruit-ziet nadat het dialoogvenster AutoOpmaak opnieuw is geopend en de tabelopmaak Financieel 1 is toegepast op hetzelfde cellenbereik. Zoals je ziet, heeft Excel ditmaal de valutanotatie toegepast op de waarden (aangegeven door het guldenteken en de punten tussen de duizendtal-len). Dit type tabelopmaak voegt ook lijnen toe om de rij met kolomkop-pen en de rij met totalen te scheiden van de rest van de gegevens.

Wanneer je een tabel opmaakt waarvan je de titel in een cel hebt gecen-treerd via de knop Samenvoegen en centreren op de werkbalk Opmaak, moet je op een andere cel dan die met de titel klikken voordat je de op-dracht Opmaak ⇨ AutoOpmaak geeft. Als je deze optie kiest terwijl de

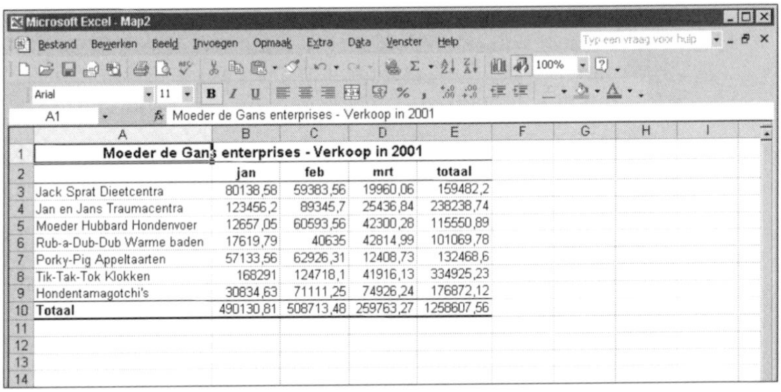

Figuur 3.6:
De tabel
voor het
eerste
kwartaal
met de ta-
belopmaak
Eenvoudig

	A	B	C	D	E
1	Moeder de Gans enterprises - Verkoop in 2001				
2		jan	feb	mrt	totaal
3	Jack Sprat Dieetcentra	80138,58	59383,56	19960,06	159482,2
4	Jan en Jans Traumacentra	123456,2	89345,7	25436,84	238238,74
5	Moeder Hubbard Hondenvoer	12657,05	60593,56	42300,28	115550,89
6	Rub-a-Dub-Dub Warme baden	17619,79	40635	42814,99	101069,78
7	Porky-Pig Appeltaarten	57133,56	62926,31	12408,73	132468,6
8	Tik-Tak-Tok Klokken	168291	124718,1	41916,13	334925,23
9	Hondentamagotchi's	30834,63	71111,25	74926,24	176872,12
10	Totaal	490130,81	508713,48	259763,27	1258607,56

Figuur 3.7:
De tabel
voor het
eerste
kwartaal
met de ta-
belopmaak
Financieel 1

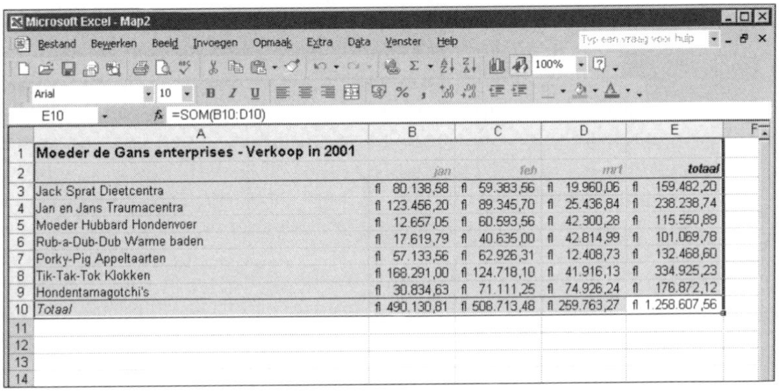

	A	B	C	D	E
1	Moeder de Gans enterprises - Verkoop in 2001				
2		jan	feb	mrt	totaal
3	Jack Sprat Dieetcentra	fl 80.138,58	fl 59.383,56	fl 19.960,06	fl 159.482,20
4	Jan en Jans Traumacentra	fl 123.456,20	fl 89.345,70	fl 25.436,84	fl 238.238,74
5	Moeder Hubbard Hondenvoer	fl 12.657,05	fl 60.593,56	fl 42.300,28	fl 115.550,89
6	Rub-a-Dub-Dub Warme baden	fl 17.619,79	fl 40.635,00	fl 42.814,99	fl 101.069,78
7	Porky-Pig Appeltaarten	fl 57.133,56	fl 62.926,31	fl 12.408,73	fl 132.468,60
8	Tik-Tak-Tok Klokken	fl 168.291,00	fl 124.718,10	fl 41.916,13	fl 334.925,23
9	Hondentamagotchi's	fl 30.834,63	fl 71.111,25	fl 74.926,24	fl 176.872,12
10	Totaal	fl 490.130,81	fl 508.713,48	fl 259.763,27	fl 1.258.607,56

samengevoegde en gecentreerde cel is geselecteerd, selecteert Excel namelijk alleen die ene cel voor de opmaak. Om ervoor te zorgen dat het programma alle cellen in de tabel selecteert (met inbegrip van de samengevoegde en gecentreerde cel), plaats je de celaanwijzer in een andere cel en kies je Opmaak ⇨ AutoOpmaak.

Cellen opmaken met de werkbalk Opmaak

Sommige werkbladen vereisen minder opmaak dan de functie AutoOpmaak biedt. Mogelijk wil je in een tabel alleen de kolomkoppen boven in de tabel vet maken en de rijtotalen onder in de tabel onderstrepen (door een rand onder de cellen toe te voegen).

Met de knoppen op de werkbalk Opmaak, die zich naast (of onder) de werkbalk Standaard bevindt, kun je de meeste opmaakkenmerken van gegevens en cellen toepassen zonder gebruik te hoeven maken van snelmenu's of gewone menu's.

Je kunt deze knoppen gebruiken om nieuwe lettertypen en getalnotaties toe te passen op cellen, om de uitlijning van de celinhoud te wijzigen en om randen, patronen en kleuren toe te passen. Blader terug naar tabel 1.3 voor een uitgebreide toelichting op het gebruik van al deze knoppen.

Zwevende werkbalken

De werkbalken Standaard en Opmaak bevinden zich gewoonlijk naast elkaar op de tweede balk boven in het venster van Excel 2002. Deze vaste positie wordt gewoonlijk *verankerd* genoemd. Hoewel Excel deze werkbalken automatisch samen boven in het scherm verankert, kun je ze vrijelijk verplaatsen door ze naar een nieuwe positie te slepen. In hoofdstuk 12 lees je hoe je werkbalken gebruikt en aanpast.

Wanneer je de werkbalk Standaard of Opmaak omlaag sleept naar het werkgebied dat een geopende werkmap bevat, wordt de werkbalk weergegeven in een apart venster, zoals het venster met de werkbalk Opmaak in figuur 3.8. Dergelijke werkbalken in een venster worden *zwevende werkbalken* genoemd omdat ze als wolken zweven boven de geopende werkmap eronder. Je kunt deze vensters niet alleen verplaatsen, maar ook de afmetingen ervan wijzigen.

✔ Je kunt een zwevende werkbalk naar een andere positie op het werkblad verplaatsen door de titelbalk van de werkbalk te verslepen

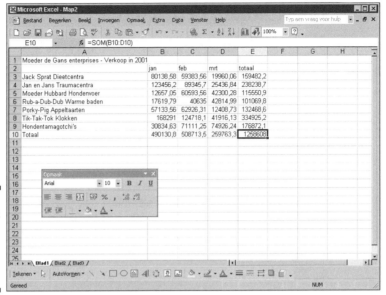

Figuur 3.8:
De werkbalk
Opmaak
zweeft vre-
dig boven
het werk-
blad

✔ Je kunt de afmetingen van een zwevende werkbalk wijzigen door een van de randen te verslepen. Wacht tot de muisaanwijzer verandert in een tweepuntige pijl voordat je begint te slepen.

✔ Terwijl je een zijde van de zwevende werkbalk versleept, wordt de nieuwe indeling van de knoppen aangegeven. Laat de muisknop los wanneer de werkbalk de gewenste vorm heeft.

✔ Om een zwevende werkbalk te sluiten omdat je hem niet meer nodig hebt in het documentvenster, klik je op het sluitvakje (het vakje in de rechterbovenhoek van het werkbalkvenster).

Zwevende menubalk

Werkbalken, zoals de werkbalken Standaard en Opmaak, zijn niet de enige dingen in Excel die zweven. Je kunt zelfs de menubalk met alle menu's zwevend maken door op het verticale streepje, uiterst links, te klikken en de balk naar het werkvenster te verslepen. Wanneer je een menu selecteert in een zwevende menubalk, worden de opties mogelijk weergegeven boven de balk, naast de menunaam, in plaats van onder de balk (zoals gebruikelijk is), afhankelijk van de hoeveelheid ruimte tussen de zwevende balk en de onderkant van het scherm. Als je een werkbalk naar een nieuwe positie op het scherm wilt slepen, klik je op het grijze streepje, uiterst links op de werkbalk. Om de oorspronkelijke positie van een zwevende menu- of werkbalk aan de rand van het scherm te herstellen, dubbelklik je op de titelbalk van de balk.

Werkbalken verankeren

Soms kan een zwevende werkbalk zeer vervelend zijn omdat je hem voortdurend uit de weg moet slepen als je werkbladgegevens toevoegt en bewerkt. Om ervoor te zorgen dat een werkbalk geen werkbladcellen verbergt, veranker je de werkbalk.

Je kunt een werkbalk in Excel op vier plaatsen verankeren: boven in het scherm (boven de formulebalk), aan de linkerrand van het scherm, aan de rechterrand van het scherm of onder in het scherm boven de status-balk. In figuur 3.9 is de werkbalk Tekenen onder in het werkgebied verankerd.

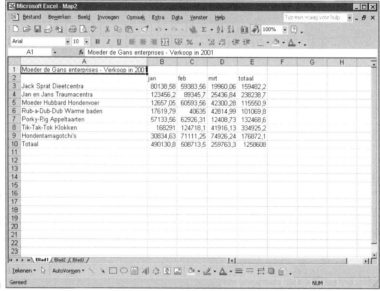

Figuur 3.9:
De werkbalk Tekenen is onder in het werkgebied verankerd

Je verankert een zwevende werkbalk op een van deze vier posities door de werkbalk aan de titelbalk zover mogelijk naar de gewenste zijde van het venster te slepen en de muisknop los te laten zodra de werkbalk één kolom (wanneer je deze links of rechts verankert) of één rij (wanneer je de balk boven of onder in het venster vastzet) beslaat. De knoppen van werkbalken die links of rechts van het documentvenster verankerd zijn, worden onder elkaar weergegeven.

Sommige werkbalken, zoals de werkbalken Standaard, Opmaak en Web, bevatten knoppen die een keuzelijst openen (voorbeelden: Lettertypen, Tekengrootte en In-/uitzoomen. Wanneer je een werkbalk met dergelijke knoppen links of rechts in het venster verankert, zijn deze knoppen ver-dwenen. Als je deze functies wilt behouden, moet je de werkbalk daar-om boven of onder in het venster verankeren.

Merk ook op dat, wanneer je meerdere werkbalken naast elkaar op dezelfde balk verankert, het programma automatisch bepaalt wat de beste omvang voor elke balk is, welke knoppen worden weergegeven en welke knoppen worden verplaatst naar het palet dat wordt geopend wanneer je klikt op de knop Meer knoppen. Desgewenst kun je de grootte van naast elkaar liggende werkbalken wijzigen door het verticale streepje aan het begin van de werkbalk naar links of naar rechts te slepen (naar links als je de werkbalk groter wilt maken en naar rechts om hem kleiner te maken).

Het dialoogvenster Celeigenschappen

Via de optie Opmaak ⇨ Celeigenschappen (Ctrl+1) kun je in een handomdraai allerlei verschillende soorten opmaak op geselecteerde cellen toepassen. Het dialoogvenster Celeigenschappen dat je met deze optie opent, bevat zes tabbladen: Getal, Uitlijning, Lettertype, Rand, Patronen en Bescherming. In dit hoofdstuk wordt uitgelegd hoe je de tabbladen Getal, Uitlijning, Lettertype, Rand en Patronen gebruikt om nieuwe getalnotaties en lettertypen toe te passen op cellen en om de uitlijning, randen en patronen ervan te wijzigen. In hoofdstuk 6 vind je meer informatie over de opties op het tabblad Bescherming.

Het is ten zeerste aan te raden de sneltoets die het dialoogvenster Celeigenschappen opent (Ctrl+1) te onthouden. De meeste gebruikers zijn namelijk net zoveel tijd kwijt aan opmaak als aan het invoeren van gegevens in een werkblad. Onthoud dat deze sneltoets bestaat uit Ctrl en het cijfer 1 en niet uit Ctrl plus de functietoets F1. Bovendien moet je de toets op de bovenste rij van het toetsenbord gebruiken, niet de 1 op het numerieke toetsenblok. Drukken op Ctrl en de 1 op het numerieke toetsenblok werkt evenmin als drukken op Ctrl+F1.

Getalnotaties

Zoals in hoofdstuk 2 is uitgelegd, bepaalt de manier waarop je waarden in een werkblad invoert het soort getalnotatie dat erop wordt toegepast. Hier volgen enkele voorbeelden:

✔ Als je een financiële waarde, compleet met valutateken en twee decimalen, invoert, kent Excel de notatie Valuta toe aan de cel.

✔ Als je een waarde invoert die een percentage weergeeft als een geheel getal zonder decimalen, gevolgd door het procentteken, kent Excel er de notatie Percentage aan toe.

✔ Als je een datum invoert (datums zijn ook waarden) die overeenkomt met een van de ingebouwde datumnotaties van Excel, zoals

19-2-01 of 19-feb-01, kent het programma er de datumnotatie aan toe die het patroon van deze datum volgt, samen met een speciale waarde die de datum representeert.

Hoewel je waarden op deze manier kunt opmaken terwijl je ze invoert (en het zelfs noodzakelijk is in het geval van datums), hoef je dit niet op die manier te doen. Je kunt een getalnotatie toekennen aan een groep waarden voor- of nadat je ze invoert. Getallen op deze manier opmaken is bovendien meestal efficiënter omdat je hierbij slechts de volgende twee stappen hoeft uit te voeren:

1. Selecteer alle cellen met de waarden die je wilt opmaken.

2. Selecteer de getalnotatie die je wilt gebruiken in de werkbalk Opmaak of in het dialoogvenster Celeigenschappen.

Vaak kun je een van de knoppen op de werkbalk Opmaak gebruiken. Zo niet, selecteer dan een getalnotatie op het tabblad Getal van het dialoogvenster Celeigenschappen (Ctrl+1). Zelfs als je een goede typist bent en er de voorkeur aan geeft waarden exact in te voeren zoals ze in het werkblad moeten worden weergegeven, moet je toch je toevlucht nemen tot getalnotaties als je wilt dat de opmaak van waarden die door formules worden berekend, overeenkomt met de ingevoerde waarden. Excel past namelijk de getalnotatie Standaard (die in het dialoogvenster Celeigenschappen wordt beschreven als 'Cellen die zijn opgemaakt met de notatie Standaard hebben geen specifieke getalnotatie') toe op alle berekende waarden en op waarden die je invoert en die niet overeenkomen met een van de andere getalnotaties van Excel. Het grootste probleem met de notatie Standaard is dat deze de vervelende gewoonte heeft alle begin- en eindnullen uit de ingevoerde waarden te verwijderen. Daardoor is het zeer moeilijk getallen in een kolom uit te lijnen op de decimale komma.

Dit is bijvoorbeeld het geval in figuur 3.10. Deze figuur toont een voorbeeldwerkblad met de verkoopcijfers over het eerste kwartaal van 2002 voor Moeder de Gans Enterprises voordat de waarden zijn opgemaakt. Zoals je ziet, vertonen de kolommen met waarden een zigzagverloop.

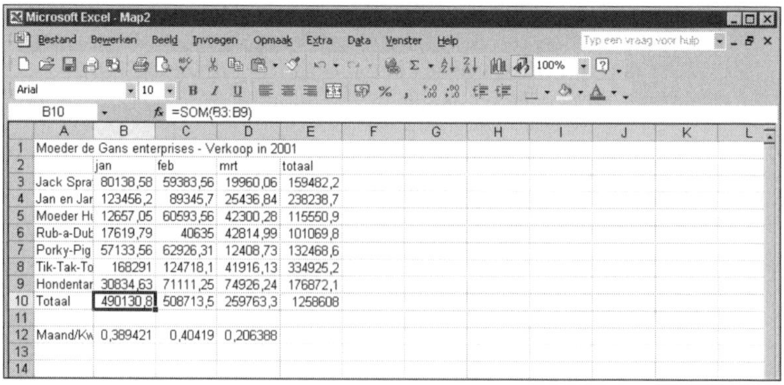

Figuur 3.10:
De verkoop-cijfers uit het eerste kwartaal lopen zigzag door de kolommen bij de notatie Standaard

Dit is de schuld van de notatie Standaard. De enige oplossing hiervoor is de waarden op te maken met een gelijkvormige getalnotatie.

De valutanotatie toepassen

Gezien de financiële aard van de meeste werkbladen zul je de notatie Valuta waarschijnlijk vaker gebruiken dan andere notaties. Je kunt deze notatie zeer gemakkelijk toepassen, aangezien de werkbalk Opmaak een knop Valuta bevat, die het guldenteken punten tussen duizendtallen en twee decimalen toevoegt aan alle waarden in het geselecteerde bereik. Als een van de waarden in de selectie negatief is, plaatst de valutanotatie deze waarde tussen haakjes.

In figuur 3.11 zijn alleen de cellen met de totalen (de cellenbereiken E3:E10 en B10:D10) geselecteerd. Op deze selectie is de notatie Valuta toegepast door te klikken op de knop Valuta op de werkbalk Opmaak (de knop met een bankbiljet en wat muntjes).

Figuur 3.11:
De totalen in de tabel met verkoopcijfers nadat is geklikt op de knop Valuta op de werkbalk Opmaak

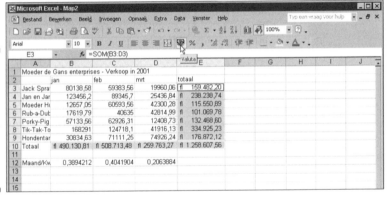

Opmerking: Hoewel je alle getallen in de tabel zou kunnen weergeven met de notatie Valuta om zo de decimale komma's uit te lijnen, levert dit een grote hoeveelheid guldentekens in een relatief kleine tabel op. In dit voorbeeld krijgen alleen de maand- en kwartaaltotalen de notatie Valuta.

Overvolle cellen

Als je de valutanotatie toepast op de selectie in de cellenbereiken E3:E10 en B10:D10 in de tabel met verkoopcfijers uit figuur 3.11, voegt Excel guldentekens, punten tussen duizendtallen, decimale komma's en twee decimalen toe aan de geselecteerde waarden. Tegelijkertijd maakt Excel de kolommen B, C, D en E automatisch breder, zodat alle nieuwe opmaak wordt weergegeven. In eerdere versies van Excel moest je deze kolommen zelf breder maken en zag je, in plaats van perfect uitgelijnde getallen, de tekens ####### in de cellenbereiken E3:E10 en B10:D10.

Deze hekjes (in plaats van mooi opgemaakte totaalbedragen) waarschuwen je dat de toegepaste opmaak de gegevens in de cel zo veel groter heeft gemaakt dat ze niet meer binnen de huidige kolombreedte passen.

Gelukkig maakt Excel geen gebruik meer van deze aanduiding wanneer je de waarden in de cellen opmaakt, maar worden de kolommen automatisch breder gemaakt. De enige keer dat je deze hekjes in cellen tegenkomt, is wanneer je een werkbladkolom zelf zo smal maakt (zie 'Kolommen aanpassen', verderop in dit hoofdstuk) dat Excel niet langer alle tekens in de cellen kan weergeven.

Cellen opmaken met de kommanotatie

De kommanotatie vormt een goed alternatief voor de valutanotatie. Net als de valutanotatie plaatst de kommanotatie punten tussen duizendtallen, honderdduizendtallen, miljoenen enzovoort.

Deze notatie geeft ook twee decimalen weer en plaatst een minteken achter negatieve waarden. De kommanotatie voegt echter geen valutateken toe. Daarom is deze notatie uiterst geschikt voor tabellen waarin het duidelijk is dat het gaat om geldbedragen of voor grotere waarden die niets te maken hebben met geld.

De kommanotatie is ook geschikt voor de rest van de waarden in het werkblad met de verkoopcijfers van het eerste kwartaal. In figuur 3.12 zijn de cellen met de maandelijkse verkoop van elk Moeder de Gans-bedrijf opgemaakt met de kommanotatie. Selecteer hiervoor het cellenbereik B3:D9 en klik op de knop Kommanotatie (dit is uiteraard de knop met de komma) op de werkbalk Opmaak.

In figuur 3.12 zie je hoe de kommanotatie het uitlijnprobleem oplost. Bovendien worden de verkoopcijfers perfect uitgelijnd met de maandelijkse totalen met de valutanotatie in rij 10. Als je goed kijkt, zie je dat de opgemaakte waarden niet langer de rechterrand van de cellen raken, maar iets naar links zijn opgeschoven. De ruimte tussen het laatste cij-

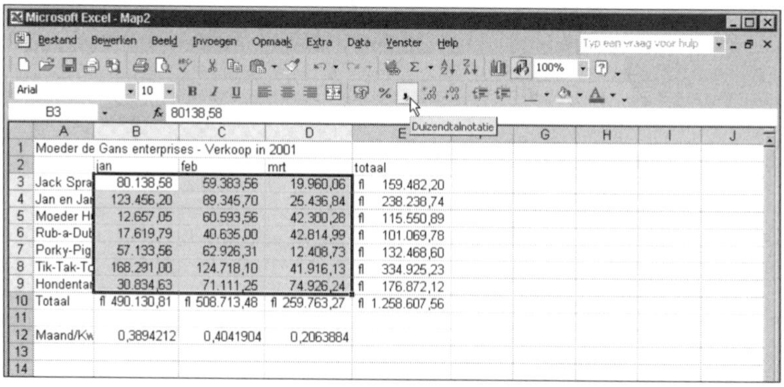

Figuur 3.12:
De maandelijkse verkoopcijfers nadat de kommanotatie is toegepast

fer en de celrand is bedoeld voor het minteken achter negatieve waarden, zodat ook deze precies worden uitgelijnd op de decimale komma.

De procentnotatie

Veel werkbladen bevatten waarden die als percentage worden uitgedrukt, zoals rentevoeten, groeipercentages, inflatie en dergelijke. Als je een percentage wilt invoegen in een cel, typ je het procentteken (%) na het getal. Als je bijvoorbeeld een rentepercentage van twaalf procent wilt aangeven, typ je 12% in de cel. Excel kent dan automatisch de notatie Percentage toe, deelt tegelijk de waarde door 100 (het is immers een percentage) en plaatst het resultaat (in dit geval 0,12) in de cel.

Niet alle percentages in een werkblad worden op deze manier met de hand ingevoerd. Soms worden percentages berekend door een formule en in de cel weergegeven als onopgemaakte gegevens. In dergelijke gevallen moet je de procentnotatie zelf toepassen om de berekende decimale waarden om te zetten in percentages (de decimale waarde wordt in dit geval vermenigvuldigd met 100 en het procentteken wordt toegevoegd).

Het voorbeeldwerkblad met de verkoopcijfers bevat enkele percentages die zijn berekend door formules in rij 12 en die moeten worden opgemaakt. Deze formules geven het percentage aan dat elk maandtotaal vormt van het kwartaaltotaal in cel E10. In figuur 3.13 zijn deze waarden opgemaakt met de procentnotatie. Selecteer hiervoor de cellen en klik op de knop Procentnotatie op de werkbalk Opmaak. Onnodig te vermelden dat dit de knop met het teken % is.

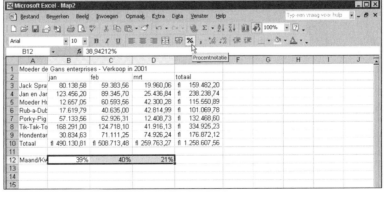

Figuur 3.13: De percentages van de maandelijkse verkoop zijn opgemaakt met de procentnotatie

Het aantal decimalen instellen

Je kunt het aantal decimalen van een getal waarop een notatie is toegepast met de knoppen Valuta, Procentnotatie of Kommanotatie, wijzigen door te klikken op de knop Meer decimalen of Minder decimalen op de werkbalk Opmaak (of in het palet dat verschijnt wanneer je klikt op de knop Meer knoppen op de werkbalk Opmaak).

Telkens wanneer je klikt op de knop Meer decimalen (de knop met de pijl naar links), voegt Excel een decimaal toe aan de toegepaste getalno- tatie. Figuur 3.14 toont de percentages in het cellenbereik B12:D12 na- dat het aantal decimalen van de procentnotatie is verhoogd van geen tot twee (de procentnotatie gebruikt geen decimalen). Klik hiervoor tweemaal op de knop Meer decimalen.

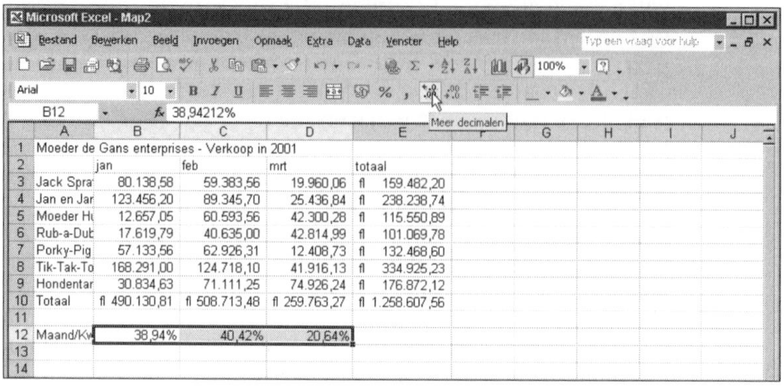

Figuur 3.14: De maande- lijkse per- centages nadat twee decimalen zijn toege- voegd

De waarden achter de opmaak

Vergis je niet: het enige wat al die getalnotaties doen, is de weergave van de waarden in het werkblad verfraaien. Als een goede illusionist lijkt een bepaalde getalnotatie waarden soms op magische wijze te transformeren, maar in werkelijkheid blijven de ingevoerde getallen be- houden. Stel, een formule levert de volgende waarde op:

```
25,6456
```

Klik vervolgens op de knop Valuta om de opmaak van de cel te wijzigen. De waarde wordt nu als volgt weergegeven:

```
fl 25,65
```

Het lijkt nu alsof Excel de waarde heeft afgerond op twee decimalen. In werkelijkheid heeft het programma echter alleen de *weergave* van de berekende waarde afgerond. De cel bevat nog steeds dezelfde waarde 25,6456. Als je deze cel gebruikt in een andere formule, onthoud dan dat Excel voor de berekening de waarde achter de schermen gebruikt, niet de waarde die wordt weergegeven in de cel.

Stel dat je wilt dat de werkelijke waarden overeenkomen met de weerge- geven waarden in het werkblad. Excel kan hier in één stap voor zorgen. Wees echter gewaarschuwd dat er in dit geval geen weg terug is. Je kunt alle onderliggende waarden omzetten in de waarden die worden weergegeven door één optie in te schakelen, maar je kunt de vorige waarden niet herstellen door deze optie weer uit te schakelen.

Als je toch wilt weten hoe dit trucje werkt, volgen hier de stappen die je moet uitvoeren (maar zeg niet dat ik je niet heb gewaarschuwd):

1. Zorg ervoor dat alle waarden in het werkblad worden weergegeven met het gewenste aantal decimalen.

   Ga pas verder naar de volgende stap als je zeker weet dat alle cellen in orde zijn.

2. Kies Extra ⇨ Opties.

3. Klik op het tabblad Berekenen om de opties voor berekeningen weer te geven.

4. Klik op het selectievakje Precisie zoals afgebeeld in het vak Werkmapopties om deze optie in te schakelen. Klik op OK.

   Excel toont een berichtvenster met de waarschuwing 'De gegevens zullen permanent hun nauwkeurigheid verliezen'.

5. Klik op OK of druk op Enter om alle werkelijke waarden om te zetten in de weergegeven waarden.

Het is aan te raden om, nadat je alle waarden in het werkblad hebt aangepast met de optie Precisie zoals afgebeeld, de optie Bestand ⇨ Opslaan als te kiezen. Pas de bestandsnaam in het vak Bestandsnaam aan (bijvoorbeeld door de woorden 'zoals afgebeeld' toe te voegen aan de naam) voordat je op de knop Opslaan klikt of op Enter drukt. Zo beschik je altijd over een kopie van het oorspronkelijke werkmapbestand met de waarden zoals deze zijn ingevoerd en berekend door Excel en die kan fungeren als reservekopie voor de versie 'zoals afgebeeld'.

Andere getalnotaties

Excel biedt veel meer getalnotaties dan de valuta-, komma- en procentnotaties. Als je deze wilt gebruiken, selecteer je het cellenbereik dat je wilt opmaken en kies je Celeigenschappen in het snelmenu (klik met de rechtermuisknop in de selectie) of in het menu Opmaak om het dialoogvenster Celeigenschappen te openen.

Klik op het tabblad Getal in het dialoogvenster Celeigenschappen en selecteer de gewenste notatie in de lijst Categorie. Sommige getalnotaties, zoals Datum, Tijd, Breuk en Speciaal, bieden extra opmaakopties in de lijst Type. Andere getalnotaties, zoals Getal en Valuta, bieden de mogelijkheid de notatie verder aan te passen. Terwijl je klikt op de verschillende notaties in de keuzelijst, toont Excel het effect van de notatie in het vak Voorbeeld, boven in het dialoogvenster. Wanneer het voorbeeld de opmaak heeft die je wilt toepassen op de huidige selectie, klik je op OK of druk je op Enter om de nieuwe notatie toe te passen.

Speciale getalnotaties

Excel bevat een handige categorie getalnotaties, Speciaal geheten. De categorie Speciaal bevat onder andere de volgende vier getalnotaties die je mogelijk interesseren:

- ✔ **Telefoonnummer:** Plaatst automatisch een 0 voor het getal, mits dit uit minder dan tien cijfers bestaat.

- ✔ **Sofi-nummer:** Plaatst automatisch twee streepjes in de waarde om deze op te delen in drie groepen cijfers, waarbij de laatste groep bestaat uit de laatste drie cijfers en de voorlaatste groep uit de twee cijfers daarvoor.

- ✔ **Plaats:** Plaatst automatisch een 0 voor het getal en een streepje na de eerste drie cijfers. Hiermee wordt een telefoonnummer voor een grote plaats aangegeven.

- ✔ **Regionaal:** Plaatst automatisch een 0 voor het getal en een streepje na de eerste vier cijfers. Hiermee wordt een telefoon-nummer voor een kleinere plaats aangegeven.

Deze speciale getalnotaties zijn met name handig wanneer je in Excel databases maakt die vaak gegevens zoals telefoonnummers bevatten. In hoofdstuk 9 vind je meer informatie over databases.

Kolommen aanpassen

Voor die gevallen waarin Excel 2002 de breedte van de kolommen niet automatisch naar wens aanpast, kun je de kolombreedte in een hand-omdraai wijzigen. De gemakkelijkste manier om de kolombreedte aan te passen is via de functie AutoAanpassen. Bij deze methode bepaalt Excel automatisch hoeveel breder of smaller de kolom moet worden, zodat de langste gegevens in de kolom passen.

Je gebruikt de functie AutoAanpassen voor een kolom als volgt:

1. Plaats de muisaanwijzer in de kolomkop op de rechterrand van de kolom waarvan je de breedte wilt aanpassen.

   De muisaanwijzer verandert in een tweepuntige pijl die naar links en naar rechts wijst.

2. Dubbelklik op de kolomrand.

   Excel maakt de kolom breder of smaller, op basis van de langste gegevens.

Je kunt de breedte van meerdere kolommen tegelijk aanpassen. Selec-teer alle kolommen die je wilt aanpassen (als de kolommen aan elkaar grenzen, sleep je over de kolomletters; als dit niet het geval is, houd je

de Ctrl-toets ingedrukt terwijl je klikt op de letters van de gewenste kolommen). Nadat je de kolommen hebt geselecteerd, dubbelklik je op de
rechterrand van een van de kolomkoppen.

AutoAanpassen levert niet altijd het verwachte resultaat op. Een lange
titel die zich over meerdere kolommen uitstrekt, levert een zeer brede
kolom op wanneer je AutoAanpassen gebruikt.

Wanneer AutoAanpassen niet naar wens werkt, versleep je de rechterrand van de kolom (in de kolomkop) totdat de kolom de gewenste
breedte heeft. Deze handmatige methode werkt ook wanneer meer dan
één kolom is geselecteerd. Houd er rekening mee dat alle geselecteerde
kolommen de breedte krijgen van de kolom die je daadwerkelijk versleept.

Je kunt de breedte van kolommen ook instellen in het dialoogvenster
Kolombreedte. In dit dialoogvenster voer je het gewenste aantal tekens
voor de kolombreedte in. Je opent het dialoogvenster door de optie
Kolombreedte te kiezen in het snelmenu van de kolom (dat je opent
door met de rechtermuisknop te klikken op de geselecteerde kolom of
kolomkop) of door Opmaak ➪ Kolom ➪ Breedte te kiezen.

Het invoervak Kolombreedte geeft aan hoeveel tekens (in het standaardlettertype) in de standaardkolombreedte van het werkblad of in de huidige kolom passen (als je deze al hebt aangepast). Als je de breedte van
alle geselecteerde kolommen in het werkblad wilt wijzigen, typ je een
nieuwe waarde in het vak Kolombreedte en klik je op OK. Als je Excel de
kolombreedte automatisch wilt laten aanpassen via de menubalk, kies
je Opmaak ➪ Kolom ➪ AutoAanpassen aan selectie. Je kunt deze optie
gebruiken om de kolombreedte aan te passen aan de gegevens in bepaalde cellen. Stel, je wilt een kolom even breed maken als een reeks
koppen, maar niet zo breed als de werkbladtitel (die meerdere kolommen beslaat). Het enige wat je hiervoor moet doen, is de cellen selecteren in de rij met de koppen waarop de nieuwe kolombreedte moet worden gebaseerd, waarna je Opmaak ➪ Kolom ➪ AutoAanpassen aan selectie kiest.

Als je de standaardkolombreedte van geselecteerde kolommen via de
menubalk wilt herstellen, kies je Opmaak ➪ Kolom ➪ Standaardbreedte.
Het dialoogvenster Standaardbreedte wordt geopend, waarbij het vak
Standaardkolombreedte de waarde 8,43 bevat (dit is namelijk de standaardbreedte van alle kolommen in een nieuw werkblad). Om de standaardbreedte van alle geselecteerde kolommen te herstellen, klik je op
OK of druk je op Enter.

Rijen aanpassen

Je past de hoogte van rijen op ongeveer dezelfde manier aan als de
breedte van kolommen, behalve dat je de rijhoogte veel minder vaak
zult aanpassen dan de kolombreedte. Excel past de hoogte van rijen na-

melijk automatisch aan wanneer je de inhoud van de rijen wijzigt (bijvoorbeeld door een grotere tekengrootte te selecteren of door tekst in een cel over meerdere regels te verdelen; beide technieken worden verderop besproken). Je zult de rijhoogte meestal wijzigen wanneer je de hoeveelheid ruimte tussen een tabeltitel en de tabel of tussen een rij met kolomkoppen en de tabel wilt wijzigen zonder hierbij een lege rij in te voeren. (Zie de paragraaf 'Van top tot teen', verderop in dit hoofdstuk, voor meer informatie.)

Als je een rij hoger wilt maken, sleep je de onderste rand van de rijkop omlaag totdat de rij de gewenste hoogte heeft, waarna je de muisknop loslaat. Als je een rij lager wilt maken, draai je dit proces om en sleep je de onderrand van de rijkop omhoog. Als je AutoAanpassen wilt gebruiken om de hoogte van rijen in te stellen, dubbelklik je op de onderrand van een rijkop.

Net als bij kolommen kun je de hoogte van geselecteerde rijen aanpassen via een dialoogvenster. Om het dialoogvenster Rijhoogte te openen, kies je de optie Rijhoogte in het snelmenu van de rij (dat je opent door met de rechtermuisknop te klikken op een rijnummer) of kies je Opmaak ⇨ Rij ⇨ Hoogte. Als je de nieuwe hoogte voor de geselecteerde rij(en) wilt instellen, typ je het aantal punten in het vak Rijhoogte en klik je op OK. (De standaardrijhoogte is 12,75 punten.) Als je de functie Auto-Aanpassen wilt herstellen, kies je Opmaak ⇨ Rij ⇨ AutoAanpassen.

Kolommen en rijen verbergen

Wanneer je kolommen of rijen smaller maakt, kan er iets vreemds gebeuren: je kunt een kolom of rij zo smal maken, dat deze van het werkblad verdwijnt! Dit kan handig zijn wanneer je een deel van het werkblad niet wilt weergeven. Een werkblad kan bijvoorbeeld een kolom met de salarissen van werknemers bevatten die nodig zijn om het afdelingsbudget te berekenen, maar die je in de meeste afgedrukte rapporten achterwege wilt laten. In plaats van de kolom met salarissen te verwijderen uit het af te drukken gebied, kun je de kolom verbergen wanneer je het rapport afdrukt.

Kolommen en rijen verbergen via menu's

Hoewel je werkbladkolommen en -rijen op de bovenstaande manier kunt verbergen, biedt Excel een gemakkelijker manier hiervoor: via het menu Opmaak of via het snelmenu van de rij of kolom. Stel, je wilt kolom B in het werkblad verbergen, omdat deze irrelevante of vertrouwelijke informatie bevat die je niet wilt afdrukken. Voer de volgende stappen uit om deze kolom te verbergen:

1. Klik ergens in kolom B om hem te selecteren.

2. Selecteer Opmaak ⇨ Kolom ⇨ Verbergen.

Dat is alles: kolom B is verdwenen. Alle informatie in de kolom verdwijnt uit het werkblad. Wanneer je kolom B verbergt, luiden de kolomletters nu A, C, D, E enzovoort.

Je kunt kolom B ook verbergen door met de rechtermuisknop te klikken op de kolomletter en Verbergen te selecteren in het snelmenu. Stel nu dat je het werkblad hebt afgedrukt en een wijziging wilt aanbrengen in een van de cellen in kolom B. Voer de volgende stappen uit om deze kolom weer zichtbaar te maken:

1. Plaats de muisaanwijzer op kolomletter A en sleep de aanwijzer naar rechts om zowel kolom A als kolom C te selecteren.

   Je moet slepen van A naar C, zodat de verborgen kolom B ook deel uitmaakt van de selectie. Klik niet op de twee kolommen terwijl je de Ctrl-toets ingedrukt houdt, omdat je in dit geval kolom B niet selecteert.

2. Kies Opmaak ⇨ Kolom ⇨ Zichtbaar maken.

Excel geeft de verborgen kolom B opnieuw weer en alle drie kolommen (A, B en C) zijn geselecteerd. Klik met de muisaanwijzer ergens in het werkblad om de selectie op te heffen.

Je kunt kolom B ook opnieuw weergeven door de kolommen A en C te selecteren, met de rechtermuisknop op een van deze kolommen te klikken en Zichtbaar maken te selecteren in het snelmenu.

Kolommen en rijen verbergen met de muis

Kolommen verbergen en weer zichtbaar maken met de muis kan *zeer* lastig zijn. Dit vereist een precisie waarover je mogelijk niet beschikt (met name als je nog niet zo lang met de muis werkt). Als je jezelf echter beschouwt als muisexpert, kun je kolommen verbergen en zichtbaar maken door te slepen:

✔ Als je een kolom met de muis wilt verbergen, sleep je de rechterrand van de kolom naar links tot deze rand samenvalt met de linkerrand, waarna je de muisknop loslaat.

✔ Wanneer je een rij met de muis wilt verbergen, sleep je de onderrand van de rij omhoog tot deze zich precies op de bovenrand bevindt, waarna je de muisknop loslaat.

Terwijl je een rand sleept, toont Excel een scherminfo met de huidige kolombreedte of rijhoogte in een vak naast de muisaanwijzer (vergelijkbaar met de scherminfo die wordt weergegeven wanneer je de schuifbalk gebruikt of wanneer je de vulgreep versleept om een reeks te vullen met AutoDoorvoeren, zoals in hoofdstuk 1 is uitgelegd). Laat de muisknop los wanneer de breedte of hoogte 0,00 wordt aangegeven. Je maakt een kolom of rij weer zichtbaar door de omgekeerde bewerking uit te voeren. Ditmaal sleep je de rand van de kolom of rij op de plaats van de verborgen kolom of rij in de tegengestelde richting (naar rechts voor kolommen, omlaag voor rijen). De enige truc hierbij is dat je de muisaanwijzer iets rechts van de kolomrand of iets onder de rijrand moet plaatsen, zodat de aanwijzer niet verandert in een tweepuntige pijl, maar in een dubbele pijl met twee streepjes ertussen. (Deze twee vormen worden weergegeven in tabel 1.1.)

Raak niet in paniek als je een kolom of rij handmatig verbergt en de splitsaanwijzer onverhoopt niet verschijnt, zodat je de kolom of rij niet zichtbaar kunt maken. Selecteer dan gewoon de twee kolommen of rijen waartussen de verborgen kolom of rij zich bevindt en kies Zichtbaar maken in het snelmenu van de kolommen of rijen (de methode die in de vorige paragraaf is uitgelegd).

Werken met lettertypen

Wanneer je aan een nieuw werkblad begint, kent Excel een standaardlettertype en -tekengrootte toe aan alle celinvoer. Dit lettertype hangt af van de gebruikte printer – voor een laserprinter, zoals de HP LaserJet of Apple LaserWriter, gebruikt Excel een lettertype genaamd *Arial* in een 10-punts grootte. Hoewel dit lettertype uitstekend geschikt is voor normale invoer, kun je een opvallender lettertype gebruiken voor titels en koppen in het werkblad.

Als je liever wilt dat Excel een ander standaardlettertype gebruikt, kun je dit wijzigen door Extra ➪ Opties te kiezen en op de tab Algemeen te klikken. Selecteer het nieuwe standaardlettertype in de vervolgkeuzelijst Standaardlettertype. Als je een andere tekengrootte wilt instellen, wijzig je de waarde in het vak Punten.

Met de knoppen op de werkbalk Opmaak kun je de meeste lettertypewijzigingen aanbrengen (zoals een nieuwe letterstijl of een nieuwe tekengrootte instellen) zonder dat je je toevlucht moet nemen tot de instellingen op het tabblad Lettertype van het dialoogvenster Celeigenschappen (Ctrl+1).

- ✔ Als je een nieuw lettertype op een selectie wilt toepassen, klik je op de omlaagwijzende pijl naast het vak Lettertype op de werkbalk Opmaak. Selecteer vervolgens de naam van het gewenste lettertype in de vervolgkeuzelijst. Excel 2002 geeft de naam van elk lettertype weer in het desbetreffende lettertype (zodat de naam een voorbeeld geeft van het uiterlijk van dit lettertype – tenminste op het scherm).

- ✔ Als je de tekengrootte wilt wijzigen, klik je op de omlaagwijzende pijl naast het vak Punten op de werkbalk Opmaak en selecteer je de gewenste grootte.

Je kunt ook de kenmerken vet, cursief, onderstrepen of doorhalen toepassen. De werkbalk Opmaak bevat de knoppen Vet, Cursief en Onderstrepen, die deze kenmerken niet alleen toepassen op een selectie,
maar ze tevens verwijderen. Als je klikt op een van deze knoppen, verschijnt er een blauw kader om de knop. Wanneer je klikt op een dergelijke knop om een kenmerk te verwijderen, herstelt Excel de oorspronkelijke vorm van de knop, zodat het kader weer verdwijnt.

Hoewel je de meeste lettertypewijzigingen zult aanbrengen via de werkbalken, is het soms handiger ingwikkelde wijzigingen aan te brengen via
het tabblad Lettertype van het dialoogvenster Celeigenschappen
(Ctrl+1).

Zoals je ziet in figuur 3.15, bevat het tabblad Lettertype van het dialoogvenster Celeigenschappen alle opties voor lettertype, tekenstijlen (zoals vet en cursief), effecten (zoals onderstrepen en doorhalen) en kleur.
Wanneer je veel lettertypewijzigingen in een selectie wilt aanbrengen,
kun je dit waarschijnlijk het beste doen via het tabblad Lettertype. Een
van de voordelen van dit tabblad is dat dit het vak Voorbeeld bevat
waarin wordt aangegeven hoe het lettertype eruitziet (op het scherm).

Figuur 3.15:
Gebruik het
tabblad Let-
tertype van
het dialoog-
venster Cel-
eigenschap-
pen als je
veel letterty-
pewijzigin-
gen tegelijk
wilt aan-
brengen

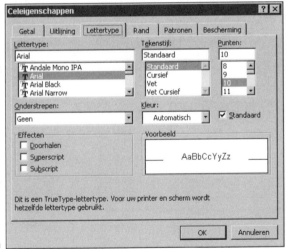

Als je de kleur van het lettertype verandert met de optie Kleur op het
tabblad Lettertype of via de knop Tekstkleur op de werkbalk Opmaak
(de laatste knop) en het werkblad afdrukt op een zwartwitprinter, geeft
Excel de kleuren weer als grijstinten. De optie Automatisch in de vervolgkeuzelijst Kleur gebruikt de kleur die in Windows is toegekend als
tekstkleur. Deze kleur is zwart, tenzij je dit verandert op het tabblad
Vormgeving van het dialoogvenster Eigenschappen voor Beeldscherm
van Windows 95/98. Meer informatie over dit onderwerp vind je in
Windows 98 voor Dummies of *Windows Me voor Dummies* van Andy
Rathbone.

De uitlijning wijzigen

De uitlijning die op gegevens wordt toegepast wanneer je ze invoert, hangt af van van het type gegevens: tekst wordt links uitgelijnd en alle numerieke waarden worden rechts uitgelijnd. Je kunt deze standaarduitlijning echter op elk moment wijzigen.

De werkbalk Opmaak bevat drie normale uitlijnknoppen: Links uitlijnen, Centreren en Rechts uitlijnen. Deze knoppen lijnen de selectie uit zoals de naam ervan aangeeft.

Naast de knop Rechts uitlijnen bevindt zich gewoonlijk de knop Samenvoegen en centreren. Ondanks zijn omslachtige naam, is het aan te raden deze knop te leren kennen. Je kunt deze knop bijvoorbeeld gebruiken om een werkbladtitel te centreren over de breedte van een tabel. In de figuren 3.16 en 3.17 wordt getoond hoe je deze knop gebruikt. In figuur 3.16 bevindt de titel van het werkblad zich in cel A1. Aangezien de titel zeer lang is, loopt deze over naar de lege cellen rechts ervan (tot aam halverwege cel D7). Als je deze titel wilt centreren boven de tabel (die de kolommen A tot en met E beslaat), selecteer je het cellenbereik A1:E1 (de breedte van de tabel) en klik je op de knop Samenvoegen en centreren.

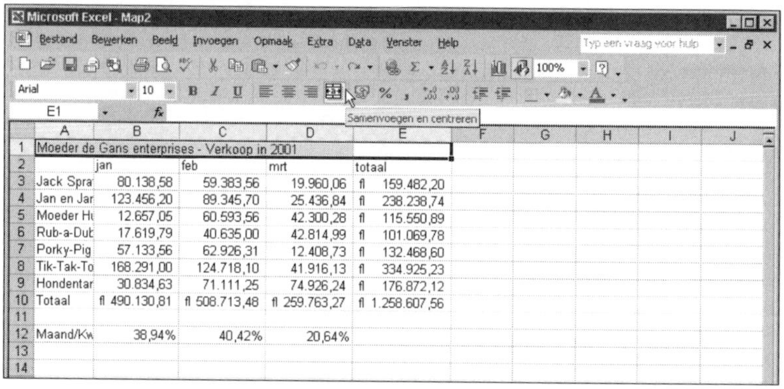

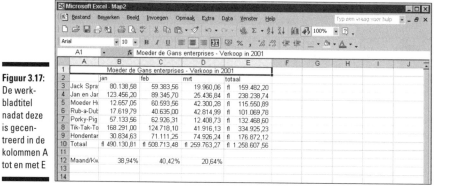

Figuur 3.16:
De werkbladtitel boven een tabel centreren met de knop Samenvoegen en centreren

Figuur 3.17:
De werkbladtitel nadat deze is gecentreerd in de kolommen A tot en met E

Het resultaat hiervan zie je in figuur 3.17: de cellen in rij 1 van de kolommen A tot en met E zijn samengevoegd tot één grote cel en de titel is nu gecentreerd in deze cel en dus boven de hele tabel.

Als je een grote cel, die het resultaat is van de knop Samenvoegen en centreren, wilt opsplitsen in de oorspronkelijke cellen, selecteer je de cel, open je het dialoogvenster Celeigenschappen (Ctrl+1), klik je op het tabblad Uitlijning en schakel je de optie Cellen samenvoegen uit, waarna je op OK klikt of op Enter drukt.

Inspringen

In Excel 2002 kun je de informatie in een selectie laten inspringen door te klikken op de knop Inspringing vergroten op de werkbalk Opmaak. Deze knop bevindt zich gewoonlijk direct links van de knop Werkbalk Randopmaak en bevat een afbeelding van een pijl die tekstregels naar rechts duwt. Telkens wanneer je op deze knop klikt, laat Excel de gegevens in de huidige selectie naar rechts inspringen. De grootte van de inspringing komt overeen met één teken in het standaardlettertype. Zie de paragraaf 'Werken met lettertypen', eerder in dit hoofdstuk, als je niet weet wat een standaardlettertype is of hoe je dit wijzigt.

Je kunt een inspringing verwijderen door te klikken op de knop Inspringing verkleinen op de werkbalk Opmaak. Deze knop bevindt zich gewoonlijk links van de knop Inspringing vergroten en bevat een afbeelding van een pijl die tekstregels naar links duwt. Je kunt het aantal tekens dat met deze twee knoppen wordt verschoven, als volgt wijzigen: open het dialoogvenster Celeigenschappen, klik op de tab Uitlijning en wijzig de waarde in het vak Inspringing (door een nieuwe waarde te typen of door een nieuwe waarde te selecteren met het kringveld).

Van top tot teen

De termen *links uitlijnen, centreren* en *rechts uitlijnen* verwijzen alledrie naar de plaatsing van de tekst ten opzichte van de linker- en rechterrand van de cel (dat wil zeggen: horizontaal). Je kunt gegevens echter ook uitlijnen ten opzichte van de boven- en onderrand van de cellen (verticaal). Gewoonlijk wordt alle celinhoud onder in de cel uitgelijnd (alsof de inhoud rust op de onderrand van de cel). Je kunt gegevens echter ook verticaal centreren of uitlijnen met de bovenrand van de cel.

Als je de verticale uitlijning van een selectie wilt wijzigen, open je het dialoogvenster Celeigenschappen, klik je op de tab Uitlijning en selecteer je Boven, Gecentreerd, Onder of Uitvullen in de vervolgkeuzelijst Verticaal (zie figuur 3.18).

In figuur 3.19 is de titel van het werkblad verticaal in de cel gecentreerd. Deze tekst hadden we zojuist al gecentreerd in het cellenbereik A1:E1, maar nu is ook de hoogte van rij 1 vergroot van de standaardinstelling 12,75 tot 33,75.

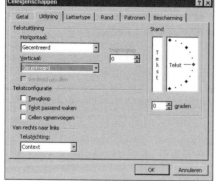

Figuur 3.18:
De verticale uitlijning wijzigen door Gecentreerd te kiezen in de vervolgkeuzelijst Verticaal

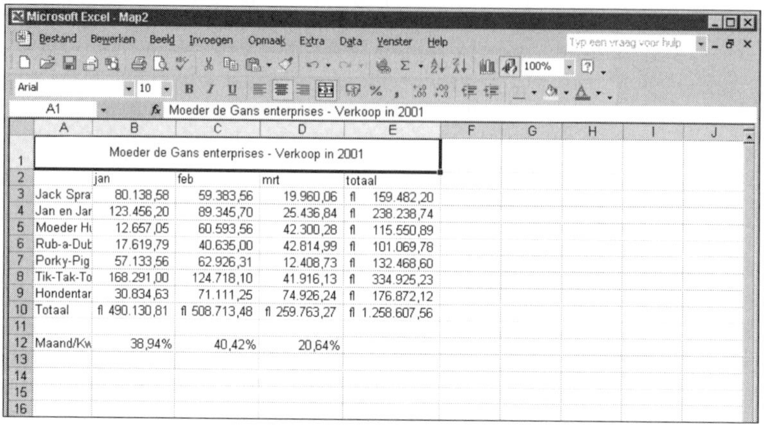

Figuur 3.19:
De werkbladtitel nadat deze verticaal is gecentreerd in rij 1

De tekstterugloop wijzigen

Kolomkoppen in werkbladtabellen zijn altijd een probleem geweest; je moest ze zeer kort houden of inkorten om te voorkomen dat ze alle kolommen te breed maakten. Je kunt dit probleem in Excel voorkomen met de functie voor tekstterugloop. Figuur 3.20 toont een nieuw werkblad waarin de kolomkoppen met de diverse bedrijven van Moeder de Gans de functie Terugloop gebruiken om te voorkomen dat de kolommen zo lang worden, dat de bedrijfsnamen er niet meer in hun geheel in passen.

Als je het effect uit figuur 3.20 wilt creëren, selecteer je de cellen met de kolomkoppen (het cellenbereik B2:H2) en schakel je het selectievakje Terugloop op het tabblad Uitlijning van het dialoogvenster Celeigenschappen in (zie opnieuw figuur 3.18).

Tekstterugloop verdeelt lange tekst in de selectie (die overloopt of wordt afgebroken) over meerdere regels. Om plaats te bieden aan meer dan één regel in een cel, maakt het programma de rijhoogte automatisch groter, zodat de hele tekst zichtbaar is.

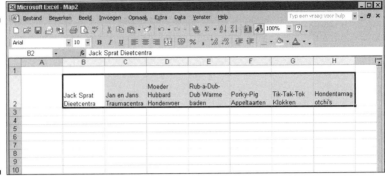

Figuur 3.20:
Een nieuw werkblad waarin de kolomkoppen met de bedrijfsnamen zijn opgemaakt met de optie Terugloop

Wanneer je terugloop inschakelt, gebruikt Excel nog steeds de horizontale en verticale uitlijning die je voor de cel hebt ingesteld. Merk op dat je alle opties voor horizontale uitlijning kunt gebruiken, waaronder Links (inspringen), Gecentreerd, Rechts, Uitvullen of Centreren over selectie. Je kunt de optie Vullen echter niet gebruiken. Selecteer de optie Vullen in de vervolgkeuzelijst Horizontaal alleen wanneer je wilt dat de gegevens over de breedte van de cel worden herhaald.

Als je gegevens in een tekst wilt laten teruglopen, waarbij Excel de tekst uitlijnt met de linker- en rechterrand van de cel, selecteer je de optie Uitvullen in de vervolgkeuzelijst Horizontaal op het tabblad Uitlijning van het dialoogvenster Celeigenschappen.

Je kunt een lange tekst opdelen in meerdere regels door de invoegpositie in de tekst in de cel (of op de formulebalk) te plaatsen op de plek waar de nieuwe regel moet beginnen en op Alt+Enter te drukken. Excel breidt de rij met de cel (en de formulebalk erboven) uit met een nieuwe regel. Wanneer je op Enter drukt om de invoer of bewerking af te sluiten, laat Excel de tekst automatisch teruglopen in de cel, aan de hand van de kolombreedte van de cel en de positie van het regeleinde.

De stand van tekst wijzigen

In plaats van tekst in cellen te laten teruglopen, kan het soms handiger zijn de stand van de tekst te wijzigen (met de richting van de klok of tegen de richting van de klok). Figuur 3.21 laat zien dat in dit geval beter de stand van de kolomkoppen kan worden gewijzigd dan alleen de tekst in de normale stand te laten teruglopen.

Dit voorbeeld toont hetzelfde werkblad als dat in figuur 3.20, waarin de stand van de kolomkoppen met de diverse bedrijven is gewijzigd. Wanneer je de tekststand wijzigt, kunnen kolommen vaak smaller worden gemaakt dan wanneer de tekst horizontaal wordt weergegeven.

Als je de tekststand wilt wijzigen, selecteer je het cellenbereik B2:H2 en klik je op de tab Uitlijning van het dialoogvenster Celeigenschappen.

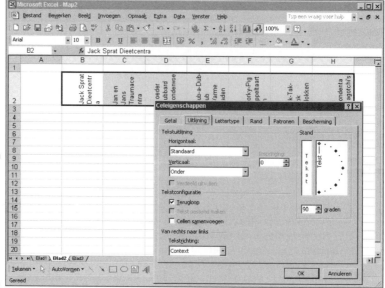

Figuur 3.21:
Het werk-
blad nadat
de bedrijfs-
namen in de
tweede rij
90 graden
zijn ge-
draaid

Klik vervolgens op het ruitje boven in het vak Stand (op twaalf uur als het ware), zodat het woord Tekst van onder naar boven loopt en het vak Graden de waarde 90 bevat.

Je kunt de richting van tekst in geselecteerde cellen ook wijzigen door het aantal graden in dit vak in te voeren. Druk op Enter of klik op OK om de stand toe te passen. Het selectievakje Terugloop is nog steeds gese-lecteerd, zodat de tekst zowel wordt geroteerd als terugloopt (zodat lange, smalle kolommen worden voorkomen). Als je tevreden bent, klik je op OK of druk je op Enter.

Je hoeft je niet te beperken tot rotaties van 90 graden. Figuur 3.22 toont dezelfde bedrijfsnamen, nadat de koppen via de optie Stand op het tab-blad Uitlijning van het dialoogvenster Celeigenschapen 45 graden zijn gedraaid ten opzichte van de horizontale stand. Klik hiervoor op het ruitje tussen het ruitje boven in het diagram (op 12 uur) en het ruitje in het midden van het diagram (op 3 uur). Je zou in plaats daarvan ook 45 kunnen typen in het vak Graden.

Je kunt de hoeveelheid rotatie instellen tussen 90 graden omhoog ten opzichte van de horizontale stand (90 in het vak Graden) en 90 graden omlaag ten opzichte van de horizontale stand (-90 in het vak Graden) door het aantal graden in te voeren in het vak Graden, door te klikken op de gewenste positie in het diagram of door de lijn die loopt vanaf het woord Tekst naar de gewenste hoek te slepen. Als je de tekst verticaal wilt plaatsen, zodat de letters in één kolom boven elkaar staan, klik je op het woord Tekst, links in het vak Stand, waarin de letters boven el-kaar staan.

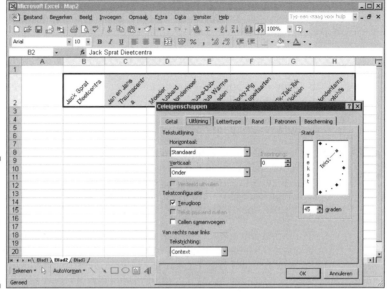

Figuur 3.22:
Het werk-
blad nadat
de bedrijfs-
namen in de
tweede rij
45 graden
zijn ge-
draaid

Tekst passend maken

Wanneer je niet wilt dat Excel de kolommen breder maakt om te zorgen
dat de gegevens erin passen (bijvoorbeeld wanneer je een hele gegevenstabel op één scherm of gedrukte pagina wilt weergeven), schakel je
de optie Tekst passend maken op het tabblad Uitlijning van het dialoogvenster Celeigenschappen in. Excel verkleint in dit geval de tekengrootte van de informatie in de geselecteerde cellen, zodat de huidige kolombreedte niet gewijzigd hoeft te worden. Merk op dat wanneer je deze optie gebruikt, de tekst, afhankelijk van de lengte van de gegevens en de
breedte van de kolom, zo klein kan worden dat deze niet meer leesbaar
is. Onthoud ook dat je de opties Tekst passend maken en Terugloop
niet tegelijk kunt gebruiken (als je de ene optie inschakelt, wordt de andere automatisch uitgeschakeld).

Randen toepassen

De rasterlijnen die gewoonlijk in het werkblad worden weergegeven om
de kolommen en rijen van elkaar te scheiden, zijn slechts hulplijnen, die
je helpen bij het samenstellen van het werkblad. Je kunt deze rasterlijnen wel of niet samen met de gegevens afdrukken. Als je delen van het
werkblad of van een tabel wilt benadrukken, kun je randen of een kleur
toevoegen aan bepaalde cellen. Je mag de *randen* die je toevoegt om bepaalde cellen te benadrukken niet verwarren met de *rasterlijnen* die gewoonlijk de cellen in het werkblad van elkaar scheiden. Randen die je
toevoegt worden altijd afgedrukt, ongeacht of je de rasterlijnen afdrukt.

Als je de randen die je aan cellen toevoegt beter wilt kunnen zien, verwijder je de rasterlijnen die gewoonlijk in het werkblad worden weergegeven door de volgende stappen uit te voeren:

1. Kies Extra ⇨ Opties en selecteer het tabblad Weergave.

2. Klik op de optie Rasterlijnen om het vinkje uit dit selectievakje te verwijderen.

3. Klik op OK of druk op Enter.

Het selectievakje Rasterlijnen in het dialoogvenster Opties bepaalt of de rasterlijnen in het werkblad op het scherm worden weergegeven. Als je wilt aangeven of rasterlijnen worden afgedrukt als deel van het werkblad, kies je Bestand ⇨ Pagina-instelling, klik je op het tabblad Blad en schakel je de optie Rasterlijnen in het vak Afdrukken in of uit.

Als je randen wilt toevoegen aan geselecteerde cellen, open je het dialoogvenster Celeigenschappen en klik je op de tab Rand (zie figuur 3.23). Selecteer het type lijn dat je wilt gebruiken in het vak Stijl en geef in het vak Rand aan op welke rand(en) je deze lijnstijl wilt toepassen.

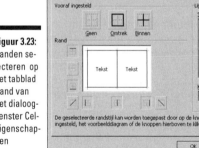

Figuur 3.23:
Randen selecteren op het tabblad Rand van het dialoogvenster Celeigenschappen

Wanneer je aangeeft welke randen moeten worden toegepast, moet je op het volgende letten:

- ✔ Als je wilt dat Excel alleen randen tekent langs de buitenkant van de hele selectie, klik je op de knop Omtrek in het vak Vooraf ingesteld.

- ✔ Als je wilt dat randen worden getekend langs de vier zijden van elke cel in de selectie, klik je op de knop Binnen.

Wanneer je randen wilt toevoegen aan één cel of langs de buitenkant van een selectie, hoef je het dialoogvenster Celeigenschappen niet eens te openen. Selecteer eenvoudig de cel of het cellenbereik en klik op de pijl naast de knop Werkbalk Randopmaak op de werkbalk Opmaak. Selecteer vervolgens het type rand in het palet dat verschijnt.

Als je randen wilt verwijderen, moet je de cel of cellen die momenteel randen bevatten selecteren, het dialoogvenster Celeigenschappen openen en klikken op de knop Geen onder Vooraf ingesteld. Je bereikt hetzelfde effect door te klikken op de eerste knop in het palet Randopmaak (de knop met alleen stippellijntjes).

Je kunt in Excel 2002 ook randen tekenen zonder dat je gebruikmaakt van de opties op het tabblad Rand in het dialoogvenster Celeigenschappen. In plaats hiervan kun je de randen direct om de cellen in het werkblad tekenen. Klik hiertoe op de knop Werkbalk Randopmaak op de werkbalk Opmaak en selecteer vervolgens de optie Kaders tekenen onder in het menu. Excel geeft nu de zwevende werkbalk Randen weer (zie figuur 3.24).

Figuur 3.24:
Gebruik de muisaanwijzer met de vorm van een potlood in de werkbalk Randen om randen te tekenen rondom de gewenste cellen

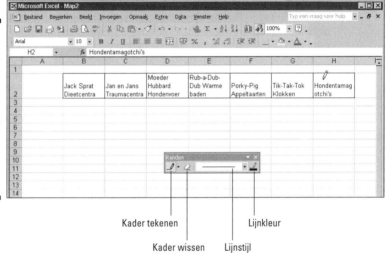

Kader tekenen   Lijnkleur

Kader wissen   Lijnstijl

Als je de werkbalk Randen voor het eerst opent, is de optie Kader tekenen geselecteerd. Je kunt deze functie gebruiken om een cellenbereik te selecteren door de muisaanwijzer door de gewenste cellen te slepen. Als je randen wilt tekenen rondom alle cellen in het bereik dat je met de potloodmuisaanwijzer hebt geselecteerd, klik je op de vervolgkeuzeknop van de functie Kader tekenen. Selecteer vervolgens in het snelmenu de optie Kaderraster tekenen voordat je door de cellen sleept.

Desgewenst kun je het lijntype en de lijndikte van de randen aanpassen. Klik hiertoe op de vervolgkeuzeknop van de functie Lijnstijl en selecteer het gewenste lijntype en de gewenste lijndikte. Ook kun je de kleur van de rand wijzigen: klik op de knop Lijnkleur op de werkbalk Randen en selecteer de gewenste kleur in het palet.

Klik op de knop Kader wissen om randen te wissen die je op het werkblad hebt aangebracht. Sleep door het cellenbereik met de muisaanwijzer (die nu de vorm van een gum heeft). Het is ook mogelijk randen te wissen door eroverheen te tekenen met de potloodmuisaanwijzer als je in het snelmenu Lijnstijl de optie Geen rand hebt geselecteerd. Hetzelfde geldt als je in het snelmenu Kader tekenen het de opties Kader tekenen of Kaderraster tekenen hebt geselecteerd.

Nieuwe patronen toepassen

Je kunt delen van een werkblad of een tabel ook benadrukken door de kleur en/of het patroon van cellen te wijzigen. Als je een zwartwitprinter gebruikt (zoals voor de meesten geldt), dien je je kleurkeuze te beperken tot lichtgrijs. Gebruik daarnaast alleen zeer open patronen met weinig punten indien je deze toepast op cellen met inhoud. Doe je dit niet, dan zal de inhoud op papier waarschijnlijk niet leesbaar zijn.

Wil je een nieuwe kleur en/of een nieuw patroon kiezen voor een deel van het werkblad, selecteer dan de cellen die je wilt verfraaien, open het dialoogvenster Celeigenschappen en klik op de tab Patronen (zie figuur 3.25). Je kunt de kleur van de cellen wijzigen door te klikken op de gewenste kleur in het kleurenpalet onder Opvulkleur. Als je (daarnaast of in plaats daarvan) het patroon van de cellen wilt wijzigen, klik je op de pijl omlaag achter Patroon waarna een uitgebreider kleurenpalet verschijnt met enkele zwartwitpatronen waaruit je kunt kiezen. Klik op het gewenste patroon. In het vak Voorbeeld geeft Excel aan hoe je keuze eruit zal zien.

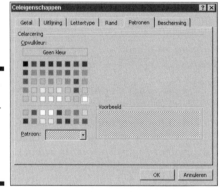

Figuur 3.25: Open het dialoogvenster Celeigenschappen en klik op de tab Patronen

Als je een kleur of patroon uit cellen wilt verwijderen, selecteer je het cellenbereik, open je het dialoogvenster Celeigenschappen en klik je op de tab Patronen. Klik vervolgens op de optie Geen kleur boven het kleurenpalet.

Je kunt nieuwe kleuren (maar geen nieuwe patronen) ook op de geselecteerde cellen toepassen via het palet Opvulkleur dat je opent met de knop Opvulkleur (de knop met het emmertje, rechts op de werkbalk Opmaak). Selecteer de cellen die je wilt kleuren, klik op de pijl omlaag naast de knop Opvulkleur en kies de gewenste kleur in het palet. Dit

---

Zwevende paletten gebruiken

Je kunt het palet Randen (net als de paletten Opvulkleur en Tekstkleur) van de werkbalk Opmaak losmaken door de titelbalk van het palet van de werkbalk vandaan te slepen. Klik op de vervolgkeuzepijl en klik vervolgens op de bovenrand van het snelmenu. Houd de muisknop ingedrukt en sleep het menu totdat het in een echte zwevende werkbalk verandert. Het palet blijft dan geopend terwijl je werkt. Om het zwevende palet later te sluiten, klik je op de knop Sluiten in de rechterbovenhoek van het palet. Je hoeft het menu niet terug te slepen naar de werkbalk Opmaak.

---

palet is een van de paletten die je kunt loshalen en boven het werkbladgebied kunt plaatsen. Lees de kadertekst 'Zwevende paletten gebruiken' voor meer informatie

Hoewel je geen nieuwe patronen kunt kiezen via de knop Opvulkleur, kun je zowel kleuren als patronen uit cellen verwijderen door deze cellen te selecteren, te klikken op de pijl naast de knop Opvulkleur en Geen opvulling te selecteren in het palet dat verschijnt.

Als je wilt dat de tekst in een cellenbereik een andere kleur krijgt, kun je de tekstkleur wijzigen via het palet Tekstkleur dat je opent door te klikken op de pijl naast de knop Tekstkleur op de werkbalk Opmaak (de laatste knop). Je verandert de kleur van de tekst in geselecteerde cellen door te klikken op een kleur in het palet. Als je de tekst in een cellenbereik weer zwart wilt maken, selecteer je deze cellen en kies je Automatisch bovenin het palet Tekstkleur.

Opmaak kopiëren en plakken

Opmaakprofielen gebruiken om werkbladcellen op te maken is dé manier om te werk te gaan als je bepaalde opmaakkenmerken telkens opnieuw moet toepassen in de werkmappen die je maakt. Het is echter ook mogelijk dat je alleen de opmaak van een bepaalde cel opnieuw wilt gebruiken en wilt toepassen op een groep cellen in een bepaalde werkmap, zonder dat je hiervoor een opmaakprofiel wilt maken.

Voor die gevallen waarin je opmaak wilt kopiëren, gebruik je de knop Opmaak kopiëren/plakken op de werkbalk Standaard (de knop met een penseel). Deze handige knop kopieert de opmaak in een bepaalde cel en past deze toe op andere cellen in het werkblad.

Voer de volgende stappen uit als je de opmaak van een cel wilt kopiëren naar andere werkbladcellen:

1. Maak een voorbeeldcel of -cellenbereik in de werkmap op, waarbij je de gewenste lettertypen, uitlijning, randen, patronen en kleur toepast.

2. Terwijl een van de zojuist opgemaakte cellen is geselecteerd, klik je op de knop Opmaak kopiëren/plakken op de werkbalk Standaard.

   De muisaanwijzer verandert van het witte, dikke standaardkruis in hetzelfde kruis met daarnaast een penseeltje. De geselecteerde cel met de bronopmaak bevat een selectiekader.

3. Sleep de aanwijzer over alle cellen die je op dezelfde manier wilt opmaken als de geselecteerde voorbeeldcel(len).

   Als je de muisknop weer loslaat, past Excel de bronopmaak toe op de geselecteerde cellen.

Als je de knop Opmaak kopiëren/plakken geselecteerd wilt laten, zodat je de opmaak kunt kopiëren naar allerlei verschillende cellenbereiken, dubbelklik je op deze knop nadat je de voorbeeldcel met de gewenste opmaak hebt geselecteerd. Om het kopiëren te beëindigen, klik je nogmaals op de knop Opmaak kopiëren/plakken (de knop blijft gemarkeerd wanneer je erop dubbelklikt), zodat deze niet meer is geselecteerd en de standaardvorm van de muisaanwijzer wordt hersteld.

Je kunt de knop Opmaak kopiëren/plakken ook gebruiken om de standaardopmaak te herstellen van een cellenbereik waarin je de opmaak hebt verprutst. Klik hiervoor op een lege cel zonder opmaak in het werkblad, klik op de knop Opmaak kopiëren/plakken en sleep over de cellen waarvan je de standaardopmaak wilt herstellen.

Hoofdstuk 4
Wijzigingen aanbrengen

* *

In dit hoofdstuk:

▶ Werkmapbestanden openen en bewerken

▶ Fouten ongedaan maken

▶ Verplaatsen en kopiëren via slepen en neerzetten

▶ Formules kopiëren

▶ Verplaatsen en kopiëren via Knippen, Kopiëren en Plakken

▶ Celinhoud verwijderen

▶ Kolommen en rijen uit het werkblad verwijderen

▶ Nieuwe kolommen en rijen in een werkblad invoegen

▶ De spelling van het werkblad controleren

* *

Stel je het volgende voor: je hebt zojuist een belangrijk project, een werkmap met het afdelingsbudget voor het komende jaar, gemaakt, opgemaakt en afgedrukt met Excel. Aangezien je wel zo'n beetje weet hoe de zaken in elkaar steken, heb je deze taak binnen de kortste keren voltooid. Je ligt zelfs voor op schema.

Je geeft het werkblad aan je chef, zodat deze de getallen kan controleren. Er is voldoende tijd om die onvermijdelijke laatste correcties aan te brengen. Kortom, je hebt de zaak volledig onder controle.

Dan word je met één klap in de werkelijkheid teruggezet: je baas brengt het document terug en is nogal verontrust. Je bent vergeten de schattingen voor uitzendkrachten en overwerk toe te voegen. Tegelijkertijd vraagt hij of je bepaalde rijen met getallen omhoog kunt verplaatsen en die-en-die kolommen kunt verschuiven.

Terwijl je chef steeds meer verbeteringen voorstelt, zinkt de moed je in de schoenen. Deze wijzigingen gaan veel verder dan kolomkoppen veranderen van vet in cursief en een kleur toevoegen aan de rij met totalen. Het is duidelijk dat je veel meer tijd aan het project kwijt zult zijn dan je had verwacht. Erger nog, je moet ingrijpende wijzigingen aanbrengen die de structuur van je mooie werkblad op zijn kop zetten.

Zoals uit het voorgaande blijkt, kun je een werkblad in een werkmap op verschillende niveaus bewerken:

✔ Je kunt wijzigingen aanbrengen die van invloed zijn op de inhoud van cellen, zoals een rij met kolomkoppen kopiëren of een tabel naar een ander deel van een werkblad verplaatsen.

✔ Je kunt wijzigingen aanbrengen die van invloed zijn op de structuur van het werkblad zelf, zoals nieuwe kolommen of rijen invoegen (zodat je nieuwe gegevens kunt toevoegen) of overbodige rijen of kolommen uit een tabel verwijderen, zodat er geen gaten overblijven.

✔ Je kunt wijzigingen aanbrengen in het aantal werkbladen in een werkmap (door bladen toe te voegen of te verwijderen).

In dit hoofdstuk wordt uitgelegd hoe je al dit soort wijzigingen in een werkmap kunt aanbrengen, zonder de aanwezige gegevens in gevaar te brengen. Zoals je hebt gezien, is het geen probleem om gegevens te kopiëren en te verplaatsen of rijen in te voegen en te verwijderen. Het kost echter meer moeite om het effect van dergelijke bewerkingen op het werkblad te begrijpen. Maak je echter geen zorgen! In die (zeldzame) gevallen waarin een kleine wijziging het hele werkblad in een chaos verandert, kun je altijd terugvallen op de functie Ongedaan maken.

Een werkmap openen

Voordat je wijzigingen in een werkmap kunt aanbrengen, moet je deze in Excel openen. Je kunt een werkmap openen door te klikken op de knop Openen op de werkbalk Standaard (gewoonlijk de tweede knop van links met de afbeelding van een geopende map), door Bestand ⇨ Openen te selecteren of door te drukken op de sneltoets Ctrl+O (of op Ctrl+F12 als je de voorkeur geeft aan de functietoetsen).

Welke van de bovenstaande methoden je ook kiest, in alle gevallen toont Excel het dialoogvenster Openen (zie figuur 4.1). Vervolgens selecteer je het werkmapbestand dat je wilt bewerken in de lijst midden in het dialoogvenster. Nadat je klikt op de bestandsnaam in deze lijst, kun je dit bestand openen door op de knop Openen te klikken of door op Enter te drukken. Je kunt ook dubbelklikken op de naam van de werkmap om deze te openen.

Meer dan één werkmap tegelijk openen

Als je weet dat je werkbladen in meer dan één werkmap in de lijst in het dialoogvenster Openen wilt gaan bewerken, kun je meerdere bestanden in de lijst selecteren, waarna Excel al deze bestanden opent wanneer je op Openen klikt of op Enter drukt.

Verwijderen   Nieuwe map maken

Zoeken op internet   Weergaven

Eén niveau naar boven   Extra

Figuur 4.1:
Het dialoog-
venster
Openen

Onthoud dat als je meerdere aaneengesloten bestanden wilt selecteren, je op de eerste bestandsnaam klikt en vervolgens Shift ingedrukt houdt terwijl je op de laatste bestandsnaam klikt. Als je niet-aaneengesloten bestanden wilt selecteren, houd je Ctrl ingedrukt terwijl je op de gewenste namen klikt.

Nadat de werkmapbestanden zijn geopend in Excel, kun je tussen de documenten schakelen door de naam ervan te selecteren in het menu Venster. In hoofdstuk 7 vind je meer informatie over werken met meerdere werkbladen.

Recentelijk bewerkte werkmappen openen via het menu Bestand

Als je de werkmap die je wilt bewerken onlangs nog hebt geopend, hoef je niet eens het dialoogvenster Openen te gebruiken. Open gewoon het taakvenster Nieuwe werkmap (Beeld ⇨ Taakvenster) en klik op de bestandsnaam van de werkmap die je wilt gebruiken (bij Een nieuwe werkmap openen). Ook kun je op het menu Bestand klikken en de desbetreffende bestandsnaam selecteren. (Excel houdt een lijst bij met de laatste vier bestanden die je in het programma hebt geopend.) Als de gewenste werkmap onder in het menu Bestand staat, kun je deze openen door te klikken op de naam in het menu of door het nummer ervan (1, 2, 3 of 4) te typen.

Desgewenst kun je ervoor zorgen dat Excel meer of minder bestanden weergeeft in het menu Bestand. Voer de volgende stappen uit als je het aantal bestanden in het menu Bestand wilt wijzigen:

1. Kies Extra ⇨ Opties om het dialoogvenster Opties te openen.

2. Klik op de tab Algemeen.

3. Klik op het kringveld achter de tekst Laatst gebruikte bestanden om het aantal bestanden te verhogen of te verlagen, of typ een nieuwe waarde.

4. Klik op OK of druk op Enter om het dialoogvenster te sluiten.

 Als je wilt dat er geen bestanden worden weergegeven in het menu Bestand, verwijder je het vinkje uit het selectievakje voor Laatst gebruikte bestanden in het dialoogvenster Opties.

Als je niet weet waar je moet zoeken

Het enige probleem dat je kunt tegenkomen wanneer je een document opent via het dialoogvenster Openen, is dat je de bestandsnaam niet kunt vinden. Alles is in orde zolang de naam van het werkmapbestand in de lijst staat. Wat moet je echter doen als dit niet het geval is?

Zoeken op de harde schijf

Wanneer de gezochte bestandsnaam niet in de lijst staat, moet je eerst controleren of je in de juiste map kijkt. Als dit namelijk niet het geval is, zul je het ontbrekende bestand nooit vinden. Om te weten welke map momenteel is geopend, kijk je in de vervolgkeuzelijst Zoeken in, bovenin het dialoogvenster Openen (zie opnieuw figuur 4.1).

Als de map die momenteel is geopend, niet de map is waarin het benodigde werkmapbestand is opgeslagen, moet je de map met dit bestand openen. In Excel kun je de knop Eén niveau naar boven (zie nogmaals figuur 4.1) gebruiken om het niveau te wijzigen tot de map die je wilt openen, wordt weergegeven in de lijst. Je opent de nieuwe map door te klikken op het pictogram ervan in de lijst en vervolgens op Openen te klikken of op Enter te drukken (of door te dubbelklikken op het pictogram).

Als het werkmapbestand op een andere schijf staat, klik je net zolang op de knop Eén niveau naar boven tot het stationspictogram C: wordt weergegeven in de vervolgkeuzelijst Zoeken in. Vervolgens kun je van schijf wisselen door te klikken op het pictogram van het station in de lijst en te klikken op Openen of te drukken op Enter (of door te dubbelklikken op het stationspictogram).

Wanneer je het bestand dat je wilt gebruiken hebt gevonden in de lijst in het dialoogvenster Openen, kun je dit openen door te klikken op het bestandspictogram en vervolgens op de knop Openen te klikken of op Enter te drukken (of door te dubbelklikken op het bestandspictogram).

Je gebruikt de knoppen links in het dialoogvenster Openen (Geschiedenis, Mijn documenten, Bureaublad, Favorieten, Mijn netwerklocaties en Webmappen) om specifieke mappen met werkmapbestanden te openen:

- ✔ Klik op de knop Geschiedenis als je een werkmapbestand wilt openen dat is opgeslagen in de map Recent in de map Office in de map Microsoft.

- ✔ Klik op de knop Mijn documenten als je een werkmap wilt openen die is opgeslagen in de map Mijn documenten.

- ✔ Klik op de knop Bureaublad als je een werkmap wilt openen die rechtstreeks op het bureaublad van de computer is opgeslagen.

- ✔ Klik op de knop Favorieten als je een werkmap wilt openen die is opgeslagen in de map Favorieten in de map Windows.

- ✔ Klik op de knop Mijn netwerklocaties (in Windows Me) of op de knop Webmappen (in Windows 98) als je een werkmap wilt openen (met name als deze is opgeslagen als webpagina) die is opgeslagen in een webmap op de harde schijf. Hoofdstuk 10 geeft meer informatie over hoe je Excel-werkmappen opslaat als webpagina's en hoe je webmappen op je computer instelt.

Favorieten

Nadat je het bestand hebt gevonden door te navigeren door de bestandshiërarchie (zoals in de voorgaande paragraaf is beschreven), kun je jezelf dit werk de volgende keer besparen door de map toe te voegen aan de map Favorieten.

Voer de volgende stappen uit als je een map (of een bepaald bestand) wilt toevoegen aan de map Favorieten:

1. Selecteer het pictogram van de map of het bestand (zoals is beschreven in de vorige paragraaf) in het dialoogvenster Openen.

2. Selecteer Extra ➪ Toevoegen aan Favorieten in het dialoogvenster Openen (zie figuur 4.1).

   De geselecteerde map of het geselecteerde bestand wordt toegevoegd aan de map Favorieten.

Nadat je een map of bestand hebt toegevoegd aan de map Favorieten, kun je deze map of dit bestand openen in het dialoogvenster Openen door te klikken op de knop Favorieten, links in het dialoogvenster, en vervolgens te dubbelklikken op het map- of bestandspictogram of dit pictogram te selecteren en op Openen te klikken of op Enter te drukken.

Bestanden zoeken

Het dialoogvenster Openen bevat tegenwoordig een ingebouwde zoekfunctie die je kunt gebruiken om een bepaald bestand in de geopende
map te zoeken. Met deze functie kun je de zoekopdracht beperken tot
bestanden die binnen een bepaalde categorie vallen (zoals bestanden
die je vandaag of de afgelopen week hebt bewerkt) of die bepaalde
woorden bevatten of bepaalde eigenschappen bezitten (zoals bestanden die zijn gemaakt door een bepaalde auteur of die een bepaald trefwoord bevatten).

Wanneer je de functie Zoeken gebruikt in het dialoogvenster Openen,
kun je Excel precies vertellen hoe het programma moet zoeken met behulp van criteria zoals:

- werkmapbestanden waarvan de naam bepaalde tekst bevat;

- bestanden van een ander type dan Microsoft Excel-bestanden;

- werkmapbestanden die een bepaalde tekst of eigenschap bevatten, zoals een titel, auteur of trefwoorden in de samenvatting;

- werkmapbestanden die zijn gemaakt of gewijzigd op een bepaalde datum of binnen een aangegeven periode.

Als je het dialoogvenster Zoeken, waarin je de zoekcriteria kunt invoeren, wilt openen, kies je Extra ⇨ Zoeken in het dialoogvenster Openen.
In figuur 4.2 zie je het dialoogvenster Zoeken waarin je de zoekcriteria
definieert.

Het dialoogvenster Zoeken bevat de tabbladen Basis en Geavanceerd.
Met behulp van het tabblad Basis kun je drie criteria hanteren bij het
zoeken naar werkmapbestanden:

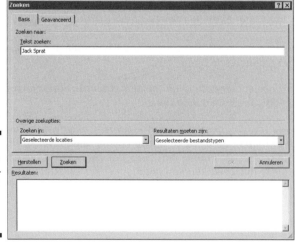

Figuur 4.2:
Het dialoog-
venster Zoe-
ken met het
tabblad Ba-
sis op de
voorgrond

✔ **Tekst zoeken.** Gebruik dit invoervak om trefwoorden, waarden, woorden en woordgroepen op te geven. Deze functie zoekt op drie plaatsen naar de tekst die je opgeeft; in de bestandsnamen, in de inhoud van de bestanden en in de eigenschappen van de bestanden.

✔ **Zoeken in.** Gebruik de vervolgkeuzelijst om aan te geven welke stations en mappen bij de zoekactie betrokken moeten worden. Plaats een vinkje in het selectievakje bij Overal om alle stations en mappen op je computer te laten doorzoeken. Je kunt de zoekactie toespitsen op bepaalde schijven en/of mappen op een station door op het plusteken vóór het selectievakje bij Deze computer te klikken. Zorg ervoor dat er alleen vinkjes in de selectievakjes staan van de stations en mappen die je wilt laten doorzoeken.

✔ **Resultaten moeten zijn.** Gebruik de vervolgkeuzelijst om aan te geven welke bestandstypen doorzocht moeten worden. Je kunt de zoekactie toespitsen op uitsluitend Excel-werkmapbestanden door alle vinkjes in de selectievakjes te verwijderen, behalve het vinkje bij Excel-bestanden. Je vindt dit selectievakje in de vervolgekeuzelijst door op het plusteken vóór Office-bestanden te klikken.

Nadat je deze drie criteria hebt gespecificeerd op het tabblad Basis, klik je op de knop Zoeken om de zoekactie te starten.

Je kunt de zoekcriteria verfijnen door op de tab Geavanceerd te klikken. Het vak Tekst zoeken van het tabblad Basis wordt nu vervangen door drie nieuwe vakken: Eigenschap, Voorwaarde en Waarde (zie figuur 4.3).

Specificeer de zoekcriteria door een aspect te selecteren in de vervolg-keuzelijst bij Eigenschap. Selecteer de voorwaarde in de vervolgkeuze-

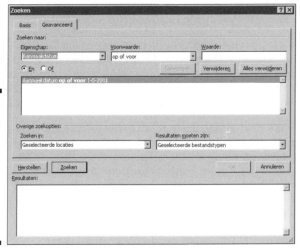

Figuur 4.3:
Met behulp van het tabblad Geavanceerd van het dialoogvenster Zoeken kun je de zoekopdracht verfijnen

lijst Voorwaarde en typ vervolgens de bijbehorende waarde in het vak Waarde.

Nadat je deze drie criteria hebt gespecificeerd, klik je op de knop Toevoegen om de criteria toe te voegen aan het vak Zoeken in (zie nogmaals figuur 4.3). Houd de volgende zaken in gedachten wanneer je zoekcriteria specificeert met behulp van de opties van het tabblad Geavanceerd in het dialoogvenster Zoeken:

- ✓ Gewoonlijk zijn alle zoekcriteria die je in het dialoogvenster Zoeken instelt cumulatief, wat betekent dat aan alle criteria moet worden voldaan voordat Excel een bestand vindt (doordat het keuzerondje En is geselecteerd). Als je daarentegen wilt dat Excel een bestand vindt dat voldoet aan minimaal één van de opgegeven criteria in het groepsvak Zoekennaar, selecteer je het keuzerondje Of.

- ✓ Excel zoekt standaard naar de bestandsnaam en controleert de inhoud op basis van de gegevens in het vak Waarde. Als je wilt dat Excel naar andere eigenschappen zoekt (zoals Auteur, Inhoud, Aanmaakdatum en dergelijke), open je de keuzelijst Eigenschap en kies je de gewenste eigenschap.

- ✓ In het algemeen controleert Excel alleen of een bepaalde waarde of stuk tekst deel uitmaakt van de opgegeven eigenschap (Bestandsnaam, Auteur of iets dergelijks). Als je wilt dat het programma alleen bestanden vindt als de eigenschap precies overeenkomt, open je de vervolgkeuzelijst Voorwaarde en selecteer je de optie is (precies).

- ✓ Typ de gezochte waarde of tekst in het invoervak Waarde. Als je bijvoorbeeld alle bestanden wilt vinden waarvan de inhoud de tekst Jack Sprat bevat, typ je Jack Sprat in dit vak. Als je daarentegen alle bestanden wilt vinden waarvan de inhoud het getal 1.250.750 bevat, typ je 1250750 in het vak Waarde.

Nadat je alle gewenste zoekcriteria hebt opgegeven (in de tabbladen Basis of Geavanceerd), klik je op de knop Zoeken. Excel gaat nu op zoek naar bestanden die aan de door jou gestelde voorwaarden voldoen. Excel geeft de resultaten weer in het vak Resultaten (hopelijk staat de gewenste werkmap er ook bij) onder aan in het dialoogvenster Zoeken.

Als het werkmapbestand dat je zocht in het vak staat, kun je de zoekactie afbreken door op de knop Stoppen te klikken. Indien je zoekactie betrekking heeft op een groot aantal mappen (bijvoorbeeld alle mappen op de harde schijf), moet je misschien door de lijst met pictogrammen schuiven. Klik op de koppeling Volgende 20 resultaten als er erg veel zoekresultaten zijn. Blijf dit doen totdat je de gewenste werkmap hebt gevonden (of je het einde van de lijst hebt bereikt).

Dubbelklik op het pictogram van de gewenste werkmap in de lijst met resultaten om deze te openen. Het dialoogvenster Zoeken verdwijnt nu en het dialoogvenster Openen komt tevoorschijn. De naam van het bestand wordt weergegeven in de vervolgkeuzelijst. Je opent het bestand door te dubbelklikken op het pictogram van het bestand of door het te selecteren en vervolgens op Openen te klikken.

Het taakvenster Zoeken

In Excel 2002 kun je in het nieuwe taakvenster Zoeken dezelfde basis-zoekfuncties en geavanceerde zoekfuncties uitvoeren als in het dialoog-venster Openen (zie de vorige paragraaf). Neem de volgende stappen om een bestand te zoeken met behulp van het taakvenster Zoeken:

1. Indien het taakvenster niet aan de rechterzijde van het program-mavenster wordt weergegeven, klik je op Beeld ➪ Taakvenster.

2. Indien het taakvenster Zoeken niet is geselecteerd, klik je op de vervolgkeuzepijl aan de rechterkant van het taakvenster en klik je in het snelmenu op Zoeken.

3. Je voert een basiszoekactie uit door de zoektekst in het vak Zoe-ken te typen.

   Vervolgens specificeer je de locatie(s) en de bestandtypen in de vervolgkeuzelijsten Zoeken in en Resultaten moeten zijn (meer informatie over het selecteren van basiszoekcriteria vind je in de vorige paragraaf).

4. Je voert een gerichtere zoekactie uit door op de koppeling Ge-avanceerd zoeken te klikken (zie figuur 4.4).

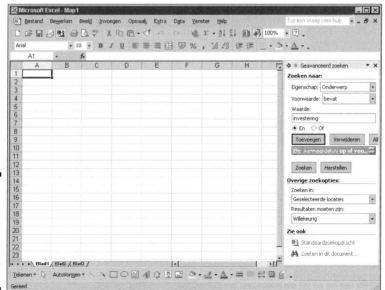

Figuur 4.4: Gebruik het taakvenster Zoeken om de werkmap die je wilt bewerken te vinden

Als het taakvenster in de modus Standaardzoekopdracht wordt weergegeven, zie je de koppeling Geavanceerd zoeken onderaan het venster; als het taakvenster in de modus Geavanceerd zoeken wordt weergegeven, zie je de koppeling Standaardzoekopdracht onderaan het venster.

5. Vervolgens specificeer je de criteria in de vakken Eigenschap, Voorwaarde en Waarde. Klik hierna op de knop Toevoegen.

6. Klik op de knop Zoeken om de zoekactie te starten (nadat je de zoekcriteria hebt ingesteld in het taakvenster Standaarzoekop-dracht (stap 3) of het taakvenster Geavanceerd zoeken (stap 4)).

Wanneer je een zoekactie start in het taakvenster Zoeken, dan verandert dit venster in het taakvenster Zoekresultaten. In dit taakvenster geeft Excel een lijst met alle bestanden die aan je zoekcriteria voldoen. Net zoals bij zoekacties die je vanuit het dialoogvenster Openen onderneemt, kun je een werkmapbestand openen door op de bestandsnaam te klikken; vervolgens klik je op de vervolgkeuzepijl van het bestand en selecteer je in het snelmenu de optie Bewerken met Microsoft Excel.

Indien de optie Bewerken met Microsoft Excel niet beschikbaar is omdat het bestand niet door Excel 2002 als een werkmap wordt herkend, probeer het dan te openen door de optie Koppeling naar Klembord kopiëren te kiezen. Vervolgens open je het dialoogvenster Openen (Ctrl+O) en plak je het pad en de bestandsnaam (Ctrl+V) in het vak Bestandsnaam. Hierna klik je op de knop Openen.

De functie Snel zoeken installeren

Voor snellere en preciezere zoekacties dien je de functie Snel zoeken te installeren (als je dit nog niet gedaan hebt). Klik hiertoe op de koppeling Installeren in het taakvenster Standaardzoekop-dracht (als deze functie al is geïnstalleerd, krijg je deze koppeling niet te zien). Klik op Ja in het waarschuwings-venster dat nu verschijnt (dit venster vertelt je dat Snel zoeken nog niet is geïnstalleerd en vraagt of je dit nu wilt doen). Plaats de cd-rom van Office XP in het cd-romstation. Klik op OK om de installatie te voltooien.

Nadat de functie is geïnstalleerd, moet je de functie nog inschakelen. Klik hiertoe op de koppeling Zoekopties (deze vervangt de koppeling Installeren) in het taakvenster Standaardzoekop-dracht. Het dialoogvenster Instellingen van Indexing-service Selecteer het keuzerondje Ja, Indexing-service inschakelen en klik op OK.

Bestanden identificeren

Gewoonlijk toont Excel de mappen en bestanden in het dialoogvenster Openen in een eenvoudige lijst met het pictogram van de map of het bestand.

Als je de manier wilt wijzigen waarop bestanden in het dialoogvenster Openen worden weergegeven, selecteer je een van de volgende opties die verschijnen in het menu dat je opent door te klikken op de knop Weergaven (zie opnieuw figuur 4.1).

✔ Selecteer Details als je de bestandsgrootte in kilobytes, het bestandstype en de datum waarop het bestand is gewijzigd wilt weergeven, samen met het bestandspictogram en de bestandsnaam (zie figuur 4.5).

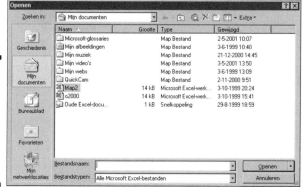

Figuur 4.5:
Het dialoogvenster Openen nadat de weergave Details is geselecteerd

✔ Selecteer Eigenschappen als je de informatie in de samenvatting van het bestand wilt weergeven naast het pictogram en de naam van het bestand dat je in de lijst hebt geselecteerd (zie figuur 4.6). Als je een samenvatting voor een bestand wilt maken, selecteer je het bestand in het dialoogvenster Openen, kies je Extra ➪ Eigenschappen en klik je op de tab Samenvatting in het eigenschappenvenster dat wordt geopend.

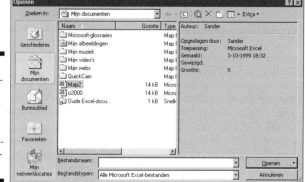

Figuur 4.6:
Het dialoogvenster Openen nadat de weergave Eigenschappen is geselecteerd

✔ Selecteer Voorbeeld als je een miniatuurvoorbeeld van de linkerbovenhoek van het eerste werkblad in het werkmapbestand wilt
weergeven naast het pictogram en de naam van het bestand dat
je selecteert (zie figuur 4.7).

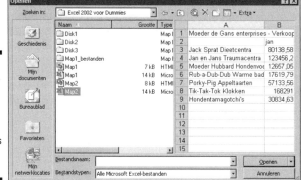

Figuur 4.7:
Het dialoog-
venster
Openen na-
dat de
weergave
Voorbeeld is
geselec-
teerd

Bestanden openen

Via het menu dat is gekoppeld aan de knop Openen in het dialoogvenster Openen kun je het geselecteerde werkmapbestand op verschillende manieren openen:

✔ **Openen als alleen-lezen:** deze optie opent de geselecteerde bestanden als alleen-lezenbestanden, wat betekent dat je de bestanden kunt bekijken, maar geen wijzigingen kunt aanbrengen. (In
feite kun je wel wijzigingen aanbrengen, maar je kunt deze niet
opslaan.) Als je wijzigingen in een alleen-lezenbestand wilt opslaan, moet je de optie Bestand ⇨ Opslaan als gebruiken en het
werkmapbestand een andere naam geven (zie hoofdstuk 2).

✔ **Openen als kopie:** deze optie opent een kopie van de geselecteerde bestanden. Als je de kopieën in de war stuurt, kun je op
deze manier altijd nog terugvallen op de originele bestanden.

✔ **Openen in browser:** deze optie opent werkmapbestanden die
zijn opgeslagen als webpagina's (zoals wordt beschreven in
hoofdstuk 10) in je favoriete webbrowser (gewoonlijk Microsoft
Internet Explorer). Deze optie is alleen beschikbaar als het geselecteerde bestand is opgeslagen als webpagina in plaats van als
Excel-werkbladbestand.

✔ **Openen en herstellen:** deze optie probeert beschadigde werkmapbestanden te repareren voordat deze in Excel worden geopend. Als je op deze opdracht klikt, verschijnt er een mededeling en kun je een keuze maken tussen het herstellen van de be-
schadigingen, het openen van de herstelde versie en het ophalen

van gegevens uit het beschadigde bestand (de gegevens worden dan in een nieuwe werkmap geplaatst). Klik op de knop Herstellen om te proberen het bestand te herstellen en te openen. Klik op de knop Gegevens ophalen als je eerder zonder succes hebt geprobeerd Excel het bestand te laten repareren.

Bewerkingen ongedaan maken

Voordat je je stort op de werkmap die je zojuist hebt geopend, moet je de functie Ongedaan maken leren kennen en leren hoe je hiermee veel van de fouten die je per ongeluk maakt direct kunt herstellen. De optie Ongedaan maken in het menu Bewerken is een echte kameleon. Als je de inhoud van een selectie wijzigt met de optie Wissen in het menu Bewerken, verandert de naam Ongedaan maken in Ongedaan maken Wissen. Als je invoer in een nieuw deel van het werkblad verplaatst met de opties Knippen en Plakken (ook in het menu Bewerken), verandert de optie Ongedaan maken in Ongedaan maken Plakken.

Je kunt niet alleen de optie Ongedaan maken (in welke vorm dan ook) in het menu Bewerken kiezen, je kunt deze opdracht ook uitvoeren door te drukken op Ctrl+Z of door te klikken op de knop Ongedaan maken op de werkbalk Standaard (de knop met de naar links gebogen pijl).

De optie Ongedaan maken in het menu Bewerken geeft aan welke bewerking je zojuist hebt uitgevoerd. Aangezien de naam van de optie na elke bewerking verandert, moet je, als je vergeet de optie Ongedaan maken te kiezen *voordat* je een andere opdracht uitvoert, het menu van de knop Ongedaan maken op de werkbalk Standaard raadplegen. Via dit menu kun je aangeven welke bewerking je ongedaan wilt maken. Om dit menu te openen, klik je op de pijl omlaag, rechts van de knop Ongedaan maken. Als dit menu eenmaal is geopend, klik je op de bewerking die je ongedaan wilt maken. Excel maakt deze bewerking ongedaan, maar ook alle bewerkingen die eraan voorafgaan in de lijst (en die automatisch worden geselecteerd).

Bewerkingen opnieuw uitvoeren

Nadat je de opdracht Ongedaan maken hebt uitgevoerd (op de manier die jij het handigst vindt), voegt Excel een nieuwe optie Opnieuw toe aan het menu Bewerken. Als je bijvoorbeeld gegevens uit een cel verwijdert door Bewerken ⇨ Wissen ⇨ Inhoud te kiezen en vervolgens Bewerken ⇨ Ongedaan maken Wissen selecteert (of drukt op Ctrl+Z of op de knop Ongedaan maken op de werkbalk), bevat het menu Bewerken wanneer je dit opent de volgende optie, onder de optie Ongedaan maken:

```
Opnieuw Wissen Ctrl+Y
```

Wanneer je de optie Opnieuw kiest, voert Excel de bewerking die je zo-juist ongedaan gemaakt hebt opnieuw uit. Dit klinkt ingewikkelder dan het is. Dit betekent eenvoudig dat je Ongedaan maken en Opnieuw ge-bruikt om heen en weer te schakelen tussen het resultaat van een be-werking en de staat van het werkblad voordat je deze bewerking uit-voerde, zodat je kunt beslissen hoe het werkblad moet worden.

Je zult merken dat het veel gemakkelijker is om te klikken op de knop-pen Ongedaan maken en Opnieuw op de werkbalk Standaard dan om deze opties te selecteren in het menu Bewerken. De knop Ongedaan ma-ken bevat een gebogen pijl naar links, terwijl de knop Opnieuw een ge-bogen pijl naar rechts bevat. De eerste keer dat je de werkbalk Stan-daard gebruikt, wordt de knop Opnieuw mogelijk niet weergegeven. Als deze werkbalk alleen de knop Ongedaan maken bevat, selecteer je de knop Opnieuw in het palet Meer knoppen dat je opent door te klikken op de knop Meer knoppen (de knop met het symbool >).

Je kunt meerdere bewerkingen in een werkmap opnieuw uitvoeren door te klikken op de pijl omlaag naast de knop Opnieuw en te klikken op de bewerking die je opnieuw wilt uitvoeren. Excel voert deze bewerking (en alle bewerkingen die eraan voorafgaan in de lijst) opnieuw uit.

Wat te doen wanneer je Ongedaan maken niet kunt gebruiken

Denk nu niet dat je een zeer belangrijke werkmap probleemloos over-hoop kunt halen, want je moet weten dat Ongedaan maken niet altijd werkt! Hoewel je de laatste verkeerd verwijderde cellen, onjuiste ver-plaatsing of onverstandige kopieerbewerking ongedaan kunt maken, kun je een laatste onoplettende opslagbewerking niet herstellen (bij-voorbeeld doordat je Opslaan als in het menu Bestand wilde kiezen om het bewerkte werkblad op te slaan onder een andere naam, maar in plaats daarvan Opslaan koos en de wijzigingen als deel van het huidige document werden opgeslagen).

Helaas weet Excel niet wanneer je een stap gaat ondernemen waarvan geen weg terug is tot het te laat is. Nadat je een bewerking hebt uitge-voerd die je niet ongedaan kunt maken en het menu Bewerken opent waarin je de optie Ongedaan maken *bewerking* verwacht, luidt de optie nu:

```
Ongedaan maken onmogelijk
```

Om het geheel nog erger te maken, wordt deze optie lichtgrijs weerge-geven om aan te geven dat je deze niet kunt selecteren; alsof het ook maar iets zou helpen wanneer dit wel mogelijk zou zijn!

Er is één uitzondering op deze regel, één geval waarin het programma je van tevoren waarschuwt, zodat je op je hoede moet zijn. Wanneer je een optie selecteert die normaal gesproken ongedaan gemaakt kan worden, maar waarvan Excel weet dat die momenteel – omdat je over te weinig geheugen beschikt of omdat de wijziging van invloed is op een zeer groot deel van het werkblad of beide – niet kan worden hersteld, toont het programma een waarschuwing waarin wordt vermeld dat er onvoldoende geheugen beschikbaar is om de bewerking ongedaan te maken en waarin wordt gevraagd of je de bewerking toch wilt uitvoeren. Als je klikt op Ja en de bewerking voltooit, kun je deze niet meer ongedaan maken. Als je, te laat, merkt dat je een rij met essentiële formules hebt verwijderd (wat je was vergeten omdat de formules niet worden weergegeven), kun je deze fout niet herstellen met Ongedaan maken. In dit geval sluit je het bestand (Bestand ➪ Sluiten) en *sla je de wijzigingen NIET op*.

Slepen en neerzetten

De eerste bewerkingstechniek die je moet leren, heet *slepen en neerzetten*. Zoals de naam al aangeeft, is dit een muistechniek die je kunt gebruiken om een selectie op te pakken en neer te zetten op een andere plek in het werkblad. Hoewel slepen en neerzetten met name een methode is om celinformatie in een werkblad te verplaatsen, kun je deze methode ook gebruiken om gegevens te kopiëren.

Voer de volgende stappen uit als je een cellenbereik wilt verplaatsen door middel van slepen en neerzetten (je kunt slechts één cellenbereik tegelijk verplaatsen):

1. Selecteer het bereik op de gebruikelijke manier.

2. Plaats de muisaanwijzer op de rand van het geselecteerde bereik.

    Je kunt het cellenbereik naar een nieuwe positie in het werkblad slepen wanneer de aanwijzer verandert in een pijlpunt.

3. Sleep de selectie naar de bestemming.

    Je sleept door de primaire muisknop (gewoonlijk de linkermuisknop) ingedrukt te houden en de muis te verplaatsen.

    Terwijl je sleept, verplaats je alleen de omtrekken van het cellenbereik en geeft Excel (in een scherminfo) aan wat het nieuwe adres van het cellenbereik wordt als je de muisknop zou loslaten.

    Versleep de contouren tot deze zich bevinden op de cellen in het werkblad waar je de gegevens naartoe wilt verplaatsen (zoals wordt aangegeven door de celadressen in de scherminfo).

4. Laat de muisknop los.

    Zodra je de muisknop loslaat, verschijnen de celgegevens in het bereik op de nieuwe locatie.

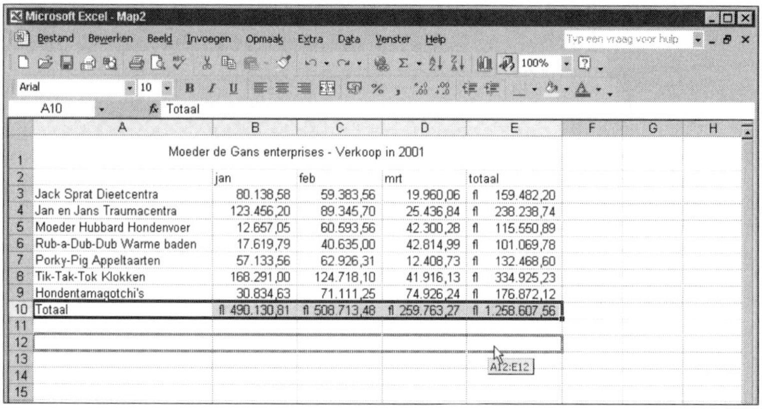

Figuur 4.8:
Een selectie
verslepen
naar een
nieuwe po-
sitie in het
werkblad

De figuren 4.8 en 4.9 laten zien hoe je een cellenbereik kunt verslepen
en neerzetten. In figuur 4.8 is het cellenbereik A10:E10 (met de kwartaaltotalen) geselecteerd en wordt dit versleept naar rij 12 om ruimte te maken voor de verkoopcijfers van twee nieuwe bedrijven (Simpele Simon's
Choco Shops en Jack de Joker Kandelaars), die nog niet waren overgenomen toen dit werkblad werd gemaakt. In figuur 4.9 zie je het werkblad
zoals dit er na deze bewerking uitziet.

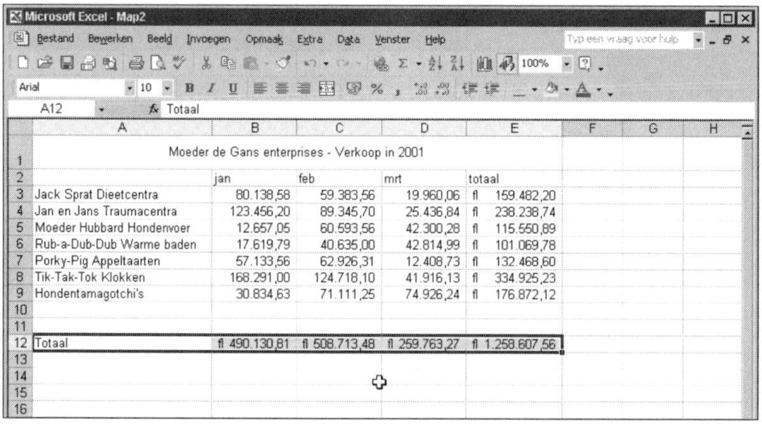

Figuur 4.9:
Het werk-
blad na de
sleepbewer-
king

Als je na het verplaatsen op bijvoorbeeld cel B12 zou klikken, zou je
merken dat het argument van de functie SOM geen gelijke tred heeft ge-
houden met de verplaatsing. Deze cel berekent nog steeds de som van
het bereik B3:B9. Uiteindelijk moet dit bereik worden uitgebreid tot de
cellen B10 en B11 die de verkoopcijfers bevatten voor de twee nieuwe
bedrijven. In de paragraaf 'Formules automatisch doorvoeren', verderop in dit hoofdstuk, lees je hoe je dit doet.

Kopiëren via slepen en neerzetten

In de voorgaande paragraaf is uitgelegd hoe je een cellenbereik kunt verplaatsen via slepen en neerzetten. Stel echter dat je een cellenbereik wilt kopiëren in plaats van verplaatsen; je wilt bijvoorbeeld een nieuwe tabel maken in rijen verderop in het werkblad en je wilt het cellenbereik met de opgemaakte titel en kolomkoppen kopiëren naar de nieuwe tabel. Voer de volgende stappen uit als je het opgemaakte titelbereik in het voorbeeldwerkblad wilt kopiëren:

1. Selecteer het cellenbereik.

    In het geval van de figuren 4.8 en 4.9 is dit het bereik B2:E2.

2. Houd de Ctrl-toets ingedrukt terwijl je de muisaanwijzer op een rand van de selectie plaatst.

    De aanwijzer verandert van een dik wit kruis in een pijlpunt met een plusteken rechts ervan, terwijl daarnaast de scherminfo wordt weergegeven. Onthoud dat het plusteken naast de aanwijzer aangeeft dat je de selectie *kopieert* in plaats van deze te *verplaatsen*.

3. Sleep de omtrek van de selectie naar de positie waar je de kopie wilt plaatsen en laat de muisknop los.

Als je, terwijl je een selectie verplaatst of kopieert door middel van slepen en neerzetten, de omtrek van de selectie zodanig plaatst dat deze andere cellen met informatie overlapt, toont Excel een waarschuwingsvenster met de volgende vraag: Wilt u de niet-lege cellen in het doelbereik overschrijven?

Klik op Annuleren als je de informatie niet wilt overschrijven en de bewerking wilt annuleren. Als je de bewerking wilt voltooien, klik je op OK.

Invoegen tijdens slepen en neerzetten

Wanneer je nieuwe gegevens plaatst of kopieert in een cel met inhoud, vervangen de nieuwe gegevens de oude gegevens, alsof deze laatste nooit hebben bestaan.

Als je het cellenbereik dat je verplaatst of kopieert wilt invoegen in een gebied met gegevens zonder dat de bestaande gegevens worden overschreven, houd je de Shift-toets ingedrukt terwijl je de selectie versleept. (Als je kopieert, moet je dus zowel de Shift- als de Ctrl-toets indrukken.) Wanneer je de Shift-toets tijdens het slepen ingedrukt houdt, verschijnt er, in plaats van een rechthoekige omtrek van het cellenbereik, een I-vormig symbool dat aangeeft waar de selectie wordt ingevoegd, samen met een scherminfo met het adres van het cellenbereik dat aangeeft waar de selectie wordt ingevoegd als je de muisknop loslaat. Terwijl je het I-vormige symbool verplaatst, merk je dat dit als het ware plakt aan de kolom- en rijranden. Wanneer deze I-vorm zich bevindt op de rand van de kolom of rij waar je het cellenbereik wilt invoegen, laat je de muisknop los. Excel voegt het cellenbereik in en schuift de aanwezige gegevens op naar aangrenzende lege cellen.

Wanneer je cellen invoegt door middel van slepen en neerzetten, kun je het I-vormige symbool beschouwen als een staaf waarmee je de kolommen of rijen langs de as van de I uiteenhaalt. Onthoud ook dat je, nadat je een bereik naar een nieuwe positie in het werkblad verplaatst, soms in plaats van de gegevens alleen hekjes (#######) in de cellen ziet. Excel 2002 maakt de nieuwe kolommen voor de gegevens namelijk niet breder, zoals wel gebeurt wanneer je de gegevens opmaakt. Je kunt deze tekens verwijderen door de kolom zo breed te maken dat alle gegevens erin weergegeven kunnen worden. De gemakkelijkste methode hiervoor is te dubbelklikken op de rechterrand van de kolom.

Formules automatisch doorvoeren

Kopiëren via slepen en neerzetten (waarbij je de Ctrl-toets ingedrukt houdt) is handig wanneer je een reeks aangrenzende cellen naar een nieuw deel van het werkblad wilt kopiëren. Het zal echter vaker voorkomen dat je één formule, die je zojuist hebt gemaakt, wilt kopiëren naar een reeks aangrenzende cellen waarin dezelfde berekening moet worden uitgevoerd (zoals het totaal van een kolom getallen berekenen). Je kunt een formule in dit geval niet kopiëren via slepen en neerzetten. In plaats daarvan gebruik je de functie AutoDoorvoeren (zie hoofdstuk 2) of de opdrachten Kopiëren en plakken (zie 'Digitaal knippen en plakken', verderop in dit hoofdstuk).

Op de volgende manier kun je de functie AutoDoorvoeren gebruiken om één formule te kopiëren naar een reeks cellen. In figuur 4.10 zijn de bedrijven Simpele Simon's Choco Shops en Jack de Joker Kandelaars toe-

Maar ik hield de Shift-toets wel ingedrukt...

Slepen en neerzetten in de modus Invoegen is een van de pietluttigste functies van Excel. Soms doe je alles precies zoals het moet en verschijnt er toch een waarschuwingsvenster waarin wordt aangegeven dat Excel de bestaande informatie vervangt in plaats van deze op te schuiven (klik in dit geval altijd op Annuleren). Gelukkig kun je gegevens invoegen via de opties Knippen en Invoegen ⇨ Gekopieerde cellen (zie 'Digitaal knippen en plakken', verderop in dit hoofdstuk) zonder dat je je druk hoeft te maken over de positie van het I-vormige symbool.

gevoegd aan de lijst met de verkoopcijfers van Moeder de Gans. Deze bedrijven ontbraken in het oorspronkelijke werkblad, zodat er ruimte voor is gemaakt door de rij met totalen omlaag te schuiven naar rij 12 (zie nogmaals figuur 4.9).

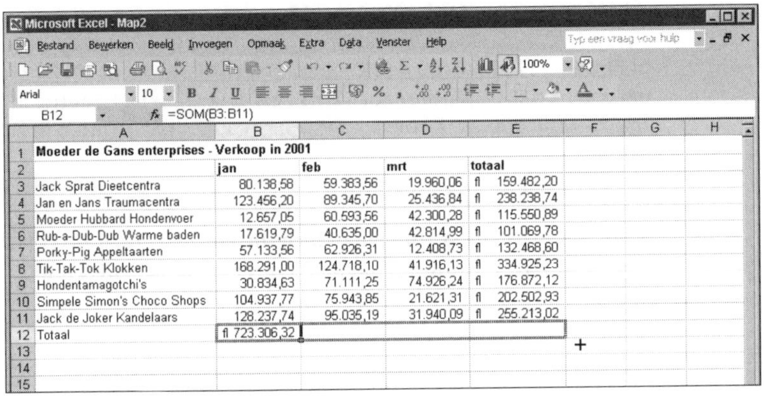

Figuur 4.10: Een formule met Auto-Doorvoeren kopiëren naar een cellenbereik

Kijk eens naar rij 12, cellenbereik C12:E12 in figuur 4.11. De verkooptotalen van februari en maart zijn nu berekend voor alle kwartaalverkopen van het bedrijf.

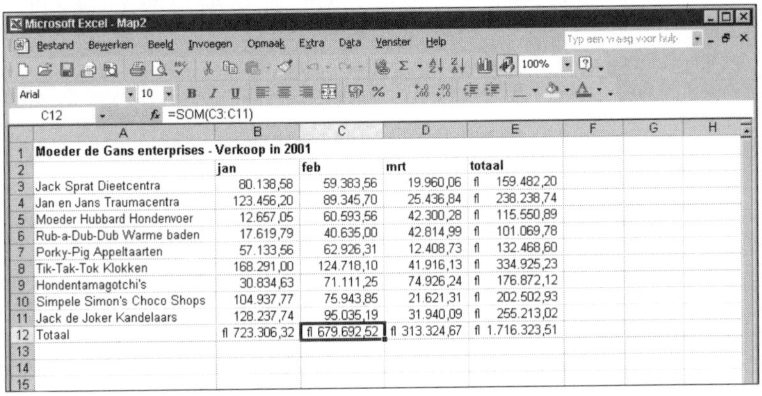

Figuur 4.11: Het werkblad nadat de formule voor de maandtotalen is gekopieerd

Helaas past Excel de formules niet aan de nieuwe rijen aan (de functie SOM in cel B12 gebruikt nog steeds B3:B9, terwijl deze moet worden uitgebreid met de rijen 10 en 11). Om ervoor te zorgen dat de functie SOM alle rijen bevat, plaats je de celaanwijzer in rij B12 en klik je op de knop AutoSom op de werkbalk Standaard. Excel suggereert het nieuwe bereik B3:B11 voor de functie SOM.

In figuur 4.10 zie je het werkblad nadat de formule SOM in cel B12 is aangepast met de knop AutoSom, zodat deze het uitgebreide bereik bevat. Vervolgens werd de vulgreep versleept om het cellenbereik C12:E12 te selecteren (waar deze formule naartoe gekopieerd moet worden). De oorspronkelijke formules zijn uit dit cellenbereik verwijderd, zodat je beter ziet wat er gebeurt. Gewoonlijk kun je over de oorspronkelijke, verouderde formules kopiëren en deze vervangen door de correcte nieuwe formules.

Relatief gesproken

In figuur 4.11 zie je het werkblad nadat de formule in cel B12 is gekopieerd naar het cellenbereik C12:E12 en waarin cel C12 actief is. Let op hoe Excel formules kopieert. De oorspronkelijke formule in B12 luidde:

```
=SOM(B3:B11)
```

Wanneer je de oorspronkelijke formule kopieert naar de cel ernaast, C12, past Excel de formule aan, zodat deze nu als volgt luidt:

```
=SOM(C3:C11)
```

Excel past de kolomverwijzing aan en verandert deze van B in C, omdat je van links naar rechts over de rijen hebt gekopieerd.

Wanneer je een formule kopieert naar een cellenbereik dat zich over meerdere rijen uitstrekt, past Excel de rijnummers in de gekopieerde formules aan in plaats van de kolomletters, zodat elke formule overeenkomt met zijn positie. Cel E3 in het werkblad van Moeder de Gans bevat bijvoorbeeld de volgende formule:

```
=SOM(B3:D3)
```

Wanneer je deze formule omlaag kopieert naar cel E4, verandert Excel de kopie als volgt:

```
=SOM(B4:D4)
```

Excel past de rijverwijzing aan, zodat deze overeenkomt met de nieuwe positie in rij 4. Aangezien Excel de celverwijzingen in kopieën van een formule aanpast ten opzichte van de richting van de kopieerbewerking, worden deze celverwijzingen *relatieve celverwijzingen* genoemd.

Sommige zaken zijn absoluut

Alle nieuwe formules die je maakt, bevatten relatieve celverwijzingen, tenzij je anders aangeeft. Aangezien de meeste kopieën die je van formules maakt, vereisen dat de celverwijzingen worden aangepast, zul je hier zelden over hoeven na te denken. Af en toe zul je echter op een uitzondering stuiten, waarbij je de manier waarop celverwijzingen worden aangepast, moet wijzigen.

Een van de meest gangbare uitzonderingen is wanneer je een reeks verschillende waarden wilt vergelijken met één enkele waarde. Dit is meestal het geval wanneer je wilt berekenen welk percentage van het totaal elke waarde uitmaakt. In het werkblad van Moeder de Gans doet deze situatie zich voor wanneer je een formule maakt die berekent welk percentage elk maandtotaal (in het cellenbereik B14:D14) vormt van het kwartaaltotaal in cel E12.

Stel, je wilt deze formules invoeren in rij 14 van het werkblad, te beginnen bij cel B14. De formule in cel B14 die het percentage van de verkoopcijfers in januari ten opzichte van het kwartaaltotaal berekent, luidt als volgt:

```
=B12/E12
```

Deze formule deelt het totaal van januari in cel B12 door het kwartaaltotaal in E12. Als je de vulgreep één cel naar rechts schuift, wordt de volgende formule echter naar cel C14 gekopieerd:

```
=C12/F12
```

De aanpassing van de eerste celverwijzing van B12 in C12 is precies wat je wilt. De tweede celverwijzing verandert echter van E12 in F12, wat niet de bedoeling is. Niet alleen wordt het percentage van het februaritotaal in cel C12 niet berekend ten opzichte van het kwartaaltotaal in E12, maar het foutbericht #DEEL/0! verschijnt in cel C14.

Om te voorkomen dat Excel een celverwijzing in een formule aanpast in kopieën die je ervan maakt, zet je de celverwijzing om van een relatieve verwijzing in een absolute verwijzing. Je doet dit door op F4 te drukken. Excel geeft aan dat een celverwijzing absoluut is door dollartekens voor de kolomletter en het rijnummer te plaatsen. In figuur 4.12 bevat cel B14 de volgende correcte formule die je naar het cellenbereik C14:D14 kunt kopiëren:

```
=B12/$E$12
```

Figuur 4.12:
De formule die het percentage van de maandkwartalen ten opzichte van het kwartaaltotaal berekent kopiëren met een absolute celverwijzing

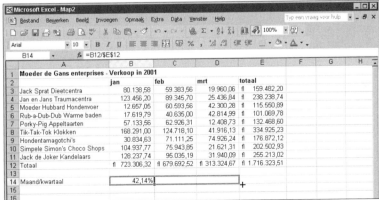

Figuur 4.13 toont het werkblad nadat deze formule met de vulgreep is gekopieerd naar C14 en D14 en cel C14 is geselecteerd. De formulebalk geeft aan dat deze cel de volgende formule bevat:

```
=C12/$E$12
```

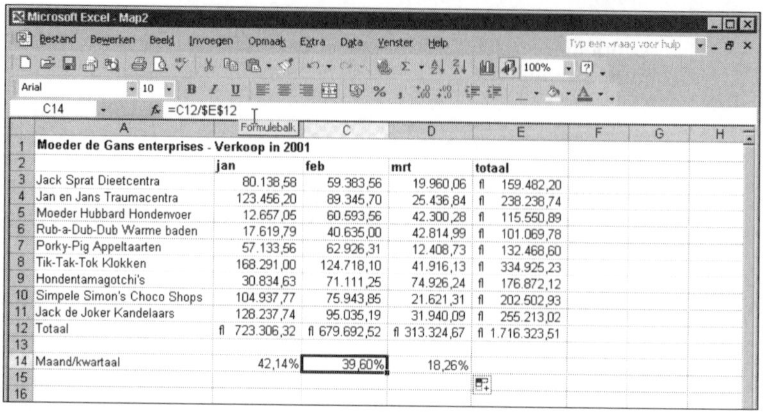

	A	B	C	D	E
1	Moeder de Gans enterprises - Verkoop in 2001				
2		jan	feb	mrt	totaal
3	Jack Sprat Dieetcentra	80.138,58	59.383,56	19.960,06	fl 159.482,20
4	Jan en Jans Traumacentra	123.456,20	89.345,70	25.436,84	fl 238.238,74
5	Moeder Hubbard Hondenvoer	12.657,05	60.593,56	42.300,28	fl 115.550,89
6	Rub-a-Dub-Dub Warme baden	17.619,79	40.635,00	42.814,99	fl 101.069,78
7	Porky-Pig Appeltaarten	57.133,56	62.926,31	12.408,73	fl 132.468,60
8	Tik-Tak-Tok Klokken	168.291,00	124.718,10	41.916,13	fl 334.925,23
9	Hondentamagotchi's	30.834,63	71.111,25	74.926,24	fl 176.872,12
10	Simpele Simon's Choco Shops	104.937,77	75.943,85	21.621,31	fl 202.502,93
11	Jack de Joker Kandelaars	128.237,74	95.035,19	31.940,09	fl 255.213,02
12	Totaal	fl 723.306,32	fl 679.692,52	fl 313.324,67	fl 1.716.323,51
13					
14	Maand/kwartaal	42,14%	39,60%	18,26%	
15					
16					

Figuur 4.13: Het werkblad nadat de formule met de absolute celverwijzing is gekopieerd

Aangezien E12 in de oorspronkelijke formule is gewijzigd in $E$12, bevatten alle kopieën dezelfde absolute (niet-veranderende) verwijzing.

TIP

Als je een formule waarin een of meer van de celverwijzingen absoluut moesten zijn, maar relatief zijn gelaten, verkeerd kopieert, bewerk je de oorspronkelijke formule als volgt:

1. Dubbelklik op de cel met de formule en klik op de knop Formule bewerken op de formulebalk of druk op F2 om de formule te bewerken.

2. Plaats de invoegpositie ergens in de verwijzing die je wilt omzetten in een absolute verwijzing.

3. Druk op F4.

4. Klik op de knop Invoeren op de formulebalk en kopieer de formule met de vulgreep naar het gewenste bereik.

PAS OP!

Let erop dat je alleen op F4 drukt als de hele celverwijzing absoluut moet worden. Als je nogmaals op F4 drukt, wordt een gemengde verwijzing gemaakt, waarbij alleen het rijgedeelte absoluut is, terwijl het kolomgedeelte relatief is (zoals E$12). Als je een derde maal op F4 drukt, creëert Excel een andere gemengde verwijzing, waarin het kolomgedeelte absoluut is en het rijgedeelte relatief (zoals $E12). Als je nogmaals op F4 drukt, wordt de celverwijzing in zijn geheel weer relatief (zoals E12). Wanneer je weer terug bent bij het begin, kun je opnieuw op F4 drukken om door de diverse celverwijzingen te circuleren.

Digitaal knippen en plakken

In plaats van slepen en neerzetten of AutoDoorvoeren kun je de vertrouwde opdrachten Knippen, Kopiëren en Plakken gebruiken om informatie in een werkblad te verplaatsen of te kopiëren. Deze opdrachten gebruiken het klembord als een elektronische tussenstop waar de geknipte of gekopieerde informatie wordt opgeslagen tot je besluit deze ergens te plakken. Bij deze klembordmethode kun je de opdrachten gebruiken om informatie te verplaatsen of te kopiëren naar elk ander geopend werkblad in Excel of zelfs naar andere Windows-programma's (zoals Microsoft Word).

Voer de volgende stappen uit om een celselectie te verplaatsen via Knippen en Plakken:

1. Selecteer de cellen die je wilt verplaatsen.

2. Klik op de knop Knippen op de werkbalk Standaard (de knop met de schaar).

   Desgewenst kun je ook Knippen kiezen in het snelmenu van de cellen of Bewerken ⇨ Knippen selecteren.

   Je kunt in plaats daarvan ook op Ctrl+X drukken. Wanneer je de opdracht Knippen in Excel uitvoert, plaatst het programma een *selectiekader* (een bewegende stippellijn) rond de selectie en verschijnt het volgende bericht op de statusbalk:

   > Een bestemming kiezen en op ENTER drukken of Plakken kiezen

3. Verplaats de celaanwijzer naar de cel in de linkerbovenhoek van het bereik waarnaar je de informatie wilt verplaatsen.

4. Druk op Enter om de bewerking te voltooien.

   Je kunt ook klikken op de knop Plakken op de werkbalk Standaard, Plakken kiezen in het snelmenu van de cel, Bewerken ⇨ Plakken selecteren of drukken op Ctrl+V. (Zoals je ziet, zijn er meer dan voldoende alternatieven in Excel.)

Wanneer je het doelbereik aangeeft, hoeft je geen reeks lege cellen te selecteren met dezelfde vorm en grootte als de selectie die je verplaatst. Excel hoeft alleen de cel in de linkerbovenhoek van het doelbereik te kennen en bepaalt zelf waar de rest van de cellen moet worden geplaatst.

Als je een selectie wilt kopiëren met de opdrachten Kopiëren en Plakken, voer je dezelfde procedure uit als wanneer je Knippen en Plakken gebruikt. Nadat je het te kopiëren bereik hebt geselecteerd, heb je meerdere mogelijkheden om de informatie op het klembord te plaatsen. Je kunt klikken op de knop Kopiëren op de werkbalk Standaard, Kopiëren kiezen in het snelmenu, Bewerken ⇨ Kopiëren selecteren of op Ctrl+C drukken.

Nogmaals plakken

Wanneer je een selectie kopieert met de opdrachten Kopiëren en Plakken en het klembord, kun je de informatie meerdere malen plakken. In dit geval moet je echter niet op Enter drukken om de eerste kopieerbewerking te voltooien, maar op de knop Plakken klikken, Plakken kiezen (in het snelmenu of het menu Bewerken) of op Ctrl+V drukken.

Wanneer je de opdracht Plakken gebruikt om een kopieerbewerking te voltooien, kopieert Excel de selectie naar het aangegeven bereik zonder het selectiekader rond de oorspronkelijke selectie te verwijderen. Dit is een teken dat je een ander doelbereik kunt selecteren (in hetzelfde document of in een ander document).

Nadat je de eerste cel van het volgende bereik waarnaar je de selectie wilt kopiëren hebt geselecteerd, kies je nogmaals de opdracht Plakken. Je kunt op deze manier verdergaan en dezelfde selectie zo vaak plakken als je maar wilt. Wanneer je de laatste kopie maakt, druk je op Enter in plaats van de opdracht Plakken te kiezen. Als je dit vergeet en toch Plakken kiest, verwijder je het selectiekader rond de selectie door op Esc te drukken.

Plakopties

Nadat je op de knop Plakken op de werkbalk Standaard hebt geklikt of je Bewerken ➪ Plakken hebt gekozen om celinhoud die je naar het klembord hebt gekopieerd te plakken, toont Excel de knop Plakopties. Deze knop beschikt over een vervolgkeuzepijl waarmee je opties tot je beschikking hebt om de plakbewerking aan te passen:

- **Bronopmaak behouden:** als je deze optie selecteert, kopieert Excel de opmaak van de oorspronkelijke cellen en plakt deze in de doelcellen (samen met de gekopieerde inhoud).

- **Aanpassen aan opmaak van bestemming:** als je deze optie selecteert, maakt Excel de gekopieerde inhoud op volgens de opmaakinstellingen van de doelcel(len).

- **Alleen waarden:** als je deze optie selecteert, kopieert Excel alleen de berekende resultaten van formules in het bronbereik naar het doelbereik. Dit betekent dat het doelbereik uitsluitend bestaat uit labels en waarden (onafhankelijk van het aantal formules in het bronbereik).

- **Opmaak waarden en getallen:** als je deze optie selecteert, kopieert Excel de berekende resultaten van de formules en de getalopmaak van de waarden en de formules in het bronbereik naar het doelbereik. Dit betekent dat alle labels die uit het bronbereik zijn gekopieerd de opmaak van het doelbereik krijgen. De waarden behouden de getalopmaak van het bronbereik.

✔ **Opmaak waarden en bron:** als je deze optie selecteert, kopieert Excel de berekende resultaten van de formules en de getalopmaak van de waarden en de formules in het bronbereik naar het doelbereik. Dit betekent dat alle labels en waarden in het doelbereik de opmaak uit het bronbereik behouden, terwijl de oorspronkelijke formules verloren gaan en alleen de berekende resultaten behouden blijven.

✔ **Kolombreedte van bron behouden:** als je deze optie selecteert, maakt Excel de kolombreedte in het doelbereik gelijk aan de kolombreedte in het doelbereik bij het kopiëren van de celinhoud.

✔ **Alleen opmaak:** als je deze optie selecteert, kopieert Excel alleen de opmaak (en niet de inhoud) van het bronbereik naar het doelbereik.

✔ **Cellen verbinden:** als je deze optie selecteert, maakt Excel gekoppelde formules in het doelbereik, zodat eventuele wijzigingen die je aanbrengt in de cellen in het bronbereik onmiddellijk worden verwerkt in de corresponderende cellen in het doelbereik.

Plakken vanaf het taakvenster Klembord

In Excel 2002 kun je meerdere geknipte en gekopieerde gegevensblokken tegelijk op het klembord plaatsen (maximaal 24 gegevensblokken). Dit betekent dat je zelfs wanneer je een verplaatsings- of kopieerbewerking hebt voltooid, je nog steeds dingen van het klembord in een werkmap kunt plakken. Hiervoor kun je zowel op Enter drukken als de opdracht Plakken gebruiken. Zodra je meer dan één celselectie naar het klembord kopieert, opent Excel 2002 automatisch het taakvenster Klembord en worden de items die je hebt gekopieerd, weergegeven (zie figuur 4.14).

Je plakt een item van het klembord in een ander werkblad dan het werkblad waarin je het laatst hebt geknipt of gekopieerd door op het gewenste item in het taakvenster Klembord te klikken. Het item wordt nu in het werkblad op de positie van de celaanwijzer geplakt.

Als je op de knop Alles plakken (bovenaan het taakvenster) klikt, worden alle items op het klembord in het huidige werkblad geplakt. Je verwijdert alle items van het klembord door op Alles wissen te klikken. Ook is het mogelijk één item te wissen: plaats de muisaanwijzer op het gewenste item, zodat de vervolgkeuzepijl verschijnt. Klik hierop en kies in het snelmenu de optie Verwijderen.

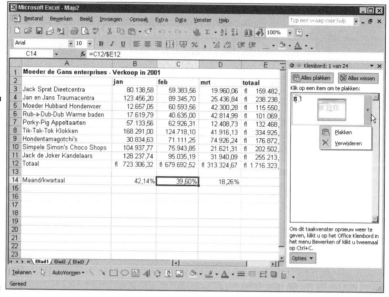

Het taak-
venster
Klembord
verschijnt
op het mo-
ment dat je
meer dan
één onder-
deel naar
het Win-
dows-klem-
bord knipt of
kopieert

Plakken speciaal

Gewoonlijk kopieert Excel alle informatie in het geselecteerde cellenbereik: opmaak, formules, tekst en andere ingevoerde waarden. Desgewenst kun je echter aangeven dat je alleen de gegevens wilt kopiëren
(zonder de opmaak) of alleen de opmaak (zonder de gegevens), tenzij je
de plakopties hebt bewerkt (zie de paragraaf 'Plakopties'). Je kunt Excel
zelfs alleen waarden in een cellenbereik laten kopiëren. In dit geval kopieert Excel alle tekst en waarden die in de cellen zijn ingevoerd, maar
geen formules of opmaak. Wanneer je waarden plakt, worden alle formules in de celselectie verwijderd en blijven alleen de berekende waarden behouden. Deze waarden verschijnen in het nieuwe cellenbereik
alsof je ze handmatig hebt ingevoerd.

Als je bepaalde delen van een selectie wilt plakken, terwijl je andere
onderdelen wilt verwijderen, kies je Bewerken ⇨ Plakken speciaal. Wanneer je deze optie kiest, opent Excel het dialoogvenster Plakken speciaal. In dit dialoogvenster geef je aan welke onderdelen van de huidige
selectie je wilt gebruiken door het gewenste keuzerondje te selecteren:

    ✔ Gewoonlijk selecteert Excel het keuzerondje Alles in het gedeelte
        Plakken, zodat alle informatie in de selectie wordt geplakt (formu-
        les, opmaak, noem maar op).

    ✔ Klik op het keuzerondje Formules als je alle tekst, getallen en for-
        mules in de huidige selectie wilt plakken, terwijl de huidige op-
        maak wordt weggelaten.

    ✔ Klik op het keuzerondje Waarden als je formules in de huidige se-
        lectie wilt omzetten in hun berekende waarden.

✔ Klik op het keuzerondje Opmaak als je alleen de opmaak uit de huidige selectie wilt plakken en de informatie erin wilt weglaten.

✔ Klik op het keuzerondje Opmerkingen als je alleen de opmerkingen die je aan de selectie hebt toegevoegd wilt plakken. (Opmerkingen zijn een soort elektronische memobriefjes; zie hoofdstuk 6 voor meer informatie.)

✔ Klik op het keuzerondje Validatie als je in het cellenbereik alleen regels voor gegevensvalidatie wilt plakken; deze regels stel je in via de nieuwe optie Data ⇨ Valideren (waarmee je kunt aangeven welke waarde of reeks waarden in een cel of cellenbereik zijn toegestaan).

✔ Klik op het keuzerondje Alles behalve randen als je alle informatie in de selectie wilt plakken, behalve eventueel toegevoegde randen.

✔ Klik op het keuzerondje Kolombreedten als je de kolombreedten van de cellen waarin je plakt wilt aanpassen aan de kolombreedten van de gekopieerde cellen.

✔ Gewoonlijk is het keuzerondje Geen van het dialoogvenster Plakken speciaal geselecteerd om aan te geven dat Excel geen bewerking uitvoert tussen de gegevens die je naar het Klembord hebt geknipt of gekopieerd en de gegevens in de cellen waarin je plakt.

✔ Klik op het keuzerondje Optellen als je de geknipte of gekopieerde gegevens wilt optellen bij de gegevens in de cellen waarin je plakt.

✔ Klik op het keuzerondje Aftrekken als je de geknipte of gekopieerde gegevens wilt aftrekken van de gegevens in de cellen waarin je plakt.

✔ Klik op het keuzerondje Vermenigvuldigen als je de geknipte of gekopieerde gegevens wilt vermenigvuldigen met de gegevens in de cellen waarin je plakt.

✔ Klik op het keuzerondje Delen als je de gegevens in de cellen waarin je plakt wilt delen door de geknipte of gekopieerde gegevens.

✔ Selecteer de optie Lege cellen overslaan als je wilt dat Excel overal gegevens plakt, behalve waar het bronbereik lege cellen bevat. Met andere woorden: een lege cel kan de huidige gegevens niet overschrijven.

✔ Selecteer de optie Transponeren als je wilt dat Excel de richting van de geplakte gegevens wijzigt. Als de oorspronkelijke informatie bijvoorbeeld één kolom in het werkblad innam, worden de geplakte gegevens in één rij geplakt.

✔ Klik op de knop Koppeling plakken wanneer je celinformatie plakt en een koppeling wilt maken tussen de geplakte kopieën en de oorspronkelijke gegevens. Wijzigingen in de oorspronkelijke cellen worden dan automatisch bijgewerkt in de geplakte kopieën.

Je kunt de opties Formules, Waarden, Geen randen, Transponeren en Koppeling plakken rechtstreeks kiezen door op de knop Plakken op de werkbalk Standaard te klikken. Hiervoor hoef je het dialoogvenster Plakken speciaal niet te openen. *Let op:* de optie Geen randen (van de knop Plakken op de werkbalk Standaard) is dezelfde optie als de optie Alles behalve randen in het dialoogvenster Plakken speciaal. Klik gewoon op de vervolgkeuzepijl op de knop Plakken en kies de gewenste optie in het snelmenu. Via dit snelmenu kun je ook het dialoogvenster Plakken speciaal openen door op de optie Plakken speciaal (onderaan in het snelmenu) te klikken.

Cellen wissen en verwijderen

Geen enkele bespreking over Excel is compleet zonder dat wordt uitgelegd hoe je informatie in een cel verwijdert. Je kunt twee soorten verwijderingen in een werkblad uitvoeren:

✔ **Een cel wissen:** de inhoud uit de cel wordt verwijderd en de cel wordt leeggemaakt zonder dat de cel uit het werkblad wordt verwijderd, waardoor de indeling van de omringende cellen zou veranderen.

✔ **Een cel verwijderen:** de gehele cel met inhoud en opmaak wordt verwijderd. Wanneer je een cel verwijdert, schuift Excel de omringende cellen op om de lege ruimte te vullen.

Cellen wissen

Als je alleen de inhoud van een selectie wilt verwijderen in plaats van de cellen met hun inhoud te verwijderen, selecteer je het cellenbereik dat je wilt wissen en druk je op Del of kies je Bewerken ➪ Wissen ➪ Inhoud.

Als je meer dan alleen de inhoud van een celselectie wilt verwijderen, kies je Bewerken ➪ Wissen en kies je een van de volgende opties in het submenu:

✔ Kies Alles als je alle opmaak en opmerkingen en alle gegevens in de celselectie wilt wissen.

✔ Kies Opmaak als je alleen de opmaak uit de selectie wilt verwijderen, terwijl de rest intact blijft.

✔ Kies Opmerkingen als je alleen de opmerkingen uit de selectie wilt verwijderen, terwijl de rest intact blijft.

Cellen verwijderen

Als je een celselectie wilt verwijderen in plaats van alleen de inhoud te wissen, selecteer je het cellenbereik en kies je Verwijderen in het snelmenu of selecteer je Bewerken ⇨ Verwijderen. Excel toont het dialoogvenster Verwijderen. Met de keuzerondjes in dit dialoogvenster geef je aan hoe Excel de achterblijvende cellen moet opschuiven om de leegte te vullen die de verwijderde cellen achterlaten:

- ✔ **Cellen naar links verplaatsen:** gewoonlijk is dit keuzerondje geselecteerd om aan te geven dat Excel gegevens in aangrenzende kolommen rechts van de verwijderde cellen naar links opschuift om zo het gat te vullen dat ontstaat als je op OK klikt of op Enter drukt.

- ✔ **Cellen naar boven verplaatsen:** als je wilt dat Excel informatie uit aangrenzende rijen onder de verwijderde cellen omhoog verplaatst, klik je op dit keuzerondje.

- ✔ **Hele rij:** als je alle rijen in de huidige celselectie wilt verwijderen, klik je op dit keuzerondje.

- ✔ **Hele kolom:** als je alle kolommen in de huidige celselectie wilt verwijderen, klik je op dit keuzerondje.

Als je vooraf weet dat je een hele kolom of rij uit het werkblad wilt verwijderen, kun je de kolom of rij in het werkblad selecteren door te klikken op de kolomletter of het rijnummer en vervolgens Verwijderen te kiezen in het snelmenu of in het menu Bewerken. Je kunt meer dan één kolom of rij tegelijk verwijderen als je deze selecteert voordat je de optie Verwijderen kiest.

Hele kolommen of rijen uit een werkblad verwijderen is een riskante onderneming, tenzij je zeker weet dat de desbetreffende kolommen en rijen geen gegevens bevatten die je wilt bewaren. Onthoud dat wanneer je een hele rij verwijdert, je *alle informatie van kolom A tot en met kolom IV* in die rij verwijdert (terwijl je slechts enkele kolommen in deze rij ziet). Wanneer je een hele kolom verwijdert, wordt *alle informatie in rij 1 tot en met rij 65.536* in die kolom verwijderd.

Cellen opzij schuiven

In die onvermijdelijke gevallen dat je nieuwe informatie in een reeds gevuld deel van het werkblad moet tussenvoegen, kun je nieuwe cellen in dit gebied invoegen in plaats van meerdere cellenbereiken te moeten verplaatsen en herschikken. Als je een nieuw cellenbereik wilt invoegen, selecteer je de cellen (die waarschijnlijk al informatie bevatten) op de plaats waar de nieuwe cellen moeten verschijnen en kies je Invoegen in het snelmenu van de cellen of selecteer je Invoegen ⇨ Cellen. In beide

gevallen verschijnt het dialoogvenster Invoegen dat de volgende keuzerondjes bevat:

- ✔ Klik op het keuzerondje Cellen naar rechts verplaatsen als je aanwezige cellen naar rechts wilt verplaatsen om zo ruimte te maken
  voor de cellen die je wilt toevoegen.

- ✔ Als je wilt dat het programma aanwezige gegevens omlaag verplaatst, klik je op het keuzerondje Cellen naar beneden verplaatsen voordat je op OK klikt of op Enter drukt.

- ✔ Net als wanneer je cellen verwijdert kun je, wanneer je cellen invoegt via het dialoogvenster Invoegen, hele rijen of kolommen in
  het cellenbereik invoegen door te klikken op het keuzerondje
  Hele rij of Hele kolom. Je kunt ook het rijnummer of de kolomletter selecteren voordat je de optie Invoegen kiest.

Je kunt ook hele kolommen of rijen in een werkblad invoegen door de
optie Kolommen of Rijen in het menu Invoegen te selecteren zonder dat
je het dialoogvenster Invoegen hoeft te openen.

Onthoud dat, net als wanneer je hele kolommen of rijen verwijdert, in-
gevoegde kolommen of rijen van invloed zijn op het hele werkblad, niet
alleen op het deel dat je ziet. Als je niet weet wat zich in het achterland
van het werkblad bevindt, weet je niet zeker wat het effect van de inge-
voegde kolommen of rijen is op informatie (met name formules) in onzichtbare delen. Het is aan te raden vooraf te kijken of zich geen gegevens buiten je gezichtsveld bevinden.

Spelfouten corrigeren

Als je niet zo'n goede speller bent, zul je blij zijn te horen dat Excel 2002
een ingebouwde spellingcontrole bevat die allerlei gênante spelfoutjes
kan opsporen en corrigeren. Je hebt nu echt geen excuus meer voor
werkbladen met typefouten in de titels of koppen.

Wil je de spelling van een werkblad controleren, kies dan Extra ⇨ Spelling, klik op de knop Spelling (de knop met een vinkje en de letters ABC)
op de werkbalk Standaard of druk op F7.

In alle gevallen begint Excel met de controle van de spelling van alle
tekst in het werkblad. Zodra het programma een onbekend woord
tegenkomt, wordt het dialoogvenster Spelling uit figuur 4.15 geopend.

Excel doet suggesties voor het onbekende woord, waarbij de meest aan-
nemelijke vervanging uit de lijst Suggesties wordt weergegeven in het
vak Wijzigen in. Als deze vervanging onjuist is, kun je door de lijst Suggesties bladeren en klikken op de juiste vervanging. Je gebruikt de opties in het dialoogvenster Spelling als volgt:

Figuur 4.15:
De spelling
controleren
via het dia-
loogvenster
Spelling

✔ **Eén keer negeren** en **Alles negeren:** wanneer de spellingcontrole een verdacht woord tegenkomt dat volgens jou gewoon in orde is, klik je op de knop Eén keer negeren. Als je niet meer lastiggevallen wilt worden over dit woord, klik je Alles negeren.

✔ **Toevoegen:** klik op deze knop als je het onbekende woord (zoals je naam) wilt toevoegen aan een aangepaste woordenlijst, zodat dit woord niet als fout wordt aangeduid wanneer je de spelling van andere werkbladen controleert.

✔ **Wijzigen:** als je het woord na de tekst Niet in woordenlijst wilt vervangen door het woord in het vak Wijzigen in, klik je op deze knop.

✔ **Alles wijzigen:** als je dit woord overal in het werkblad wilt vervangen door het woord in het vak Wijzigen in, klik je op de knop.

✔ **AutoCorrectie:** als je wilt dat Excel deze spelfout voortaan automatisch wijzigt in de suggestie in het vak Wijzigen in (door de spelfout en de correctie toe te voegen aan het dialoogvenster AutoCorrectie; zie hoofdstuk 2), klik je op de knop AutoCorrectie.

✔ **Taal voor woordenlijst:** als je wilt overschakelen naar een andere woordenlijst (zoals Engels of Frans wanneer je Engelse of Franse termen in een meertalig werkblad controleert), klik je op de vervolgkeuzelijst Taal voor woordenlijst en selecteer je de naam van de woordenlijst in de lijst.

De spellingcontrole van Excel vindt niet alleen woorden die niet in de ingebouwde of aangepaste woordenlijst staan, maar geeft ook dubbele woorden in een cel aan (zoals *totaal totaal*) of woorden met een afwijkend hoofdlettergebruik (zoals *DEn Haag* in plaats van *Den Haag*). Standaard negeert de spellingcontrole alle woorden die getallen bevatten en alle internetadressen. Als je ook alle woorden in hoofdletters wilt negeren, klik je op de knop Opties onderaan het dialoogvenster Spellingcontrole en plaats je een vinkje in het selectievakje Woorden in HOOFDLETTERS negeren. Vervolgens klik je op OK.

Onthoud dat je de spelling van een deel van een werkblad kunt controleren door de gewenste cellen te selecteren voordat je Extra ➪ Spelling kiest, op de knop Spelling op de werkbalk Standaard klikt of op F7 drukt.

Hoofdstuk 5

Het eindresultaat afdrukken

*N*adat het werkblad klaar is, zullen de meeste mensen als de laatste stap het werkblad willen afdrukken (dit in tegenstelling tot alle ophef over het 'papierloze kantoor'). Alle gegevensinvoer, alle opmaak, alle controles, alles wat je doet om een werkblad gereed te maken vormt slechts een voorbereiding op het afdrukken van deze informatie.

In dit hoofdstuk zul je merken hoe gemakkelijk het is rapporten af te drukken met Excel 2002. Bovendien zul je ontdekken dat door je aan enkele richtlijnen te houden, je direct uitstekende rapporten kunt produceren wanneer je het document voor het eerst naar de printer stuurt (in plaats van hier pas de tweede of derde keer in te slagen).

De enige truc bij het afdrukken van een werkblad is gewend te raken aan de paginering en te leren hoe je deze instelt. Veel van de werkbladen die je met Excel maakt, zijn niet alleen langer dan een gedrukte pagina, maar ook breder. In tegenstelling tot een tekstverwerker zoals Word 2002, die het document alleen verticaal in pagina's indeelt (aangezien je geen document kunt maken dat breder is dan het ingestelde paginaformaat), moeten spreadsheetprogramma's zoals Excel pagina's vaak zowel horizontaal als verticaal splitsen om een werkbladdocument te kunnen afdrukken.

Wanneer Excel een werkblad opdeelt in pagina's, worden eerst de rijen in de eerste kolommen van het afdrukbereik in pagina's verdeeld (net als bij een tekstverwerker). Nadat de eerste kolommen zijn ingedeeld, gaat het programma verder met de rijen in de tweede reeks kolommen in het afdrukbereik. Excel pagineert omlaag en vervolgens opzij tot het hele document in het afdrukbereik (dat het hele werkblad of slechts een deel ervan kan beslaan) over de pagina's is verdeeld.

Wanneer je het werkblad pagineert, moet je onthouden dat Excel de informatie in een kolom of rij niet splitst. Als alle informatie in een rij niet in zijn geheel onder op de pagina past, verplaatst het programma de hele rij naar de volgende pagina. Als niet alle informatie in een kolom rechts op de pagina past, verplaatst het programma de hele kolom naar een nieuwe pagina. Aangezien Excel pagina's omlaag en vervolgens pas naar rechts pagineert, verschijnt de kolom daardoor mogelijk niet op de volgende pagina van het rapport.

Je kunt dergelijke pagineringsproblemen op verschillende manieren oplossen en al deze manieren worden in dit hoofdstuk toegelicht. Nadat je de paginaproblemen onder controle hebt, is afdrukken het spreekwoordelijke fluitje van een cent.

Beginnen met het afdrukvoorbeeld

Je gebruikt de functie Afdrukvoorbeeld voordat je een werkblad, een deel van een werkblad of een hele werkmap afdrukt. Gezien de eigenaardigheden van de paginering van werkbladgegevens, moet je de pagina-einden controleren van elk rapport dat meer dan één pagina beslaat. Het afdrukvoorbeeld laat niet alleen precies zien hoe de werkbladgegevens worden gepagineerd wanneer je ze afdrukt, maar biedt je ook de mogelijkheid de marges en de pagina-instellingen te wijzigen en het rapport vervolgens af te drukken.

Om over te schakelen naar de modus Afdrukvoorbeeld, klik je op de knop Afdrukvoorbeeld op de werkbalk Standaard (de knop met het vergrootglas op een pagina, naast de knop Afdrukken) of kies je Bestand ⇨ Afdrukvoorbeeld. Excel toont alle informatie op de eerste pagina van het rapport in een apart venster met een eigen werkbalk. De muisaanwijzer verandert in een vergrootglas. In figuur 5.1 zie je het venster Afdrukvoorbeeld met de eerste pagina van een rapport van drie pagina's.

Wanneer Excel een volledige pagina weergeeft in het venster Afdrukvoorbeeld, kun je de inhoud ervan nauwelijks lezen. Vergroot de weergave tot ware grootte als je de informatie in het werkblad wilt controleren. Je kunt inzoomen tot 100 procent door met het vergrootglas te klikken op de pagina, door te klikken op de knop In/uitzoomen boven in het venster Afdrukvoorbeeld of door te drukken op Enter. Figuur 5.2 toont de eerste pagina van een rapport met drie pagina's nadat is ingezoomd door met de zoomaanwijzer (het vergrootglas) boven in de pagina te klikken.

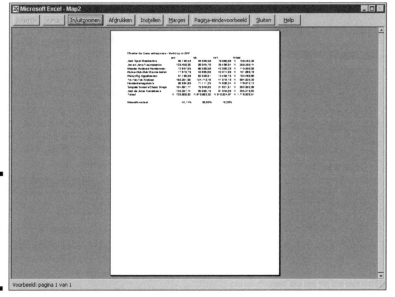

Figuur 5.1:
De eerste pagina van een rapport met drie pagina's in het afdrukvoorbeeld

Nadat een pagina is vergroot tot ware grootte, gebruik je de schuifbalken om andere delen van de pagina weer te geven in het venster Afdrukvoorbeeld. Als je de voorkeur geeft aan het toetsenbord, druk je op de toetsen ↑ en ↓ of op PgUp en PgDn om omhoog of omlaag te bladeren. Druk op ← en → of op Ctrl+PgUp en Ctrl+PgDn om naar links of naar rechts te schuiven.

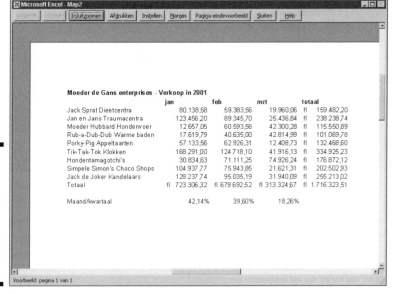

Figuur 5.2:
De eerste pagina van het rapport nadat met de zoomaanwijzer boven in de pagina is geklikt

Als je de paginavullende weergave wilt herstellen, klik je met de muis-aanwijzer (de pijlpunt) op de pagina, klik je nogmaals op de knop In/uit-zoomen op de werkbalk of druk je nogmaals op Enter.

Excel geeft het aantal pagina's in het rapport aan op de statusbalk van het venster Afdrukvoorbeeld. Als het rapport uit meer dan één pagina bestaat, kun je de volgende pagina's bekijken door te klikken op de knop Volgende op de werkbalk. Als je wilt terugkeren naar de vorige pagina, klik je op de knop Vorige. Wanneer de pagina in zijn geheel wordt weergegeven (in plaats van op ware grootte), kun je naar de volgende pagina gaan door te drukken op PgDn of ↓ en kun je naar de vorige pagina gaan door te drukken op PgUp of ↑.

Wanneer je het afdrukvoorbeeld van het rapport hebt bekeken, beschik je over de volgende opties:

- ✔ Als de pagina's in orde lijken, kun je op de knop Afdrukken klikken, zodat het dialoogvenster Afdrukken verschijnt en je het rapport vanuit dit venster kunt afdrukken. (Zie 'Afdrukken op jouw manier', verderop in dit hoofdstuk.)

- ✔ Als je pagineringsproblemen ontdekt die je kunt oplossen door het papierformaat, de paginavolgorde, de afdrukstand of de marges te wijzigen, of als er een probleem is met de kop- of voettekst van de pagina's, klik je op de knop Instellen en verhelp je het probleem in het dialoogvenster Pagina-instelling. Meer informatie over printerinstellingen vind je in de paragraaf 'Pagina-instellingen', verderop in dit hoofdstuk.

- ✔ Als zich pagineringsproblemen voordoen die je kunt oplossen door de pagina-einden te wijzigen, klik je op de knop Pagina-einde-voorbeeld. Je keert terug naar het werkmapvenster met een ver-kleinde weergave van het werkblad, waarin je de pagina-einden kunt wijzigen door de randen met de muis te verslepen. Nadat je de randen naar wens hebt aangepast, keer je terug naar de nor-male weergave door Beeld ➪ Normaal te kiezen. Je kunt het rapport vervolgens afdrukken door Bestand ➪ Afdrukken te kiezen of door te klikken op de knop Afdrukken op de werkbalk Standaard. Meer informatie vind je in de paragraaf 'Pagina-einden instellen', verderop in dit hoofdstuk.

- ✔ Als je problemen met de marges of de kolombreedten wilt aan-passen in het afdrukvoorbeeld, klik je op de knop Marges en ver-sleep je de margemarkeringen. (Zie 'De marges aanpassen', ver-derop in dit hoofdstuk.)

- ✔ Als je een ander probleem ontdekt, zoals een typefout in een kop of een verkeerde waarde in een cel, klik je op de knop Sluiten, zo-dat je terugkeert naar het normale documentvenster; in het af-drukvoorbeeld kun je geen wijzigingen in de tekst aanbrengen.

- ✔ Nadat je correcties in het werkblad hebt aangebracht, kun je het rapport vanuit het documentvenster afdrukken door Bestand ➪

Afdrukken te kiezen (of door op Ctrl+P te drukken). Je kunt ook opnieuw het afdrukvoorbeeld weergeven om het document nogmaals te controleren en vervolgens op de knop Afdrukken klikken. Tot slot kun je ook klikken op de knop Afdrukken op de werkbalk Standaard (de vierde knop van links met de printer).

Hier houdt de pagina op

Nadat je het afdrukvoorbeeld van het document hebt bekeken, geeft Excel automatisch de pagina-einden in het normale documentvenster weer. Pagina-einden worden op het scherm weergegeven als stippellijnen tussen de kolommen en rijen die op verschillende pagina's worden afgedrukt.

Als je de pagina-einden uit het documentvenster wilt verwijderen, kies je Extra ➪ Opties, klik je op de tab Weergave, verwijder je het vinkje uit het selectievakje Pagina-einde en klik je op OK of druk je op Enter.

Rechtstreeks afdrukken

Zolang je de standaardafdrukinstellingen van Excel wilt gebruiken om alle cellen in het huidige werkblad af te drukken, is afdrukken in Excel 2002 een fluitje van een cent. Je klikteenvoudig op de knop Afdrukken op de werkbalk Standaard (de knop met de printer). Het programma drukt één exemplaar af van alle informatie in het huidige werkblad, met inbegrip van grafieken en afbeeldingen, maar zonder opmerkingen die je eventueel hebt toegevoegd. In hoofdstuk 6 wordt uitgelegd hoe je opmerkingen aan een werkblad toevoegt, terwijl hoofdstuk 8 meer informatie bevat over grafieken en afbeeldingen.

Nadat je klikt op de knop Afdrukken, stuurt Excel de afdruktaak naar de afdrukwachtrij van Windows, die fungeert als 'tussenpersoon' en de taak vervolgens naar de printer stuurt. Terwijl Excel de afdruktaak naar de wachtrij stuurt, toont het programma het dialoogvenster Afdrukken waarin de voortgang van de taak wordt weergegeven (zoals Bezig met afdrukken: pagina 2 van 3). Nadat dit dialoogvenster is verdwenen, kun je doorwerken in Excel (hoewel Excel waarschijnlijk de snelheid heeft van een slak tot de taak daadwerkelijk is afgedrukt). Als je de afdruktaak wilt annuleren terwijl deze naar de afdrukwachtrij wordt gezonden, klik je op de knop Annuleren in het dialoogvenster Afdrukken.

Als je pas beseft dat je de afdruktaak wilt annuleren nadat Excel deze naar de afdrukwachtrij heeft gezonden (dat wil zeggen: nadat het dialoogvenster Afdrukken is gesloten), moet je het dialoogvenster van de printer openen en het afdrukken vanuit dit venster annuleren.

Voer de volgende stappen uit om een afdruktaak te annuleren via het dialoogvenster van de printer:

1. Klik met de rechtermuisknop op het printerpictogram uiterst rechts op de taakbalk van Windows 95/98 (direct links van de huidige tijd) om het snelmenu te openen.

    Het printerpictogram toont de scherminfo '1 document(en) in de wachtrij voor *naam gebruiker*' (het precieze bericht kan bijvoorbeeld '1 document(en) in de wachtrij voor Sander' luiden) wanneer je de muisaanwijzer op het pictogram plaatst.

2. Kies de optie Actieve printers weergeven in het snelmenu.

    Het dialoogvenster van de printer wordt geopend, terwijl de Excel-afdruktaak wordt weergegeven in de wachtrij (zoals je ziet in de kolom Documentnaam).

3. Selecteer de Excel-afdruktaak die je wilt annuleren in de lijst in dit dialoogvenster.

4. Kies Document ➪ Afdrukken annuleren.

5. Wacht tot de afdruktaak wordt verwijderd uit de wachtrij in het dialoogvenster en klik op de knop Sluiten om dit venster te sluiten en terug te keren naar Excel.

Afdrukken op jouw manier

Afdrukken met de knop Afdrukken op de werkbalk Standaard is geen probleem, mits je een afdruk wilt maken van alle informatie in het huidige werkblad. Als je meerdere afdrukken wilt maken, meer of minder gegevens wilt afdrukken (zoals alle werkbladen in de werkmap of alleen de geselecteerde cellen in het werkblad) of als je de pagina-instellingen wilt wijzigen (zoals het paginaformaat of de afdrukstand van de afdruk op de pagina), moet je afdrukken via het dialoogvenster Afdrukken uit figuur 5.3.

Excel biedt drie manieren om het dialoogvenster Afdrukken te openen:

Figuur 5.3: Het dialoogvenster Afdrukken met de afdrukopties

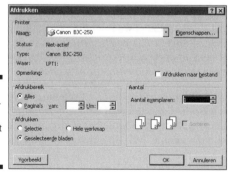

✔ Druk op Ctrl+P.

✔ Kies Bestand ⇨ Afdrukken.

✔ Druk op Ctrl+Shift+F12.

Specifieke onderdelen afdrukken

Het dialoogvenster Afdrukken bevat de vakken Afdrukbereik en Afdrukken, waarin je kunt aangeven hoeveel informatie je wilt afdrukken, en
het vak Aantal, waarin je het aantal afdrukken kunt instellen. Je gebruikt
de opties in deze vakken als volgt:

✔ **Alles:** wanneer het keuzerondje Alles in het vak Paginabereik is
geselecteerd, worden alle pagina's in het document afgedrukt.
Aangezien dit de standaardkeuze is, hoef je deze optie alleen te
selecteren nadat je een deel van het document hebt afgedrukt via
het keuzerondje Pagina's.

✔ **Pagina's:** gewoonlijk gebruikt Excel zoveel pagina's als nodig is
om alle informatie in de delen van het werkblad die je wilt afdrukken op papier te zetten. Het is echter mogelijk dat je soms alleen
een bepaalde pagina of een paginabereik wilt afdrukken. Als je
één pagina wilt afdrukken, typ je het paginanummer in de vakken
van en t/m in het vak Paginabereik of selecteer je dit paginanummer met de kringvelden. Als je een paginabereik wilt afdrukken,
typ je het nummer van de eerste pagina in het vak van, terwijl je
het nummer van de laatste pagina invoert in het vak t/m. Zodra je
begint te typen in het vak van of t/m, schakelt Excel automatisch
het keuzerondje Alles uit en wordt het keuzerondje Pagina's geselecteerd.

✔ **Selectie:** selecteer dit keuzerondje in het vak Afdrukken als je wilt
dat Excel alleen de cellen afdrukt die momenteel in de werkmap
zijn geselecteerd. Je moet deze cellen wel selecteren voordat je
het dialoogvenster Afdrukken opent en dit keuzerondje selecteert.

✔ **Geselecteerde bladen:** Excel selecteert automatisch dit keuzerondje en drukt alle informatie af in het actieve werkblad in de
werkmap. Gewoonlijk betekent dit dat alleen de gegevens in het
huidige werkblad worden afgedrukt. Als je andere werkbladen in
de werkmap wilt afdrukken terwijl dit keuzerondje is geselecteerd, houd je Ctrl ingedrukt terwijl je klikt op de tabs van die bladen. Als je alle bladen tussen twee tabs wilt selecteren, klik je op
de eerste tab, houd je Shift ingedrukt en klik je op de tweede tab.
Excel selecteert dan alle tussenliggende tabs.

✔ **Hele werkmap:** selecteer dit keuzerondje in het vak Afdrukken
als je wilt dat Excel alle gegevens in alle werkbladen in de werkmap afdrukt.

✔ **Aantal exemplaren:** als je meer dan één exemplaar van een rapport wilt afdrukken, typ je het aantal afdrukken in het vak Aantal exemplaren of selecteer je het gewenste aantal met de kringvelden.

✔ **Sorteren:** wanneer je meerdere exemplaren afdrukt en pagina's *sorteert*, wordt telkens een compleet rapport afgedrukt, in plaats van dat eerst alle kopieën van pagina 1 worden afgedrukt, vervolgens alle kopieën van pagina 2 enzovoort. Als je wilt dat Excel elk exemplaar van het rapport sorteert, klik je op het selectievakje in het vak Sorteren, zodat dit een vinkje bevat.

Nadat je nieuwe afdrukopties hebt geselecteerd, kun je de taak naar de printer sturen door op OK te klikken of op Enter te drukken. Als je een andere printer wilt gebruiken die voor Windows is geïnstalleerd (Excel toont de huidige printer in het invoervak Naam, terwijl alle geïnstalleerde printers worden weergegeven in de bijbehorende vervolgkeuzelijst), selecteer je de nieuwe printer in de vervolgkeuzelijst Naam in het vak Printer, boven in het dialoogvenster, voordat je gaat afdrukken.

Het afdrukbereik bepalen en wissen

Excel bevat een speciale afdrukfunctie, het *afdrukbereik*. Je kunt de optie Bestand ➪ Afdrukbereik ➪ Afdrukbereik bepalen gebruiken om de huidige celselectie in een werkblad in te stellen als afdrukbereik. Nadat je het afdrukbereik hebt bepaald, drukt Excel dit bereik af wanneer je het werkblad afdrukt (via de knop Afdrukken op de werkbalk Standaard of het dialoogvenster Afdrukken dat je opent met de optie Bestand ➪ Afdrukken of een sneltoets hiervoor). Wanneer je werkt met een afdrukbereik, moet je onthouden dat als je dit eenmaal hebt bepaald, je alleen dit cellenbereik kunt afdrukken (ongeacht welke opties je selecteert in het dialoogvenster Afdrukken) tot je het afdrukbereik wist.

Om het afdrukbereik te wissen (en dus de standaardafdrukinstellingen in het dialoogvenster Afdrukken te herstellen – zie de vorige paragraaf), selecteer je Bestand ➪ Afdrukbereik ➪ Afdrukbereik wissen.

Je kunt het afdrukbereik ook bepalen en wissen via het tabblad Blad van het dialoogvenster Pagina-instelling (zie de volgende paragraaf). Als je het afdrukbereik via dit dialoogvenster wilt bepalen, plaats je de cursor in het vak Afdrukbereik op het tabblad Blad en selecteer je het cellenbereik of de bereiken in het werkblad (onthoud dat je het dialoogvenster Pagina-instelling kunt verkleinen tot dit invoervak door te klikken op de knop naast dit vak). Wil je het afdrukbereik via dit dialoogvenster wissen, selecteer dan de celadressen in het vak Afdrukbereik en druk op Del.

Pagina-instellingen

Zoals aan het begin van dit hoofdstuk is vermeld, is ongeveer het enige ingewikkelde onderdeel van het afdrukken van een werkblad ervoor te zorgen dat de pagina's naar wens zijn. Gelukkig bieden de opties in het dialoogvenster Pagina-instelling veel controle over wat er op de pagina gebeurt. Om het dialoogvenster Pagina-instelling te openen, kies je Bestand ➪ Pagina-instelling of klik je op de knop Instellen in het venster Afdrukvoorbeeld. Het dialoogvenster Pagina-instelling bevat vier tabbladen: Pagina, Marges, Koptekst/voettekst en Blad.

De opties op het tabblad Pagina hangen af van het type printer dat je gebruikt. Figuur 5.4 toont het dialoogvenster Pagina-instelling terwijl de HP LaserJet de huidige printer is (al deze opties zijn ook beschikbaar wanneer je een andere laserprinter gebruikt, zoals de Apple LaserWriter).

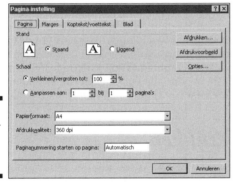

Figuur 5.4:
Het dialoog-
venster Pa-
gina-instel-
ling

Voor de meeste soorten printers biedt het tabblad Pagina opties waarmee je de afdrukstand, de grootte van de afdruk, het papierformaat en de afdrukkwaliteit kunt instellen:

✔ **Stand:** de optie Staand plaatst het papier zodanig dat de korte zijde zich boven en onder bevindt. Liggend drukt het werkblad zodanig af dat de bovenkant van de afdruk zich aan de lange zijde van het papier bevindt (zie de volgende paragraaf).

✔ **Verkleinen/vergroten tot:** hiermee kun je de grootte van de afdruk aanpassen met een bepaald percentage (ongeveer zoals je de zoomfunctie gebruikt om in en uit te zoomen op werkbladgegevens op het scherm). Wanneer je waarden invoert in dit vak, moet je onthouden dat 100 procent de normale grootte aangeeft en dat een lager percentage de afdruk kleiner maakt (zodat er meer gegevens op elke pagina passen), terwijl een hoger percentage de afdruk groter maakt (zodat er minder op elke pagina past).

✔ **Aanpassen aan:** hiermee kun je ervoor zorgen dat de hele afdruk op één pagina (standaard) of op een reeks pagina's past (zie 'Alles afdrukken op één pagina', verderop in dit hoofdstuk).

✔ **Papierformaat:** hiermee kun je een nieuw papierformaat selecteren in de vervolgkeuzelijst. Deze lijst bevat alleen papierformaten waarop de printer kan afdrukken.

✔ **Afdrukkwaliteit:** voor sommige printers (zoals matrixprinters) kun je de kwaliteit van de afdruk wijzigen, afhankelijk van het feit of je een kladversie of de eindversie afdrukt.

✔ **Paginanummering starten op pagina:** hiermee kun je het paginanummer van de eerste pagina wijzigen als je wilt dat deze pagina een ander nummer dan 1 krijgt. Je gebruikt deze optie alleen wanneer je paginanummers afdrukt in de kop- of voettekst (zie 'Van kop tot voet', verderop in dit hoofdstuk).

✔ **Opties:** deze knop opent een dialoogvenster met eigenschappen voor de geselecteerde printer. Dit dialoogvenster kan tabbladen bevatten, zoals Papier, Afbeeldingen, Apparaatopties en PostScript, afhankelijk van het model en type printer dat je gebruikt. Met de opties op deze tabbladen kun je extra instellingen aanbrengen, zoals de te gebruiken papierlade, de kwaliteit van afbeeldingen, de PostScript-uitvoerindeling en dergelijke.

Liggend afdrukken

Voor veel printers (waaronder de meeste matrix-, laser- en inkjetprinters) bevat het tabblad Pagina van het dialoogvenster Pagina-instelling een vak Stand waarin je de stand van de afdruk kunt wijzigen van het gebruikelijke *staand* (waarbij de afdruk parallel loopt met de korte kant aan het papier) in *liggend* (waarbij de afdruk parallel loopt met de lange kant). Bij dit type printers kun je gewoonlijk de opties Verkleinen/vergroten en Aanpassen gebruiken (zie de volgende paragraaf) om de grootte van de afdruk te wijzigen, waarbij de afdruk met een bepaald percentage kan worden vergroot of verkleind of waarbij alle informatie op één pagina of het opgegeven aantal pagina's wordt afgedrukt.

Aangezien bij veel werkbladen de breedte groter is dan de lengte (zoals bij budgetten of verkooptabellen die twaalf maanden beslaan), zul je merken dat, als je printer het toestaat de afdrukstand te wijzigen, dergelijke werkbladen er veel beter uitzien wanneer je overschakelt van de normale staande stand (waarbij minder kolommen op een pagina passen omdat de afdruk parallel loopt met de korte zijde) naar de liggende stand.

In figuur 5.5 zie je het afdrukvoorbeeld met de eerste pagina van een rapport in de afdrukstand Liggend. Voor dit rapport kan Excel zes kolommen meer op de pagina weergeven in de stand Liggend dan in de stand Staand. Aangezien er in deze richting echter minder rijen op de

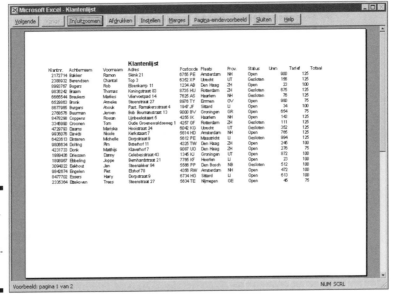

Figuur 5.5:
Afdrukvoor-
beeld van
een pagina
in de afdruk-
stand Lig-
gend

pagina passen, kan het totaal aantal pagina's soms toenemen in de
stand Liggend.

Alles afdrukken op één pagina

Als je printer de mogelijkheid biedt de afdruk groter of kleiner te maken, heb je geluk. Je kunt er in dit geval altijd voor zorgen dat een werkblad op één pagina past door te klikken op het keuzerondje Aanpassen
aan. Wanneer je deze optie selecteert, kijkt Excel hoezeer de informatie
die je wilt afdrukken moet worden verkleind om ervoor te zorgen dat
deze op één pagina past.

Als je deze pagina vooraf bekijkt en merkt dat de afdruk te klein is en
niet goed leesbaar is, open je het tabblad Pagina en het dialoogvenster
Pagina-instelling en verander je het aantal pagina's in de invoervakken x
bij x pagina's (rechts van het keuzerondje Aanpassen aan).

In plaats van bijvoorbeeld te proberen alles op één pagina te proppen,
kun je kijken hoe het werkblad eruitziet op twee pagina's naast elkaar.
Typ in dit geval 2 in het eerste invoervak en handhaaf de waarde 1 in
het tweede vak. Als je daarentegen wilt kijken hoe het werkblad eruitziet op twee pagina's boven elkaar, laat je de waarde 1 in het eerste vak
staan en typ je 2 in het tweede vak.

Nadat je de optie Aanpassen aan hebt gebruikt, ontdek je misschien dat
je de afdruk niet wilt vergroten of verkleinen. Je annuleert deze instelling door te klikken op het keuzerondje Verkleinen/vergroten tot, boven
de knop Aanpassen, en 100 te typen in het invoervak.

De marges aanpassen

Excel gebruikt voor elke pagina van het rapport standaard een boven- en ondermarge van 2,5 centimeter en een linker- en rechtermarge van 2 centimeter.

Vaak zul je merken dat je de laatste kolom of de laatste paar rijen van een werkblad nog net op de pagina kunt afdrukken door de marges aan te passen. Als je meer kolommen op een pagina wilt afdrukken, verklein je de linker- en rechtermarge. Wil je meer rijen afdrukken, verklein dan de boven- en ondermarge.

Je kunt de marges op twee manieren wijzigen:

✔ Open het dialoogvenster Pagina-instelling (door Bestand ➪ Pagina-instelling te kiezen of door te klikken op de knop Instellen in het afdrukvoorbeeld) en klik op de tab Marges (zie figuur 5.6). Typ de nieuwe waarden in de invoervakken Boven, Onder, Links en Rechts of selecteer de nieuwe instellingen met de ringvelden.

✔ Open het venster Afdrukvoorbeeld, klik op de knop Marges en sleep de margemarkeringen naar hun nieuwe positie (zie figuur 5.7).

Je kunt de opties onder Centreren op pagina op het tabblad Marges gebruiken om een gegevensselectie (als deze minder dan een volledige pagina inneemt) tussen de huidige marges te centreren. Selecteer de optie Horizontaal als je de gegevens wilt centreren tussen de linker- en rechtermarge. Selecteer Verticaal om de gegevens te centreren tussen de boven- en ondermarge.

Als je de knop Marges in het venster Afdrukvoorbeeld gebruikt om de marges te wijzigen, kun je zowel de kolombreedten als de marges wijzigen. Figuur 5.7 toont de marge- en kolommarkeringen die verschijnen wanneer je klikt op de knop Marges. Je wijzigt een van de marges door de muisaanwijzer op de gewenste markering te plaatsen (de aanwijzer verandert in een tweepuntige pijl) en de markering in de juiste richting

Figuur 5.6:
Het tabblad Marges van het dialoog-venster Pagina-instel-ling

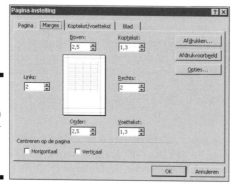

Markering voor bovenmarge   Kolommarkeringen

Markering voor koptekstmarge   Markering voor rechtermarge

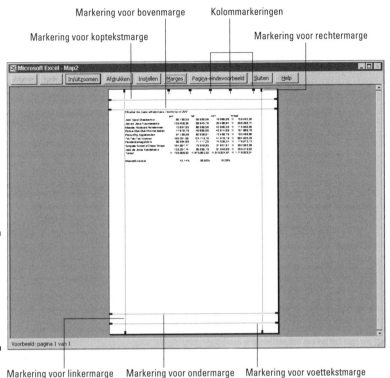

Figuur 5.7:
Het venster
Afdrukvoor-
beeld nadat
je op de
knop Mar-
ges hebt
geklikt

Markering voor linkermarge   Markering voor ondermarge   Markering voor voettekstmarge

te slepen. Wanneer je de muisknop loslaat, bouwt Excel de pagina opnieuw op met de nieuwe marge-instelling. Er kunnen kolommen of rijen
worden toegevoegd of verwijderd, afhankelijk van de uitgevoerde aanpassing. Hetzelfde geldt voor de kolombreedten: sleep de kolommar-
kering naar links of naar rechts om die kolom breder of smaller te maken.

Van kop tot voet

Kop- en voetteksten zijn standaardteksten die worden weergegeven op
elke pagina van een rapport. De koptekst wordt afgedrukt in de bovenmarge van de pagina, terwijl de voettekst wordt afgedrukt (je raadt het
al) in de ondermarge van de pagina. Beide worden verticaal in de marge
gecentreerd. Tenzij je anders aangeeft, voegt Excel niet automatisch
een kop- of voettekst toe aan een nieuwe werkmap.

Je kunt een kop- en voettekst in een rapport gebruiken om aan te geven
welk document is gebruikt om het rapport te maken en om paginanummers en de datum en tijd van afdrukken weer te geven.

Een standaardtekst

Als je een kop- en/of voettekst aan een werkmap wilt toevoegen, open je het tabblad Koptekst/voettekst van het dialoogvenster Pagina-instelling en stel je de informatie voor de kop- en voettekst in via de vervolgkeuzelijsten Koptekst en Voettekst (zie figuur 5.8). Beide vervolgkeuzelijsten bieden allerlei soorten informatie die je in de kop- en voettekst kunt weergeven, waaronder de naam van het werkblad (die wordt overgenomen van de werkbladtab – zie hoofdstuk 6 voor meer informatie over hoe je deze naam wijzigt), wie het werkblad heeft voorbereid (deze informatie wordt overgenomen uit het vak Gebruikersnaam op het tabblad Algemeen van het dialoogvenster Opties), het paginanummer, de huidige datum, de naam van het werkmapdocument en diverse combinaties van deze informatie.

Figuur 5.8:
Het tabblad
Koptekst/
voettekst
van het dia-
loogvenster
Pagina-in-
stelling met
een stan-
daardkop-
en voettekst

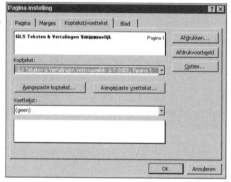

Op het tabblad Koptekst/voettekst in figuur 5.8 is de volgende instelling gekozen in de vervolgkeuzelijst Koptekst:

```
GLS Teksten & Vertalingen Vertrouwelijk; 6-7-2001; Pagina 1
```

GLS Teksten & Vertalingen is de bedrijfsnaam waarop Excel staat geregistreerd (deze naam is gelijk aan de naam van de geregistreerde gebruiker in het dialoogvenster Info van Excel), 6-7-2001 is de huidige datum (die Excel automatisch aanpast) en Pagina 1 is uiteraard het huidige paginanummer. In de vervolgkeuzelijst Voettekst zou je de volgende optie kunnen selecteren:

```
Pagina 1 van ?
```

Deze optie geeft het huidige paginanummer weer, samen met het totaal aantal pagina's in het rapport. Je kunt deze optie selecteren in de vervolgkeuzelijst Koptekst of Voettekst.

Figuur 5.9 toont de eerste pagina van het rapport in het afdrukvoorbeeld. Hier zie je de kop- en voettekst zoals deze worden afgedrukt (gelukkig kun je in dit venster controleren of de onderdelen van de koptekstinformatie niet over elkaar worden afgedrukt). Je ziet ook wat het resultaat is

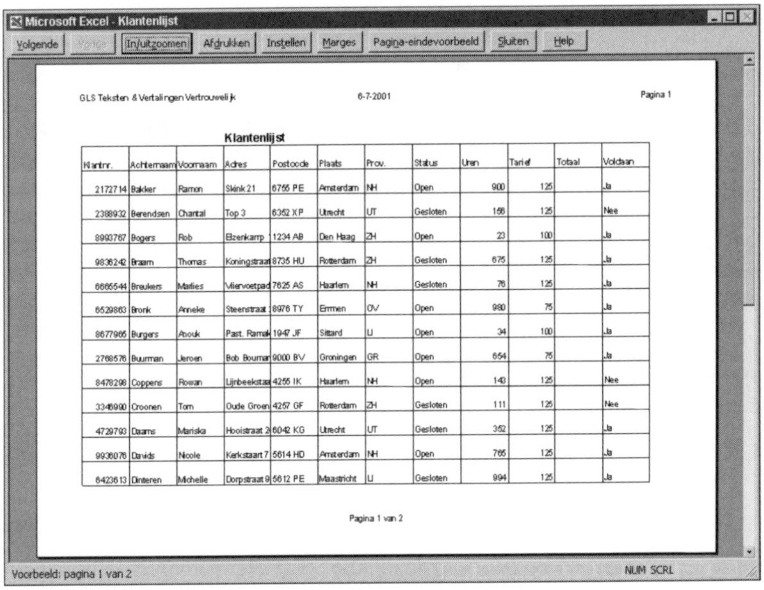

![Microsoft Excel - Klantenlijst afdrukvoorbeeld venster]

GLS Teksten & Vertalingen Vertrouwelijk   6-7-2001   Pagina 1

Klantenlijst

Klantnr.	Achternaam	Voornaam	Adres	Postcode	Plaats	Prov.	Status	Uren	Tarief	Totaal	Voldaan
2172714	Bakker	Ramon	Skink 21	6755 PE	Amsterdam	NH	Open	900	125		Ja
2368932	Berendsen	Chantal	Top 3	6352 XP	Utrecht	UT	Gesloten	166	125		Nee
8993767	Bogers	Rob	Bzenkamp	1234 AB	Den Haag	ZH	Open	23	100		Ja
9836242	Braam	Thomas	Koningstraat	8735 HU	Rotterdam	ZH	Gesloten	675	125		Ja
6665544	Breukers	Marlies	Vliervoetpad	7625 AS	Haarlem	NH	Gesloten	76	125		Ja
6529863	Bronk	Anneke	Steenstraat	8976 TY	Ermen	OV	Open	980	75		Ja
8677966	Burgers	Abouk	Past. Ramak	1947 JF	Sittard	LI	Open	34	100		Ja
2766576	Buurman	Jeroen	Bob Bouman	9000 BV	Groningen	GR	Open	654	75		Ja
8478298	Coppens	Rowan	Lijnbeekstraat	4255 IK	Haarlem	NH	Open	143	125		Nee
3346990	Croonen	Tom	Oude Groen	4257 GF	Rotterdam	ZH	Gesloten	111	125		Nee
4729793	Daams	Mariska	Hooistraat 2	6042 KG	Utrecht	UT	Gesloten	352	125		Ja
9936076	Davids	Nicole	Kerkstraat 7	5614 HD	Amsterdam	NH	Open	765	125		Ja
6423613	Dinteren	Michelle	Dorpstraat 9	5612 PE	Maastricht	LI	Gesloten	994	125		Ja

Pagina 1 van 2

Voorbeeld: pagina 1 van 2   NUM SCRL

Figuur 5.9:
De eerste
pagina in
het afdruk-
voorbeeld
met de kop-
en voettekst
zoals deze
worden af-
gedrukt

van de instelling Pagina 1 van ? in de voettekst: op de eerste pagina
wordt de voettekst Pagina 1 van 2 gecentreerd weergegeven, terwijl deze
tekst op de tweede pagina wordt weergegeven als Pagina 2 van 2.

Als je, nadat je een kop- of voettekst hebt geselecteerd, besluit dat je
deze niet meer wilt afdrukken in het rapport, open je het tabblad Kop-
tekst/voettekst van het dialoogvenster Pagina-instelling en selecteer je
de optie Geen boven in de vervolgkeuzelijsten.

Een aangepaste tekst

Meestal voldoen de standaardkopteksten en -voetteksten in de vervolgkeuzelijsten Koptekst en Voettekst aan de eisen van je rapport. Het is
echter mogelijk dat je informatie wilt invoegen die niet beschikbaar is
via deze vervolgkeuzelijsten of dat je een indeling wilt gebruiken die
niet wordt aangeboden.

In die gevallen klik je op de knop Aangepaste koptekst of Aangepaste
voettekst op het tabblad Koptekst/voettekst in het dialoogvenster Pagina-instelling en maak je je eigen kop- of voettekst door de gewenste informatie in te voeren.

Figuur 5.10 toont het dialoogvenster Koptekst dat verschijnt wanneer je
klikt op de knop Aangepaste koptekst nadat je de koptekst uit figuur 5.8
hebt geselecteerd.

De koptekst is in het dialoogvenster Koptekst verdeeld in drie delen:
Links, Midden en Rechts. Alle tekst die je invoert in het vak Links in dit
dialoogvenster wordt uitgelijnd langs de linkermarge van het rapport.

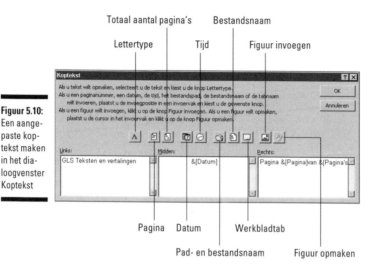

Totaal aantal pagina's   Bestandsnaam

Lettertype   Tijd   Figuur invoegen

Figuur 5.10:
Een aange-
paste kop-
tekst maken
in het dia-
loogvenster
Koptekst

Pagina   Datum   Werkbladtab

Pad- en bestandsnaam   Figuur opmaken

De tekst die je invoert in het vak Midden, wordt gecentreerd tussen de linker- en rechtermarge en alle tekst die je invoert in het vak Rechts, wordt uitgelijnd langs de rechtermarge van het rapport.

Je kunt met de Tab-toets van het ene naar het volgende deel van de koptekst gaan. Als je de inhoud van een deel wilt selecteren, druk je op Alt plus de onderstreepte letter in de naam van dit deel (Alt+L voor Links, Alt+M voor Midden en Alt+R voor Rechts). Als je de tekst in een van de delen wilt afbreken, druk je op Enter om een nieuwe regel te beginnen. Als je de inhoud van een deel wilt wissen, selecteer je deze en druk je op Del.

Zoals figuur 5.10 laat zien, plaatst Excel enkele vreemde codes met veel &-tekens (zoals &[Datum] en Pagina &[Pagina]) in het middelste en rechterdeel van deze koptekst. Wanneer je een aangepaste koptekst (of voettekst) maakt, kun je deze &-codes combineren met de standaardtekst. Als je dergelijke codes in een deel van de koptekst (of voettekst) wilt invoegen, klik je op de juiste knop:

✔ **Pagina:** deze knop voegt de code &[Pagina] toe die het huidige paginanummer invoegt.

✔ **Totaal aantal pagina's:** deze knop voegt de code &[Pagina's] toe die het totaal aantal pagina's invoegt. Zo kun je Excel de tekst 'Pagina 1 van 4' laten invoegen door het woord Pagina te typen, op de spatiebalk te drukken, te klikken op de knop Pagina, nogmaals op de spatiebalk te drukken, van te typen, een derde maal op de spatiebalk te drukken en tot slot te drukken op de knop Totaal aantal pagina's. De tekst Pagina &[Pagina] van &[Pagina's] verschijnt nu in de aangepaste koptekst (of voettekst).

✔ **Datum:** deze knop voegt de code &[Datum] toe die de huidige datum invoegt.

✔ **Tijd:** deze knop voegt de code &[Tijd] toe die de huidige tijd invoegt.

✔ **Bestandsnaam:** deze knop voegt de naam van het werkmapbestand in.

✔ **Werkbladtab:** deze knop voegt de code &[Tabblad] toe die de naam van het werkblad invoegt zoals deze wordt weergegeven op de werkbladtab.

✔ **Figuur invoegen:** deze knop voegt de code &[Figuur] toe. Hiermee voeg je een figuur in. Je selecteert dit figuur in het dialoogvenster Figuur invoegen (hierin krijg je de inhoud van de map Mijn afbeeldingen te zien).

✔ **Figuur opmaken:** klik op deze knop om het dialoogvenster Figuur opmaken te openen en diverse opmaakkenmerken voor de figuur te wijzigen.

Je kunt niet alleen &-codes in de aangepaste koptekst (of voettekst) invoegen, maar je kunt ook een ander lettertype, een andere tekengrootte of een lettertypekenmerk voor elk van de delen selecteren door te klikken op de knop Lettertype. Excel opent in dit geval het dialoogvenster Lettertype, waarin je de bovengenoemde opties of speciale effecten (zoals doorhalen, superscript of subscript) kunt selecteren.

Wanneer je klaar bent met de aangepaste koptekst (of voettekst), klik je op OK om het dialoogvenster Koptekst (of Voettekst) te sluiten en terug te keren naar het tabblad Koptekst/voettekst van het dialoogvenster Pagina-instelling (waarin je het resultaat van de aangebrachte instellingen ziet).

Instellingen voor werkbladen

Het tabblad Blad van het dialoogvenster Pagina-instelling (zie figuur 5.11) bevat allerlei afdrukopties die af en toe goed van pas komen:

✔ **Afdrukbereik:** dit invoervak toont het cellenbereik van het huidige afdrukbereik dat je hebt geselecteerd met de optie Bestand ➪ Afdrukbereik ➪ Afdrukbereik bepalen. Je gebruikt dit invoervak om wijzigingen aan te brengen in het cellenbereik dat je wilt afdrukken. Als je het afdrukbereik wilt wijzigen, selecteer je dit vak en sleep je de muisaanwijzer over het gewenste cellenbereik in het werkblad of typ je de celverwijzingen of bereiknamen (zie hoofdstuk 6). Wanneer je niet-aaneengesloten gebieden selecteert, scheid je cellenbereiken door een puntkomma (zoals A1:G72;K50:M75). Desgewenst kun je, terwijl je een cellenbereik selecteert, het dialoogvenster Pagina-instelling verkleinen tot het vak Afdrukbereik door te klikken op de knop rechts naast dit vak.

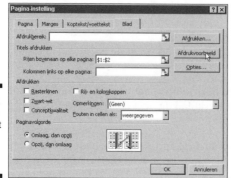

Figuur 5.11:
De afdrukti-
tels voor het
voorbeeld-
rapport in-
stellen

Gebruik de optie Afdrukbereik wanneer je een deel van de werkmap regelmatig moet afdrukken, zodat je dit bereik niet telkens
hoeft te selecteren en vervolgens het keuzerondje Selectie in het
dialoogvenster Afdrukken moet selecteren.

✔ **Titels afdrukken:** gebruik dit gedeelte van het tabblad om rijen
en kolommen in te stellen.

• **Rijen bovenaan op elke pagina:** gebruik deze optie om de
rijen in een werkblad die je boven aan elke pagina van het
rapport wilt afdrukken te selecteren (zie de volgende paragraaf). Selecteer dit invoervak en sleep met de muis over de
rijen of typ de rijverwijzing (zoals 2:3). Desgewenst kun je,
terwijl je de rijen selecteert, het dialoogvenster Pagina-instelling verkleinen tot het vak Rijen bovenaan op elke pagina
door te klikken op de knop rechts naast dit vak.

• **Kolommen links op elke pagina:** gebruik deze optie om de
kolommen in een werkblad die je links op elke pagina van het
rapport wilt afdrukken te selecteren (zie de volgende paragraaf). Selecteer dit invoervak en sleep de muisaanwijzer
over de kolommen of typ de kolomverwijzing (zoals A:B).
Desgewenst kun je, terwijl je de kolommen selecteert, het dialoogvenster Pagina-instelling verkleinen tot het vak Kolommen links op elke pagina door te klikken op de knop rechts
naast dit vak.

✔ **Afdrukken:** plaats vinkjes in de desbetreffende selectievakjes om
opmaakopties te selecteren, opmerkingen toe te voegen en de
weergave van fouten in cellen in te stellen.

• **Rasterlijnen:** dit selectievakje toont of verbergt de rasterlijnen in het afgedrukte rapport. In figuur 5.5 zie je een afdrukvoorbeeld van een rapport nadat het vinkje uit het vakje Rasterlijnen is verwijderd.

- **Zwart-wit:** wanneer je dit selectievakje inschakelt, drukt Excel de verschillende kleuren van cellenbereiken af in zwart-wit. Selecteer deze optie wanneer je kleuren gebruikt voor tekst en afbeeldingen op een kleurenmonitor, maar het werkblad wilt afdrukken in monochroom op een zwartwitprinter. (Als je deze optie niet selecteert, worden de kleuren grijstinten op een zwartwitprinter.)

- **Conceptkwaliteit:** wanneer je dit selectievakje inschakelt, drukt Excel geen rasterlijnen af (ongeacht de instelling van de optie Rasterlijnen) en worden bepaalde afbeeldingen uit de afdruk weggelaten. Selecteer deze optie wanneer je snel een kladafdruk van het rapport wilt maken om alleen de tekst en getallen te controleren.

- **Rij- en kolomkoppen:** wanneer je dit selectievakje inschakelt, drukt Excel de kolomletters en rijnummers af op elke pagina van het rapport. Selecteer deze optie wanneer je de positie van de gedrukte informatie wilt kunnen opsporen (zie de paragraaf 'Formules afdrukken', verderop in dit hoofdstuk).

- **Opmerkingen:** wanneer je Einde blad of Zoals weergegeven op het blad selecteert in de vervolgkeuzelijst, drukt Excel de tekst af van opmerkingen die aan cellen in het werkblad zijn toegevoegd. Selecteer je Einde blad, dan drukt het programma alle opmerkingen af aan het einde van het rapport. Als je Zoals weergegeven op het blad selecteert, worden alleen de opmerkingen afgedrukt die momenteel in het werkblad worden weergegeven (zie hoofdstuk 6 voor meer informatie).

- **Fouten in cellen als:** wanneer je de opties <leeg>, - of #N/B selecteert in de vervolgkeuzelijst bij Fouten in cellen als, drukt Excel de foutwaarden niet meer af (in hoofdstuk 2 vind je informatie over foutwaarden en het ontstaan ervan). In plaats hiervan vervangt Excel alle foutwaarden door lege cellen (als je de optie <leeg> kiest), door twee streepjes (de optie -) of door #N/B-symbolen (als je de optie #N/B selecteert).

✔ **Paginavolgorde:** selecteer een van de selectierondjes om de afdrukvolgorde te bepalen.

- **Omlaag, dan opzij:** gewoonlijk selecteert Excel dit keuzerondje, dat het programma de opdracht geeft een rapport met meerdere pagina's eerst van boven naar beneden en vervolgens van links naar rechts te nummeren en te pagineren.

- **Opzij, dan omlaag:** selecteer dit keuzerondje als je de nummering en paginering van een rapport wilt wijzigen. Wanneer deze optie is geselecteerd, worden de pagina's eerst van links naar rechts en vervolgens van boven naar beneden genummerd en gepagineerd.

Titels afdrukken

Via het vak Titels afdrukken op het tabblad Blad van het dialoogvenster Pagina-instelling kun je bepaalde rij- en kolomkoppen afdrukken op elke pagina in het rapport. Excel noemt de koppen in dit geval *afdruktitels*. Je mag deze titels niet verwarren met de koptekst van een rapport. Hoewel beide op alle pagina's worden afgedrukt, wordt de koptekst afgedrukt in de bovenmarge van het rapport, terwijl afdruktitels altijd worden afgedrukt in het hoofdgedeelte van het rapport (boven, in het geval van rijen, en links, in het geval van kolommen).

Voer de volgende stappen uit als je afdruktitels voor een rapport wilt instellen:

1. Open het dialoogvenster Pagina-instelling door Bestand ⇨ Pagina-instelling te selecteren.

   Het dialoogvenster Pagina-instelling uit figuur 5.11 verschijnt.

2. Klik op de tab Blad.

   Als je werkbladrijen wilt instellen als afdruktitels, ga je verder met stap 3a. Wil je werkbladkolommen instellen als titels, ga dan verder met stap 3b.

3a. Klik in het invoervak Rijen bovenaan op elke pagina en sleep de muisaanwijzer over de rijen met de informatie die je boven aan elke pagina wilt afdrukken. Desgewenst kun je, terwijl je de rijen selecteert, het dialoogvenster Pagina-instelling verkleinen tot het vak Rijen bovenaan op elke pagina door te klikken op de knop rechts naast dit vak.

   In het voorbeeld van figuur 5.11 is geklikt op de knop naast het vak Rijen bovenaan op elke pagina en gesleept over de rijen 1 en 2 in kolom A van het werkblad. Het programma voert het rijbereik $1:$2 in het vak in.

   Excel geeft de titelrijen in het werkblad aan met een gestippeld kader op de rand tussen de titels en de informatie in het rapport.

3b. Klik in het invoervak Kolommen links op elke pagina en sleep met de muis over de kolommen met de informatie die je links op elke pagina wilt afdrukken. Desgewenst kun je, terwijl je de kolommen selecteert, het dialoogvenster Pagina-instelling verkleinen tot het vak Kolommen links op elke pagina door te klikken op de knop rechts van dit vak.

   Excel geeft de titelkolommen in het werkblad aan met een gestippeld kader op de rand tussen de titels en de informatie in het rapport.

4. Klik op OK of druk op Enter.

Nadat je het dialoogvenster Pagina-instelling hebt gesloten, verdwijnt de stippellijn die de rij- en/of kolomtitels aangeeft uit het werkblad.

In figuur 5.11 zijn de rijen 1 (met de werkbladtitel) en 2 (met de kolomkoppen) voor de database Klantenlijst ingesteld als afdruktitels voor het rapport. In figuur 5.12 zie je de tweede pagina van het rapport in het venster Afdrukvoorbeeld. Deze figuur toont aan dat de afdruktitels worden afgedrukt op elke pagina in het rapport.

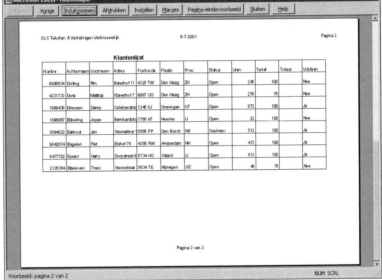

Figuur 5.12:
De tweede pagina van het voorbeeldrapport in het afdrukvoorbeeld, waarin de afdruktitels uit figuur 5.11 worden gebruikt

Als je afdruktitels uit een rapport wilt verwijderen, open je het tabblad Blad van het dialoogvenster Pagina-instelling en verwijder je de rij- en kolombereiken uit de twee vakken onder Titels afdrukken, waarna je op OK klikt of op Enter drukt.

Pagina-einden instellen

Wanneer je het afdrukvoorbeeld van een rapport bekijkt, gebeurt het soms dat Excel informatie die op dezelfde pagina moet worden afgedrukt, over meerdere pagina's verdeelt.

Figuur 5.13 toont een werkblad in de weergave Pagina-eindevoorbeeld met een voorbeeld van een slecht verticaal pagina-einde dat je kunt oplossen door de positie van het pagina-einde tussen pagina 2 en 3 aan te passen. Excel plaatst het pagina-einde op basis van het paginaformaat, de afdrukstand en de marge-instellingen voor het rapport tussen de kolommen K en L. Hierdoor worden de verkoopcijfers voor augustus en september en het totaal voor het 3e kwartaal gescheiden van de cijfers voor juli in kolom J. Deze gegevens worden dus op de volgende pagina afgedrukt (niet te zien in figuur 5.13).

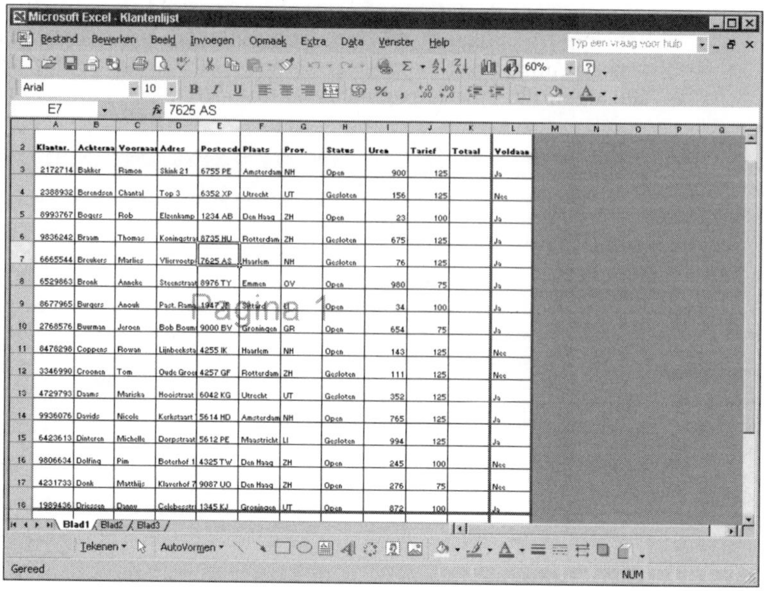

Figuur 5.13:
Voorbeeld van pagina-einden van een rapport in de weergave Pagina-einde-voorbeeld

Om te voorkomen dat de gegevens in kolom Voldaan op een aparte pagina worden afgedrukt, moet je het pagina-einde één kolom naar links verplaatsen. Plaats het pagina-einde tussen de kolommen G (provincie) en H (status), zodat de naam en de adresgegevens op pagina 1 en pagina 2 komen te staan, terwijl de andere klantgegevens op pagina 3 en pagina 4 terechtkomen. In figuur 5.13 wordt getoond hoe je het verticale pagina-einde creëert in de weergave Pagina-eindevoorbeeld door de volgende stappen uit te voeren:

1. Kies Beeld ➪ Pagina-eindevoorbeeld.

   Hiermee schakel je over naar de weergave Pagina-eindevoorbeeld waarin de werkbladgegevens verkleind worden weergegeven (60 procent van de normale weergave), de paginanummers worden aangegeven in grote lichte tekst en de pagina-einden worden weergegeven als dikke stippellijnen tussen de kolommen en rijen van het werkblad.

2. Klik op OK of druk op Enter om het waarschuwingsvenster te sluiten, dat verschijnt wanneer je voor het eerst de weergave Pagina-eindevoorbeeld opent.

3. Plaats de muisaanwijzer ergens op de aanduiding van het pagina-einde (een van de dikke lijnen die de pagina's aangeven) dat je

wilt aanpassen. Wanneer de aanwijzer verandert in een tweepuntige pijl, sleep je de pagina-aanduiding naar de gewenste kolom of
rij en laat je de muisknop los.

In het voorbeeld van figuur 5.13 sleep je de pagina-aanduiding
tussen pagina 2 en pagina 3 naar links, zodat deze zich tussen de
kolommen G en H bevindt. Excel voegt automatisch een nieuw pagina-einde in (zodat er een vierde pagina aan het rapport wordt
toegevoegd). In figuur 5.14 zie je pagina 1 van dit rapport in de
weergave Afdrukvoorbeeld.

4. Nadat je de pagina-einden naar wens hebt aangepast (en het rapport waarschijnlijk hebt afgedrukt), kies je Beeld ⇨ Normaal om
   de normale weergave van het werkblad te herstellen.

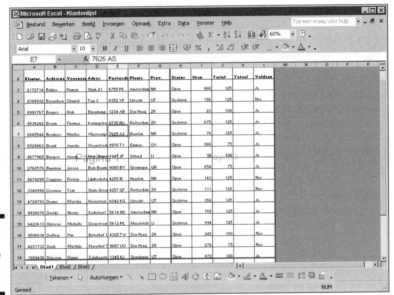

Figuur 5.14:
Het werk-
blad met de
juiste pagi-
na-indeling

Formules afdrukken

Een laatste basistechniek voor afdrukken die je af en toe nodig zult hebben, is formules in een werkblad afdrukken in plaats van de berekende
waarden van die formules. In een afdruk met formules kun je controleren of je geen fouten hebt gemaakt (zoals een formule vervangen door
een getal of de verkeerde celverwijzingen in een formule gebruiken)
voordat je het werkblad in je bedrijf verspreidt.

Voordat je de formules in een werkblad kunt afdrukken, moet je de formules, in plaats van het resultaat ervan, weergeven in de cellen.

1. Kies Extra ➪ Opties.

2. Selecteer het tabblad Weergave.

3. Klik op het selectievakje Formules in het vak Vensteropties, zodat deze optie een vinkje krijgt.

4. Klik op OK of druk op Enter.

Wanneer je deze stappen uitvoert, geeft Excel de inhoud van elke cel weer in het werkblad zoals deze gewoonlijk alleen wordt weergegeven op de formulebalk of wanneer je de cel bewerkt. Waarden verliezen hun getalnotatie, formules worden weergegeven in cellen (Excel maakt de kolommen een stuk breder, zodat de formules in hun geheel worden weergegeven) en lange tekst loopt niet meer door in aangrenzende cellen.

Je kunt schakelen tussen de normale weergave en de formuleweergave door te drukken op Ctrl+`. Dat wil zeggen dat je moet drukken op Ctrl en de toets met het aanhalingsteken sluiten en de tilde; deze toets bevindt zich gewoonlijk in de linkerbovenhoek van het toetsenbord.

Nadat Excel de formules in het werkblad heeft weergegeven, kun je dit afdrukken zoals je elk ander rapport zou afdrukken. Je kunt de kolomletters en rijnummers toevoegen aan de afdruk, zodat je, *als* je een fout vindt, direct de celverwijzing kunt controleren. Als je de rij- en kolomkoppen wilt afdrukken, klik je op het selectievakje Rij- en kolomkoppen op het tabblad Blad van het dialoogvenster Pagina-instelling voordat je het rapport naar de printer stuurt.

Nadat je het werkblad met de formules hebt afgedrukt, herstel je de normale weergave van het werkblad door opnieuw het dialoogvenster Opties te openen, het tabblad Weergave te selecteren, het selectievakje Formules uit te schakelen en te klikken op OK of te drukken op Enter. In plaats van dit alles kun je ook op Ctrl+` drukken.

Deel III
Orde op zaken stellen en dit zo houden

The 5th Wave — By Rich Tennant

'Toffe grafiek, Frank, maar niet echt noodzakelijk.'

In dit deel...

In de huidige zakenwereld weet iedereen hoe belangrijk het is de zaken op orde te houden, maar ook hoe moeilijk dat is. Onnodig te zeggen dat het niet minder belangrijk is en, in sommige gevallen, niet minder inspanning kost om de spreadsheets die je maakt met Excel 2002 ordelijk te houden.

Deel III helpt je hiermee door je te leren hoe je alle onderdelen van elk werkblad dat je maakt of bewerkt onder controle houdt. Niet alleen wordt in hoofdstuk 6 uitgelegd hoe je de informatie in één werkblad bijhoudt, maar in hoofdstuk 7 wordt ook behandeld hoe je informatie kunt verplaatsen van het ene naar het andere werkblad en zelfs van de ene naar de andere werkmap.

Hoofdstuk 6
Een werkblad samenstellen

*J*e weet al dat elk Excel-werkblad enorm veel ruimte biedt voor de opslag van informatie en dat elke werkmap die je opent, drie werkbladen bevat. Aangezien je op de computermonitor slechts een heel klein stukje van de werkbalken van een werkmap kunt zien, is het niet gemakkelijk alle informatie onder controle te houden.

Hoewel Excel-werkbladen een samenhangend systeem met celcoördinaten gebruiken waarmee je overal in een groot werkblad naartoe kunt gaan, moet je toegeven dat dit systeem van A1, B2 enzovoort, hoewel zeer logisch, vrij ver weg staat van het menselijk denken. (Als je zegt 'Ga naar cel IV88' heeft dit immers veel minder zeggingskracht dan wanneer je zegt 'Ga naar de hoek van de Steenstraat en de Lijnbeekstraat'.) Het is moeilijk een betekenisvol verband te leggen tussen het inflatieschema voor 1998 en de locatie ervan in het cellenbereik AC50:AN75, zodat je kunt onthouden waar je dit vindt.

In dit hoofdstuk leer je enkele effectieve technieken om de informatie onder controle te houden. Je leert hoe je het perspectief van een werkblad wijzigt door in en uit te zoomen op de informatie, hoe je het documentvenster splitst in meerdere deelvensters, zodat je verschillende delen van het werkblad tegelijk kunt bekijken, en hoe je ervoor zorgt dat bepaalde rijen en kolommen altijd zichtbaar zijn.

En alsof dat alles nog niet genoeg is, wordt ook uitgelegd hoe je opmerkingen toevoegt aan cellen, hoe je cellenbereiken een beschrijvende Nederlandse naam geeft (zoals Steenstraat_en_Lijnbeekstraat) en hoe je de optie zoeken en vervangen gebruikt om gegevens in het werkblad te zoeken en zo nodig te vervangen. Tot slot wordt uitgelegd hoe je bepaalt wanneer Excel het werkblad opnieuw berekent en hoe je het maken van wijzigingen beperkt tot bepaalde cellen.

In- en uitzoomen

Wat ga je doen, nu je van je baas geen 21-inch beeldscherm mag kopen? Het lijkt alsof je de hele dag je ogen moet dichtknijpen om alle informatie in die kleine cellen te kunnen zien en alsof je als een gek heen en weer bladert op zoek naar een tabel die je niet kunt vinden. Wees gerust, de zoomfunctie staat tot je beschikking. Je kunt de zoomfunctie gebruiken als een vergrootglas om een deel van het werkblad groter of juist kleiner weer te geven.

In figuur 6.1 zie je een vergroting van het werkblad nadat de weergave is verhoogd tot 200 procent (tweemaal de normale grootte). Als je een werkblad zozeer wilt vergroten, klik je op de optie 200% boven in de vervolgkeuzelijst van de knop In- en uitzoomen op de werkbalk Standaard. Je kunt dit ook doen door Beeld ➪ In- en uitzoomen te kiezen en het keuzerondje 200% te selecteren in het dialoogvenster In- en uitzoomen. Eén ding is zeker: je hoeft niet meer op zoek te gaan naar je bril om de waarden in de cellen te kunnen lezen! Het enige probleem met een vergrotingspercentage van 200% is dat je slechts enkele cellen tegelijk ziet.

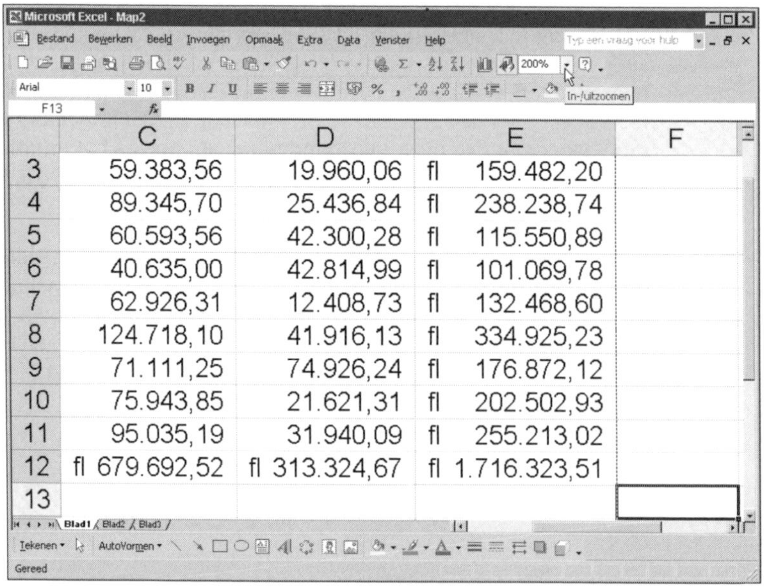

Figuur 6.1: Inzoomen: een voorbeeldwerkblad met een zoompercentage van 200 procent

Figuur 6.2 toont hetzelfde werkblad met een vergrotingspercentage van 25 procent (een kwart van de normale grootte). Als je de weergave zodanig wilt verkleinen, klik je op de optie 25% in de vervolg-keuzelijst van de knop In- en uitzoomen op de werkbalk Standaard (of open je het dialoogvenster In- en uitzoomen en selecteer je het keuzerondje 25%).

Bij een weergave van 25% is het enige wat je zeker weet, dat je helemaal niets kunt lezen! In deze weergave in vogelvlucht kun je echter in één oogopslag zien tot hoever de gegevens zich op het werkblad uitstrekken.

De vervolgkeuzelijst van de knop In- en uitzoomen en het gelijknamige dialoogvenster bieden vijf exacte vergrotingspercentages (200%, het normale vergrotingspercentage 100%, 75%, 50% en 25%). Als je andere percentages wilt gebruiken, heb je de volgende mogelijkheden:

- ✔ Als je een ander exact percentage wilt gebruiken tussen de vijf voorgedefinieerde percentages (zoals 150% of 85%) of een percentage dat groter of kleiner is (zoals 400% of 10%), selecteer je het invoervak van de knop In- en uitzoomen op de werkbalk Standaard, typ je het nieuwe percentage en druk je op Enter. Je kunt dit ook doen door het dialoogvenster In- en uitzoomen te openen en het percentage in te voeren in het vak Aangepast.

- ✔ Als je niet weet welk percentage je moet invoeren om een bepaald cellenbereik op het scherm weer te geven, selecteer je dit bereik, kies je Aanpassen aan selectie onder in de lijst van de knop In- en uitzoomen of open je het dialoogvenster In- en uitzoomen en selecteer je het keuzerondje Aan selectie aanpassen, en klik je op OK. Excel berekent het percentage dat nodig is om het scherm te vullen met het geselecteerde cellenbereik.

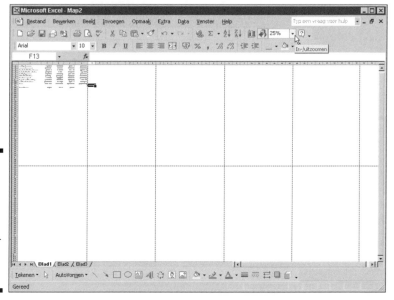

Figuur 6.2:
Uitzoomen: hetzelfde voorbeeld-werkblad met een vergrotings-percentage van 25 procent

Je kunt de zoomfunctie gebruiken om een nieuw cellenbereik in het werkblad te zoeken en ernaar toe te gaan. Selecteer eerst een klein zoompercentage, zoals 50%. Zoek het cellenbereik waar je naartoe wilt gaan en selecteer een van de cellen in dit bereik. Gebruik vervolgens opnieuw de zoomfunctie om de schermweergave weer in te stellen op 100%. Wanneer Excel de normale weergave herstelt, worden de geselecteerde cel en de omringende cellen op het scherm weergegeven.

Het werkbladvenster splitsen

Hoewel je de weg terug kunt vinden door in en uit te zoomen in het werkblad, kun je op deze manier niet twee verschillende delen van het werkblad weergeven om zo de gegevens in deze gedeelten op het scherm met elkaar te vergelijken (tenminste, niet bij een normale weergave waarin de gegevens leesbaar zijn). Als dit is wat je wilt, dan splits je het documentvenster in verschillende deelvensters en blader in beide deelvensters naar het gewenste deel van het werkblad.

Je kunt het venster gemakkelijk splitsen. Figuur 6.3 toont een overzicht van de geschatte inkomsten voor de Jack Sprat Dieetcentra nadat het werkbladvenster horizontaal is gesplitst in twee deelvensters en de rijen 12 tot en met 17 in het tweede deelvenster omhoog zijn geschoven. Elk deelvenster heeft zijn eigen verticale schuifbalk, zodat je naar verschillende delen van het werkbladvenster kunt bladeren.

Als je een werkblad wilt splitsen in twee horizontale deelvensters (boven elkaar), versleep je de *splitsbalk*, die zich bevindt boven de schuif-

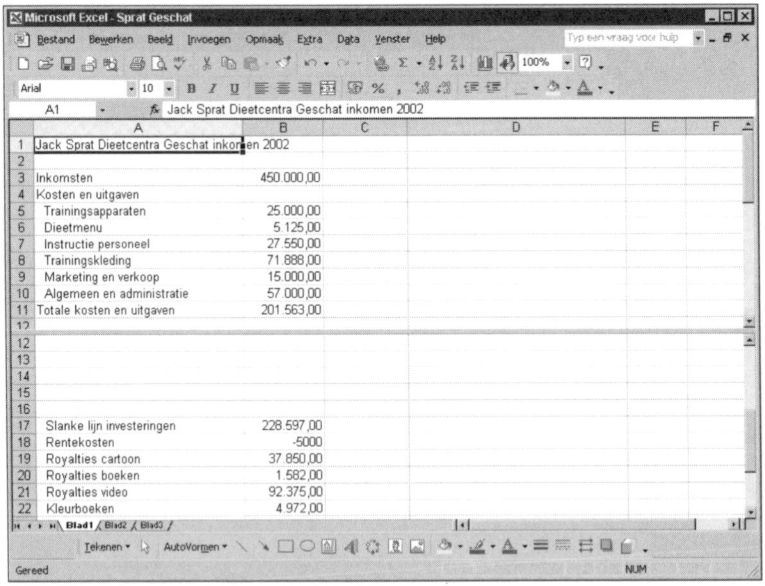

Figuur 6.3:
Het werkblad in een gesplitst documentvenster nadat de gegevens in het onderste deelvenster omhoog zijn geschoven

pijl boven de verticale schuifbalk, omlaag tot het venster op de gewenste manier is gesplitst. Voer hiervoor de volgende stappen uit:

1. Klik op de verticale splitsbalk en houd de primaire muisknop ingedrukt.

   De muisaanwijzer verandert in een tweepuntige pijl met een splitsing in het midden.

2. Sleep de muisaanwijzer omlaag totdat je de rij bereikt waar je het documentvenster wilt splitsen.

   Terwijl je de muisaanwijzer sleept, verschijnt er een grijze scheidingslijn in het werkmapvenster, die aangeeft waar het documentvenster wordt gesplitst.

3. Laat de muisknop weer los.

   Excel splitst het venster in horizontale deelvensters op de plaats van de aanwijzer en voegt een verticale schuifbalk toe aan het nieuwe deelvenster.

Je kunt het documentvenster ook splitsen in twee verticale deelvensters (naast elkaar) door de volgende stappen uit te voeren:

1. Klik op de splitsbalk uiterst rechts op de horizontale schuifbalk.

2. Sleep de splitsbalk naar links tot je de kolom bereikt waar je het documentvenster wilt splitsen.

3. Laat de muisknop los.

Je mag de splitsbalk voor de tabs, links van de horizontale schuifbalk, niet verwarren met de horizontale splitsbalk, rechts van de horizontale schuifbalk. Je versleept de linkersplitsbalk als je meer of minder werkbladtabs onder in het werkmapvenster wilt weergeven. Je gebruikt de horizontale splitsbalk om het werkmapvenster te splitsen in twee verticale deelvensters.

Je kunt de deelvensters in een werkmapvenster verwijderen door te dubbelklikken op de splitsbalk die het venster opsplitst, maar je kunt de splitsbalk ook helemaal naar een van de randen van het venster slepen.

In plaats van de splitsbalken te verslepen, kun je een documentvenster ook splitsen met de optie Venster ⇨ Splitsen. Wanneer je deze optie kiest, gebruikt Excel de positie van de celaanwijzer om te bepalen waar het venster moet worden gesplitst in deelvensters. Het programma splitst het venster verticaal langs de linkerrand van de celaanwijzer en horizontaal langs de bovenrand. Als je het werkmapvenster wilt splitsen in twee horizontale deelvensters, doe je het volgende: terwijl je de bovenrand van de celaanwijzer gebruikt als scheidslijn, plaats je de celaanwijzer in de eerste kolom van de gewenste rij. Als je het werkmap-venster wilt splitsen in twee verticale deelvensters, gebruik je de linker-rand van de celaanwijzer als scheidslijn en plaats je de celaanwijzer in de eerste rij van de gewenste kolom.

Als je de celaanwijzer ergens in het midden van de cellen op het scherm plaatst en Venster ➪ Splitsen kiest, splitst Excel het venster langs de boven- en linkerrand van de celaanwijzer in vier deelvensters. Als je de celaanwijzer bijvoorbeeld plaatst in cel C6 van het verkoopwerkblad van Moeder de Gans Enterprises en vervolgens Venster ➪ Splitsen kiest, wordt het venster gesplitst in vier deelvensters: er wordt een ho-rizontale splitsing aangebracht tussen de rijen 5 en 6, terwijl een verti-cale splitsing verschijnt tussen de kolommen B en C (zie figuur 6.4).

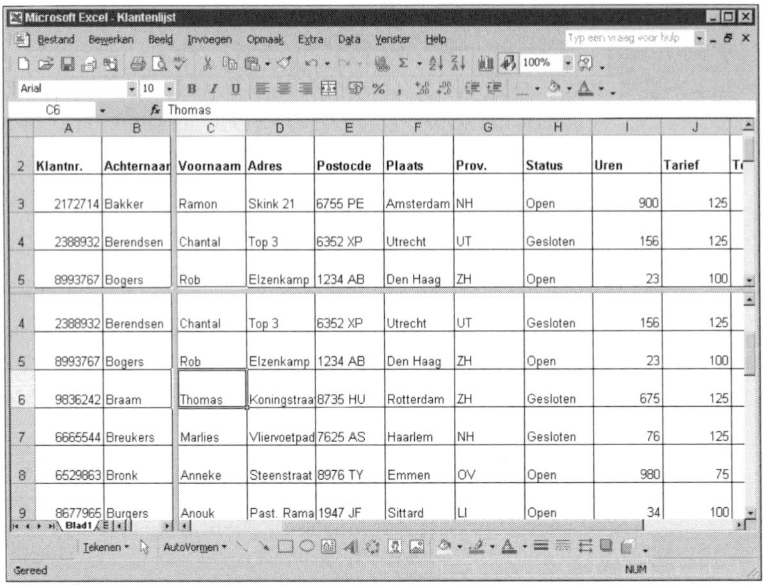

Figuur 6.4:
Het werk-bladvenster is gesplitst in vier deel-vensters, terwijl de celaanwij-zer zich in cel C6 be-vindt

	A	B	C	D	E	F	G	H	I	J	T
2	Klantnr.	Achternaam	Voornaam	Adres	Postcode	Plaats	Prov.	Status	Uren	Tarief	Tr
3	2172714	Bakker	Ramon	Skink 21	6755 PE	Amsterdam	NH	Open	900	125	
4	2388932	Berendsen	Chantal	Top 3	6352 XP	Utrecht	UT	Gesloten	156	125	
5	8993767	Bogers	Rob	Elzenkamp	1234 AB	Den Haag	ZH	Open	23	100	
4	2388932	Berendsen	Chantal	Top 3	6352 XP	Utrecht	UT	Gesloten	156	125	
5	8993767	Bogers	Rob	Elzenkamp	1234 AB	Den Haag	ZH	Open	23	100	
6	9836242	Braam	Thomas	Koningstraa	8735 HU	Rotterdam	ZH	Gesloten	675	125	
7	6665544	Breukers	Marlies	Vliervoetpad	7625 AS	Haarlem	NH	Gesloten	76	125	
8	6529863	Bronk	Anneke	Steenstraat	8976 TY	Emmen	OV	Open	980	75	
9	8677965	Burgers	Anouk	Past. Rama	1947 JF	Sittard	LI	Open	34	100	

Excel verdeelt het huidig weergegeven gedeelte van het werkblad in vier gelijke deelvensters wanneer de celaanwijzer in cel A1 staat op het moment dat je Venster ➪ Splitsen kiest.

Nadat het venster in deelvensters is gesplitst, kun je de celaanwijzer in een bepaald deelvenster plaatsen door te klikken in een van de cellen ervan of door te drukken op Shift+F6 (waarmee de aanwijzer wordt ver-plaatst naar de laatste cel met inhoud of naar de cel linksboven in elk deelvenster, tegen de richting van de klok in). Als je de deelvensters wilt verwijderen, kies je Venster ➪ Splitsing ongedaan maken.

Titels blokkeren

Deelvensters zijn uitstekend geschikt om verschillende delen van een werkblad te bekijken die gewoonlijk niet gelijktijdig bekeken kunnen worden. Je kunt deelvensters ook gebruiken om de koppen in de bovenste rijen en eerste kolommen te blokkeren, zodat deze altijd zichtbaar blijven, ongeacht hoe je door het werkblad bladert. Geblokkeerde koppen zijn met name handig wanneer je werkt met een tabel met informatie die zich uitstrekt over meer kolommen en rijen dan er tegelijk op het scherm passen.

Figuur 6.5 toont zo'n tabel. Het werkblad met klanten bevat meer rijen dan je tegelijk kunt zien (tenzij je het vergrotingspercentage verkleint tot 25%, waardoor de gegevens zo klein worden dat ze niet meer leesbaar zijn). Dit werkblad loopt in werkelijkheid door tot rij 34.

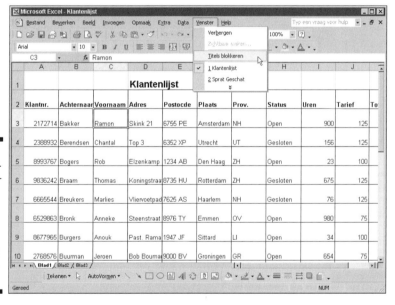

Figuur 6.5:
Geblokkeerde titels zorgen ervoor dat de kolomkoppen en de achternamen altijd op het scherm blijven staan

Door het documentvenster tussen de rijen 2 en 3 te splitsen in twee horizontale deelvensters en het bovenste deelvenster te blokkeren, zorg je ervoor dat de kolomkoppen in rij 2 blijven staan, zodat je altijd weet welke informatie elke kolom bevat terwijl je omlaag bladert om de gegevens van verschillende klanten of werknemers te bekijken. Als je het venster vervolgens tussen kolom B en C splitst in verticale deelvensters, blijven de klantnummers en achternamen op het scherm staan terwijl je het werkblad naar links of naar rechts schuift.

Figuur 6.5 toont de lijst met namen nadat het venster is gesplitst in vier deelvensters en deze zijn geblokkeerd. Voer de volgende stappen uit om de deelvensters te maken en te blokkeren:

1. Plaats de celaanwijzer in cel C3.

2. Kies Venster ⇨ Titels blokkeren.

   In dit voorbeeld worden de twee rijen boven rij 3 en de twee kolommen links van kolom C geblokkeerd.

Wanneer Excel titels blokkeert, worden de randen van de deelvensters weergegeven door één lijn in plaats van door een dunne balk, zoals bij niet-geblokkeerde deelvensters.

Figuur 6.6 laat zien wat er gebeurt wanneer je het werkblad omhoog schuift nadat je de titels hebt geblokkeerd. In deze figuur is het werkblad omhoog geschoven, zodat de rijen 20 tot en met 37 worden weergegeven onder de rijen 1 en 2. Aangezien het verticale deelvenster met de werkbladtitel en de kolomkoppen is geblokkeerd, blijft dit op het scherm staan. (Gewoonlijk zouden de rijen 1 en 2 als eerste verdwijnen wanneer je het werkblad omhoog schuift.)

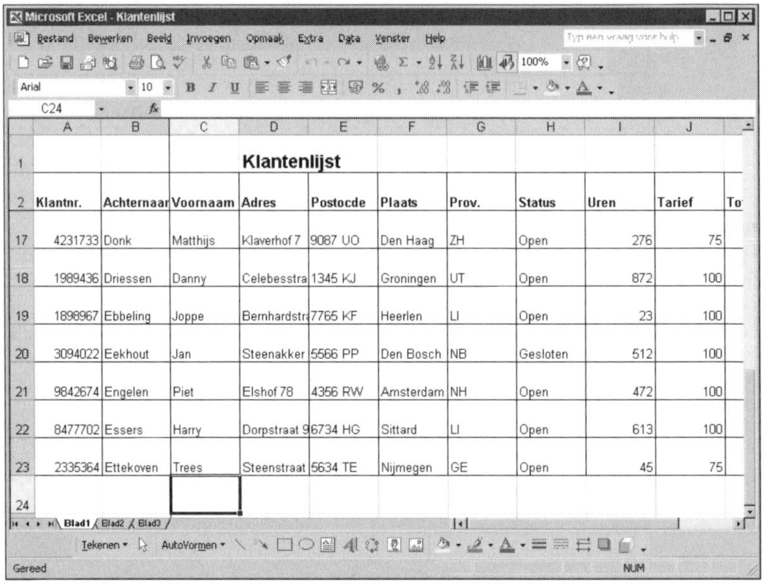

Figuur 6.6:
De klantenlijst is omhoog geschoven, zodat de laatste rijen in de database zichtbaar zijn

Figuur 6.7 laat zien wat er gebeurt wanneer je het werkblad naar links verschuift. In deze figuur is het werkblad zodanig verschoven, dat de gegevens in de kolommen E tot en met L worden weergegeven na de gegevens in de kolommen A en B. Aangezien de eerste twee kolommen zijn geblokkeerd, blijven deze op het scherm staan, zodat je kunt blijven zien bij wie de informatie hoort.

Als je de blokkering van deelvensters met titels in een werkblad wilt opheffen, kies je Venster ⇨ Titelblokkering opheffen. De deelvensters verdwijnen om aan te geven dat de blokkering is opgeheven.

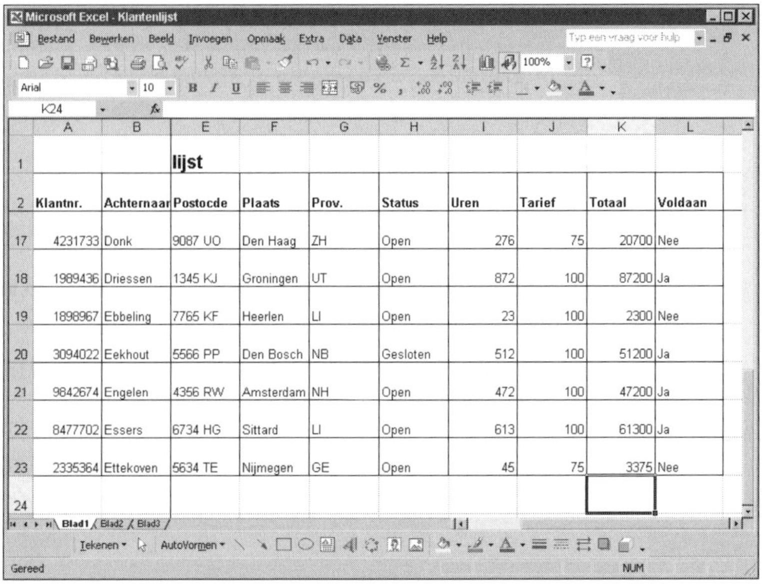

Microsoft Excel - Klantenlijst
Bestand Bewerken Beeld Invoegen Opmaak Extra Data Venster Help
K24
lijst
Klantnr. Achternaar Postocde Plaats Prov. Status Uren Tarief Totaal Voldaan
4231733 Donk 9087 UO Den Haag ZH Open 276 75 20700 Nee
1989436 Driessen 1345 KJ Groningen UT Open 872 100 87200 Ja
1898967 Ebbeling 7765 KF Heerlen LI Open 23 100 2300 Nee
3094022 Eekhout 5566 PP Den Bosch NB Gesloten 512 100 51200 Ja
9842674 Engelen 4356 RW Amsterdam NH Open 472 100 47200 Ja
8477702 Essers 6734 HG Sittard LI Open 613 100 61300 Ja
2335364 Ettekoven 5634 TE Nijmegen GE Open 45 75 3375 Nee
Blad1 Blad2 Blad3
Tekenen AutoVormen
Gereed
NUM

Figuur 6.7: De klantenlijst is naar links verschoven, zodat de kolommen E tot en met L zichtbaar zijn

Elektronische memobriefjes

In Excel kun je tekstopmerkingen toevoegen aan bepaalde cellen in een werkblad. *Opmerkingen* fungeren als een soort elektronische versie van memobriefjes. Je kunt bijvoorbeeld een opmerking voor jezelf toevoegen, waarin je meldt dat je een bepaald getal moet controleren voordat je het werkblad afdrukt of waarin je jezelf eraan herinnert dat een bepaalde waarde slechts een schatting is (of zelfs waarin je jezelf eraan herinnert dat het vandaag je trouwdag is en dat je onderweg iets leuks voor je wederhelft moet kopen).

TIP

Je kunt opmerkingen niet alleen gebruiken om jezelf eraan te herinneren dat je iets hebt gedaan of dat je iets nog moet doen, maar ook om de huidige positie in het werkblad aan te geven. Je kunt de positie van de opmerking dan gebruiken om snel het beginpunt te vinden wanneer je de volgende keer verder werkt aan het werkblad.

Een opmerking toevoegen aan een cel

Voer de volgende stappen uit om een opmerking toe te voegen aan een cel:

1. Selecteer de cel waaraan je de opmerking wilt toevoegen.

2. Kies Invoegen ➪ Opmerking.

Er verschijnt een tekstvak (zoals dat in figuur 6.8). Dit vak bevat de naam van de gebruiker die ook wordt weergegeven in het vak Gebruikersnaam op het tabblad Algemeen van het dialoogvenster Opties. De invoegpositie bevindt zich onder de gebruikersnaam, aan het begin van een nieuwe regel.

3. Typ de tekst van de opmerking in het vak.

4. Wanneer je klaar bent, klik je ergens buiten het tekstvak.

   Excel geeft de positie van een opmerking aan met een klein rood driehoekje in de rechterbovenhoek van de cel.

5. Als je de opmerking in een cel wilt weergeven, plaats je het dikke witte kruis ergens in de cel met het driehoekje.

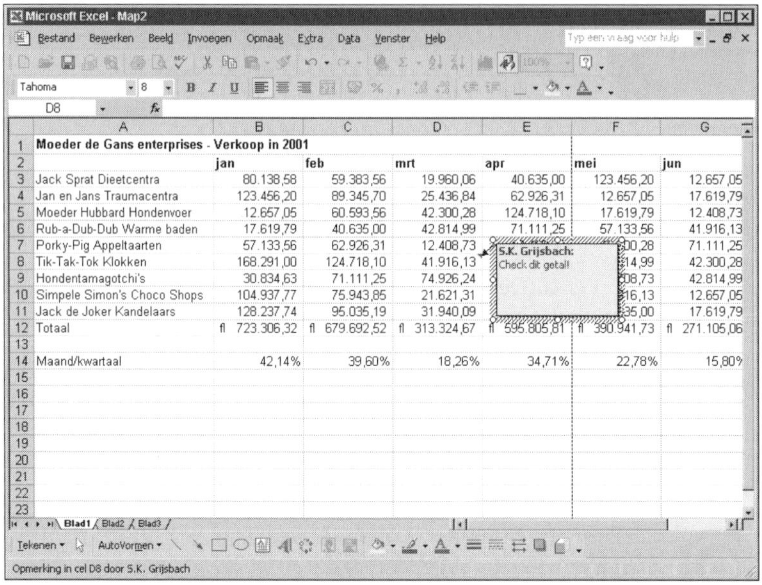

Figuur 6.8:
Een opmerking toevoegen aan een cel

Opmerkingen bekijken

Wanneer een werkblad zeer veel opmerkingen bevat, wil je waarschijnlijk niet de muisaanwijzer op elke cel moeten plaatsen om de bijbehorende opmerking te lezen. In dit geval kies je Beeld ⇨ Opmerkingen. Wanneer je deze optie kiest, geeft Excel alle opmerkingen in de werkmap weer, terwijl ook de werkbalk Redigeren verschijnt (zie figuur 6.9).

Terwijl de werkbalk Redigeren wordt weergegeven, kun je van de ene naar de andere opmerking navigeren door te klikken op de knoppen Vorige opmerking en Volgende opmerking. Wanneer je de laatste opmerking in de werkmap bereikt, verschijnt er een waarschuwingsvenster waarin wordt gevraagd of je verder wilt gaan met het bekijken van de

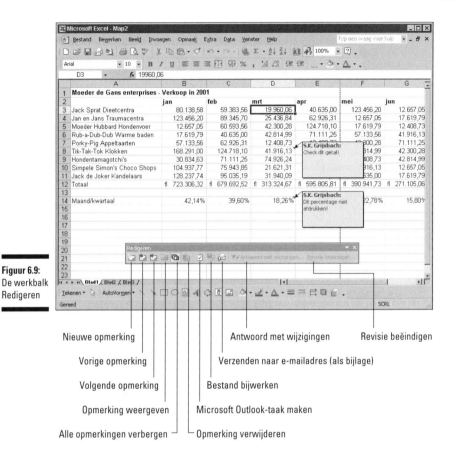

Figuur 6.9:
De werkbalk
Redigeren

Nieuwe opmerking   Antwoord met wijzigingen   Revisie beëindigen

Vorige opmerking   Verzenden naar e-mailadres (als bijlage)

Volgende opmerking   Bestand bijwerken

Opmerking weergeven   Microsoft Outlook-taak maken

Alle opmerkingen verbergen   Opmerking verwijderen

opmerkingen vanaf het begin van de werkmap (wat gebeurt als je op OK klikt). Nadat je de opmerkingen in de werkmap hebt bekeken, kun je ze verbergen door te klikken op de knop Alle opmerkingen verbergen op de werkbalk Redigeren (of door nogmaals Beeld ⇨ Opmerkingen te kiezen als de werkbalk Redigeren niet wordt weergegeven).

De opmerkingen in een werkblad bewerken

Je kunt de inhoud van een opmerking op verschillende manieren bewerken, afhankelijk van het feit of de opmerking wel of niet op het scherm wordt weergegeven. Als de opmerking wordt weergegeven, kun je de inhoud ervan bewerken door met het invoegsymbool in het tekstvak te klikken. Hiermee plaats je de invoegpositie en selecteer je tegelijkertijd het opmerkingenvak (dat wordt aangegeven door een dikke gearceerde rand met formaatgrepen rondom het vak). Nadat je de gewenste wijzigingen hebt aangebracht, klik je buiten de opmerking om de selectie op te heffen.

Wordt de opmerking niet in het werkblad weergegeven, dan moet je de cel met de opmerking selecteren. Nadat de celaanwijzer zich bevindt in de cel waarvan je de opmerking wilt bewerken, kun je Opmerking bewerken kiezen in het menu Invoegen of in het snelmenu van de cel (dat je opent door erop te klikken met de rechtermuisknop).

Indien je de positie van een opmerking wilt wijzigen, selecteer je de opmerking door erop te klikken en plaats je de muisaanwijzer op een van de randen van het tekstvak. Wanneer een vierpuntige pijl verschijnt, kun je het vak naar een nieuwe positie op het werkblad slepen. Wanneer je de muisknop loslaat, tekent Excel opnieuw de pijl die het opmerkingenvak verbindt met de driehoek in de rechterbovenhoek van de cel.

Als je de grootte van een opmerkingenvak wilt wijzigen, selecteer je de opmerking, plaats je de muisaanwijzer op een van de formaatgrepen en sleep je in de gewenste richting (weg van het midden van het vak als je dit groter wilt maken, of in de richting van het midden als je het vak kleiner wilt maken). Wanneer je de muisknop loslaat, tekent Excel het vak met de nieuwe vorm en grootte. Wanneer je de grootte van het opmerkingenvak wijzigt, past Excel automatisch de tekstterugloop aan de nieuwe vorm en grootte aan.

Om het lettertype van een opmerking te wijzigen, selecteer je de opmerking en kies je Opmaak ➪ Opmerking (of druk je op Ctrl+1, net zoals wanneer je het dialoogvenster Celeigenschappen wilt openen). Excel opent het dialoogvenster Opmerking opmaken dat alleen het tabblad Lettertype bevat (met dezelfde opties als het tabblad Lettertype van het dialoogvenster Celeigenschappen uit figuur 3.15). Je kunt de opties op dit tabblad gebruiken om het lettertype, de stijl, de tekengrootte of de kleur van de tekst van de geselecteerde opmerking te wijzigen.

Als je een opmerking wilt verwijderen, moet je de cel met de opmerking selecteren en Bewerken ➪ Wissen ➪ Opmerkingen kiezen of Opmerkingen verwijderen selecteren in het snelmenu van de cel. Excel verwijdert de opmerking en het driehoekje uit de geselecteerde cel.

Je kunt de achtergrondkleur van een opmerkingenvak wijzigen of een nieuwe vorm of randkleur voor het vak kiezen met de knoppen op de werkbalk Tekenen. Meer informatie over het gebruik van deze knoppen vind je in hoofdstuk 8.

Opmerkingen afdrukken

Wanneer je een werkblad afdrukt, kun je de opmerkingen samen met de geselecteerde werkbladgegevens afdrukken door de optie Opmerkingen op het tabblad Blad van het dialoogvenster Pagina-instelling in te stellen. In hoofdstuk 5 vind je meer informatie over de opties Einde blad en Zoals weergegeven op het blad.

Cellen een naam geven

Door beschrijvende namen toe te kennen aan cellen en cellenbereiken kun je de locatie van belangrijke gegevens in een werkblad gemakkelijk bijhouden. In plaats van te proberen willekeurige celcoördinaten te associëren met specifieke informatie, hoef je alleen een naam te onthouden. Het mooiste van alles is dat als je een cel of bereik eenmaal een naam hebt gegeven, je deze naam kunt gebruiken met de functie Ga naar.

O, had ik maar een naam...

Wanneer je een bereiknaam toekent aan een cel of cellenbereik, moet je je aan de volgende richtlijnen houden:

✔ Bereiknamen moeten beginnen met een letter van het alfabet, niet met een cijfer.

Gebruik dus *Winst01* in plaats van *01Winst*.

✔ Bereiknamen mogen geen spaties bevatten.

Gebruik een liggend streepje (Shift+koppelteken) in plaats van een spatie om delen van een naam te verbinden. Gebruik bijvoorbeeld *Winst_01* in plaats van *Winst 01*.

✔ Bereiknamen mogen niet overeenkomen met celcoördinaten in het werkblad.

Je kunt een cel bijvoorbeeld niet de naam *K1* geven, omdat dit een geldige celcoördinaat is. Gebruik in plaats daarvan bijvoorbeeld de naam *Verkoop_K1*.

Voer de volgende stappen uit als je een cel of cellenbereik een naam wilt geven:

1. Selecteer de cel of het cellenbereik dat je een naam wilt geven.

2. Klik op het celadres in het naamvak van de formulebalk.

   Excel selecteert het celadres in het naamvak.

3. Typ de naam voor de geselecteerde cel of het geselecteerde bereik in het naamvak.

   Wanneer je de bereiknaam typt, moet je je houden aan de naamconventies van Excel, die hiervoor werden toegelicht.

4. Druk op Enter.

Als je een cel of bereik in een werkblad waaraan je een naam hebt gegeven, wilt selecteren, klik je op de bereiknaam in de vervolgkeuzelijst van het naamvak. Om deze vervolgkeuzelijst te openen, klik je op de omlaagwijzende pijl rechts van het celadres op de formulebalk.

Je bereikt hetzelfde resultaat door te drukken op F5 of door Bewerken ⇨ Ga naar te selecteren. Het dialoogvenster Ga naar verschijnt (zie figuur 6.10). Dubbelklik op de gewenste bereiknaam in de keuzelijst Ga naar (of selecteer de naam en klik op OK of druk op Enter). Excel verplaatst de celaanwijzer direct naar de cel met die naam. Als je een bereik selecteert, worden alle cellen in het bereik geselecteerd.

Figuur 6.10:
Een cel selecteren door de bereiknaam ervan te selecteren in het dialoogvenster Ga naar

Namen gebruiken in formules

Celnamen vormen niet alleen een uitstekende manier om cellen en cellenbereiken in je spreadsheets te vinden, maar zijn ook geschikt om het doel van een formule aan te geven. Stel bijvoorbeeld dat je een eenvoudige formule in cel K3 hebt gemaakt die het totaal verschuldigde bedrag berekent door het aantal uren dat je voor een klant hebt gewerkt (in cel I3) te vermenigvuldigen met het uurtarief voor die klant (in cel J3). Gewoonlijk typ je deze formule als volgt in cel K3:

```
=I3*J3
```

Als je echter de naam Uren toekent aan cel I3 en de naam Tarief aan cel J3, kun je de volgende formule invoeren in cel K3:

```
=Uren*Tarief
```

Niemand zal tegenspreken dat de formule =Uren*Tarief gemakkelijker te begrijpen is dan =I3*J3.

Als je een formule wilt invoeren met celnamen in plaats van celverwijzingen, voer je de volgende stappen uit (zie hoofdstuk 2 als je wilt weten hoe je formules maakt):

1. Geef de cellen een naam, zoals eerder in deze paragraaf is uitgelegd.

Voor dit voorbeeld geef je de cel I3 de naam Uren en de cel J3 de naam Tarief.

2. Plaats de celaanwijzer in de cel waarin je de formule wilt invoeren.

Voor dit voorbeeld selecteer je cel K3.

3. Typ = (isgelijkteken) om de formule te beginnen.

4. Selecteer de eerste cel waarnaar de formule verwijst door deze cel te selecteren (door erop te klikken of door de celaanwijzer ernaar te verplaatsen).

In dit voorbeeld selecteer je de cel Uren door cel I3 te selecteren.

5. Typ de wiskundige operator voor de formule.

In dit voorbeeld typ je * (sterretje) voor vermenigvuldigen. (In hoofdstuk 2 vind je een lijst met de andere wiskundige operatoren.)

6. Selecteer de tweede cel waarnaar de formule verwijst door deze te selecteren (door erop te klikken of door de celaanwijzer ernaartoe te verplaatsen).

In dit voorbeeld selecteer je de cel Tarief door cel J3 te selecteren.

7. Klik op de knop Invoeren of druk op Enter om de formule af te sluiten.

In dit voorbeeld voert Excel de formule =Uren*Tarief in cel K3 in.

Je kunt de vulgreep niet gebruiken om een formule die celnamen gebruikt (in plaats van celadressen) te kopiëren naar andere cellen in een kolom of rij waarin dezelfde formule moet worden toegepast (zie 'Formules automatisch doorvoeren' in hoofdstuk 4). Wanneer je een formule kopieert die namen in plaats van adressen gebruikt, kopieert Excel de oorspronkelijke formule zonder de celverwijzingen aan te passen naar de nieuwe rijen en kolommen. In de volgende paragraaf wordt uitgelegd hoe je kolom- en rijkoppen kunt gebruiken voor de celverwijzingen in de kopieën en de oorspronkelijke formule waarvan je de kopieën maakt.

Constanten benoemen

Bepaalde formules maken gebruik van constante waarden, zoals een belastingpercentage van 19 procent of een kortingspercentage van 10 procent. Het is niet nodig deze constanten in een cel op het werkblad te typen om ze te gebruiken in formules; je kunt namelijk bereiknamen maken. Vervolgens gebruik je deze bereiknamen in je formules.

Neem de volgende stappen om een constante met de naam *belastingpercentage* (van 19 procent) te maken.

1. Kies Invoegen ⇨ Naam ⇨ Definiëren.

Het dialoogvenster Naam bepalen verschijnt nu.

2. Typ de bereiknaam (in dit geval *belastingpercentage*) in het invoervak Namen in werkmap.

3. Klik in het invoervak Verwijst naar en vervang het huidige celadres door de waarde 19%.

4. Klik op Toevoegen en sluit het dialoogvenster.

Nadat je op deze manier een constante aan een bereiknaam hebt toegewezen, kun je deze toepassen op formules die je op twee manieren kunt maken:

✔ Typ de bereiknaam waaraan je een constante wilt toewijzen op de gewenste plek in de formule.

✔ Voeg de bereiknaam waaraan je een constante wilt toewijzen toe aan de formule door Invoegen ⇨ Naam ⇨ Plakken te kiezen. Dubbelklik op de gewenste bereiknaam in het dialoogvenster dat nu verschijnt.

Wanneer je een formule kopieert met een bereiknaam die een constante bevat, blijft de waarde ongewijzigd in alle kopieën van de formule die je met de vulgreep maakt. Dit betekent dus dat bereiknamen in formules zich gedragen als absolute celadressen in gekopieerde formules (meer details over het kopiëren van formules vind je in hoofdstuk 4).

Wanneer je een constante bijwerkt door de waarde te wijzigen in het dialoogvenster Naam bepalen, dan worden alle formules die van deze constante gebruikmaken automatisch bijgewerkt.

'Zoekt en gij zult vinden...'

Wanneer al het andere mislukt, kun je altijd nog de zoekfunctie van Excel gebruiken om specifieke informatie in een werkblad te vinden. Wanneer je Bewerken ⇨ Zoeken selecteert of op Ctrl+F of Shift+F5 drukt, opent Excel het dialoogvenster Zoeken en vervangen. In het vak Zoeken naar typ je de tekst of waarden die je zoekt, waarna je op de knop Volgende zoeken klikt of op Enter drukt om de zoekopdracht te starten. Klik op Opties om de zoekopties uit te breiden (zie figuur 6.11)

Je kunt het dialoogvenster Zoeken en vervangen ook openen via het taakvenster Zoeken. Klik hiertoe op de koppeling Zoeken in dit document, helemaal onderaan in het taakvenster. Om taakvensters te laten

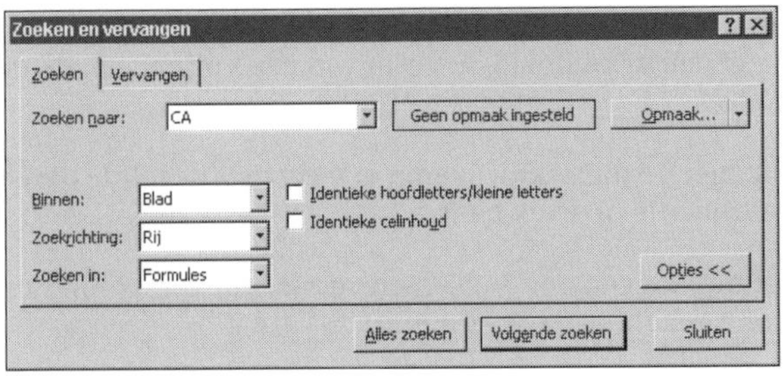

Figuur 6.11:
Gebruik de
opties in het
dialoogven-
ster Zoeken
en vervan-
gen om cel-
len te zoe-
ken

weergeven, kies je Beeld ⇨ Taakvenster. Klik op de vervolgkeuzepijl aan de rechterzijde van het taakvenster (direct links naast de knop Sluiten) en selecteer de optie Zoeken.

Wanneer je gegevens zoekt met de functie Zoeken, houd er dan rekening mee dat de tekst of de waarde die je zoekt, alleen in een cel kan staan, maar ook maar ook deel kan uitmaken van een ander woord of een andere waarde. Als je bijvoorbeeld de tekens ut in het vak Zoeken naar typt en het selectievakje Alleen hele cellen zoeken niet is geselecteerd, vindt Excel het volgende:

- ✔ de letters *ut* in de plaatsnamen Utrecht, Houten en Zutphen in kolom F;

- ✔ de provinciecode *UT* (van Utrecht) in de cellen G5, G7, G23 en G26;

- ✔ de letters *ut* in de achternaam Eekhout in cel B20.

Als je het selectievakje Alleen hele cellen zoeken in het dialoogvenster Zoeken wel inschakelt, vindt Excel de letters in de achternaam en de plaatsnamen niet, omdat de gezochte tekst in die gevallen wordt omgeven door andere letters.

Wanneer je tekst zoekt, kun je ook opgeven of Excel moet letten op het gebruik van hoofdletters en kleine letters in de ingevoerde gezochte tekst. Excel negeert standaard het verschil tussen hoofdletters en kleine letters in de cellen in het werkblad en de tekst in het vak Zoeken naar. Als je wilt dat er bij het zoeken onderscheid wordt gemaakt tussen hoofdletters en kleine letters, selecteer je de optie Identieke hoofdletters/kleine letters.

Indien de tekst of de waarden waarnaar je wilt zoeken over een speciale opmaak beschikken, kun je de opmaak die je zoekt kenbaar maken.

Op deze manier gaat Excel op zoek naar de opmaak die aan een bepaalde cel in het werkblad is toegewezen:

1. Klik op de vervolgkeuzepijl rechts van de knop Opmaak en kies Opmaak van cel kiezen.

Het dialoogvenster Zoeken en vervangen verdwijnt even en Excel voegt een symbool in de vorm van een vulpen aan de muisaanwijzer toe.

2. Klik met de muisaanwijzer in een cel met dezelfde opmaak als die waarnaar je op zoek bent.

Het dialoogvenster Zoeken en vervangen verschijnt nu weer en houdt rekening met celopmaak.

Ga als volgt te werk om de opmaak waarnaar je zoekt te selecteren in de opties in het dialoogvenster Opmaak zoeken (dit zijn dezelfde opties als die van het dialoogvenster Zoeken en vervangen):

1. Klik op de knop Opmaak of op de vervolgkeuzepijl en selecteer vervolgens Opmaak.

2. Vervolgens selecteer je op de diverse tabbladen, de opmaakopties waarnaar moeten worden gezocht, (in hoofdstuk 3 vind je meer informatie over het selecteren van deze opties); klik op OK.

Als je een van deze twee zoekmogelijkheden gebruikt, verandert de knop Geen opmaak ingesteld (de knop tussen de knoppen Zoeken naar en Opmaak) in de knop Voorbeeld. Het woord *Voorbeeld* verschijnt in het lettertype en de opmaak die Excel in de voorbeeldcel aantreft of aan de hand van je selecties op het tabblad Lettertype bepaalt.

Wanneer je waarden in het werkblad zoekt, moet je letten op het verschil tussen formules en waarden. Cel K17 van de klantenlijst (zie figuur 6.7) bevat bijvoorbeeld de waarde 20700. Als je 20700 zou typen in het invoervak Zoeken naar en op Enter zou drukken om deze waarde te zoeken, zou Excel echter een waarschuwingsvenster met het volgende bericht tonen:

`Er zijn geen overeenkomende gegevens gevonden.`

De waarde 20700 in cel K17 wordt niet gevonden. De waarde in deze cel wordt namelijk berekend door de volgende formule:

`=I17*J17`

De waarde 20700 staat nergens in deze formule. Als je wilt dat Excel de waarde 20700 vindt die wordt weergegeven in het werkblad, moet je de optie Waarden in de vervolgkeuzelijst Zoeken in, in het dialoogvenster Zoeken selecteren in plaats van de standaardoptie Formules.

Als je de zoekopdracht wilt beperken tot de tekst of waarden in de opmerkingen in het werkblad, selecteer je de optie Opmerkingen in de vervolgkeuzelijst Zoeken in.

Als je de exacte spelling van het woord of de naam niet weet of als je de exacte waarde of formule die je zoekt niet kent, kun je *jokertekens* gebruiken. Jokertekens zijn symbolen die ontbrekende of onbekende tekst vertegenwoordigen. Je gebruikt het vraagteken (?) ter vervanging van één onbekend teken, terwijl het sterretje (*) een willekeurig aantal ontbrekende tekens vertegenwoordigt. Stel, je typt het volgende in het vak Zoeken naar en je kiest de optie Waarden in de vervolgkeuzelijst Zoeken in:

```
7*4
```

Excel stopt in dit geval bij alle cellen die de waarden *74, 704* of *75.234* bevatten en stopt zelfs bij het adres *Utrechtsestraat 72 bis 4*.

Als je daadwerkelijk een sterretje zoekt in het werkblad in plaats van het sterretje te willen gebruiken als jokerteken, plaats je een tilde (~) voor het sterretje, zoals in:

```
~*4
```

Op deze manier kun je zoeken naar formules die vermenigvuldigen met het getal 4 (onthoud dat Excel het sterretje gebruikt als vermenigvuldigingsteken).

De volgende informatie in het vak Zoeken naar vindt cellen met de tekst *Jan, Januari, Juni, Janet* enzovoort:

```
J?n*
```

Gewoonlijk zoekt Excel de ingevoerde zoektekst alleen in het huidige werkblad. Als je wilt dat het programma zoekt in alle werkbladen in de werkmap, moet je de optie Werkblad in het snelmenu kiezen.

Wanneer Excel in het werkblad een cel vindt die de gezochte tekst of waarden bevat, wordt deze cel geselecteerd, terwijl het dialoogvenster Zoeken en vervangen geopend blijft. (Onthoud dat je dit dialoogvenster kunt verplaatsen als dit de gevonden cel verbergt.) Als je verder wilt zoeken, klik je op de knop Volgende zoeken of druk je op Enter.

Gewoonlijk zoekt Excel omlaag door de rijen in het werkblad. Wil je van links naar rechts zoeken in de kolommen, kies dan de optie Kolom in de vervolgkeuzelijst Zoekrichting. Als je de zoekrichting wilt omdraaien en omhoog wilt zoeken in het werkblad, houd je de Shift-toets ingedrukt terwijl je klikt op de knop Volgende zoeken.

Zoek en vervang

Als je een cel met een bepaalde inhoud wilt zoeken, zodat je deze kunt vervangen door een andere inhoud, kun je dit proces automatiseren door het tabblad Vervangen in het dialoogvenster Zoeken en vervangen te gebruiken. Als je Bewerken ➪ Vervangen (Ctrl+H) kiest in plaats van Bewerken ➪ Zoeken, opent Excel het dialoogvenster Zoeken en vervangen met het tabblad Vervangen op de voorgrond. Nadat je de tekst of waarde die je wilt vervangen hebt ingevoerd in het vak Zoeken naar, typ je de vervangende tekst of waarde in het vak Vervangen door.

Wanneer je vervangende tekst invoert, typ je de tekst exact zoals deze in de cel moet worden geplaatst. Met andere woorden: indien je het woord *Jan* overal in het werkblad wilt vervangen door *Januari*, typ je het volgende in het invoervak Vervangen door:

```
Januari
```

Let erop dat je een hoofdletter J gebruikt in het vak Vervangen door, ook al typ je het volgende in het vak Zoeken naar (mits je het selectievakje Identieke hoofdletters/kleine letters niet hebt ingeschakeld):

```
jan
```

Nadat je hebt aangegeven wat je wilt vervangen en waardoor je dit wilt vervangen, kun je de zoektekst één voor één of overal vervangen. Als je de zoektekst in één keer overal wilt vervangen, klik je op de knop Alles vervangen.

Figuur 6.12: Gebruik de opties op het tabblad Vervangen om bepaalde celingangen te wijzigen

Wees voorzichtig met de optie Alles vervangen. Een werkblad kan in één klap in een grote wanorde veranderen als je per ongeluk waarden, delen van formules of tekens in titels en koppen vervangt die je helemaal niet wilde vervangen. Houd je daarom altijd aan de volgende regel:

Gebruik de optie Alles vervangen nooit in een werkblad dat je vooraf niet hebt opgeslagen.

Controleer ook of de optie Alleen hele cellen zoeken is geselecteerd voordat je begint. Je kunt opgezadeld raken met veel ongewenste vervangingen als dit selectievakje uitgeschakeld is, terwijl je eigenlijk alleen hele cellen wilde vervangen (in plaats van overeenkomende delen van celgegevens).

Als je een puinhoop van een werkblad maakt, kies dan Bewerken ➪ Ongedaan maken Vervangen (Ctrl+Z) om het werkblad te herstellen.

Als je elke gevonden kandidaat voor een vervanging wilt bekijken voordat je de bewerking uitvoert, klik je op de knop Volgende zoeken of druk je op Enter. Excel selecteert de volgende cel met de tekst of waarde die je hebt ingevoerd in het vak Zoeken naar. Als je wilt dat het programma de geselecteerde tekst vervangt, klik je op de knop Vervangen. Als je de selectie wilt overslaan, klik je op de knop Volgende zoeken om verder te zoeken. Wanneer je klaar bent, klik je op de knop Sluiten om het dialoogvenster Vervangen te sluiten.

Werkbladen opnieuw berekenen

Informatie in een werkblad vinden vormt – hoewel dit inderdaad uitermate belangrijk is – slechts een deel van je taak om de informatie in een werkblad onder controle te houden. In zeer grote werkmappen met veel ingewikkelde werkbladen zou je handmatige berekening kunnen inschakelen, zodat je zelf kunt bepalen wanneer de formules in het werkblad worden berekend. Je hebt deze functie nodig wanneer je merkt dat het programma zeer traag wordt doordat Excel formules telkens opnieuw berekent wanneer je informatie invoert of bewerkt. Door berekeningen uit te stellen tot je klaar bent om de werkmap op te slaan of af te drukken, zul je merken dat je zonder vertragingen met Excel-werkbladen kunt werken.

Als je de formules in een werkmap handmatig wilt berekenen, kies je Extra ➪ Opties en klik je op de tab Berekenen (zie figuur 6.13). Selecteer vervolgens het keuzerondje Handmatig in het vak Berekening. Wanneer je dit doet, is het aan te raden het vinkje in het selectievakje Herberekenen voor opslaan te laten staan, zodat Excel alle formules nog steeds automatisch berekent als je een werkmap opslaat. Door deze instelling te handhaven, weet je zeker dat je alleen bijgewerkte gegevens opslaat.

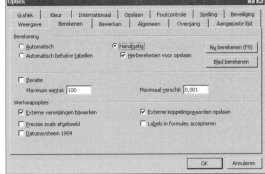

Figuur 6.13:
Overschakelen op handmatige berekening in het dialoogvenster Opties

Nadat je bent overgeschakeld naar handmatige berekening, toont Excel het volgende bericht op de statusbalk wanneer je een wijziging in het werkblad aanbrengt die van invloed is op de huidige waarden van formules:

Berekenen

Wanneer je dit bericht op de statusbalk ziet, is dit een teken dat je de formules moet bijwerken voordat je het werkblad opslaat of afdrukt.

Als je de formules in een werkblad opnieuw wilt berekenen wanneer je handmatige berekening hebt ingeschakeld, druk je op F9 of op Ctrl+= (isgelijkteken) of klik je op de knop Nu berekenen (F9) op het tabblad Berekenen van het dialoogvenster Opties.

Excel berekent de formules in alle werkbladen in de werkmap. Als je alleen wijzigingen hebt aangebracht in het huidige werkblad en niet wilt wachten tot Excel alle andere werkbladen in de werkmap opnieuw heeft berekend, kun je de herberekening beperken tot het huidige werkblad door te klikken op de knop Blad berekenen op het tabblad Berekenen van het dialoogvenster Opties, of door op Shift+F9 te drukken.

Werkbladen beveiligen

Nadat je een werkblad min of meer hebt voltooid door de formules te controleren en de tekst te proeflezen, zul je dit blad waarschijnlijk willen beschermen tegen ongewenste wijzigingen. Je kunt dit doen door het document te beveiligen.

Elke cel in het werkblad kan worden *geblokkeerd* of *gedeblokkeerd*. Wanneer je de volgende stappen uitvoert, blokkeert Excel standaard alle cellen in een werkblad.

1. Kies Extra ➪ Beveiliging ➪ Blad beveiligen.

   Het dialoogvenster Blad beveiligen verschijnt (zie figuur 6.14); selecteer de gewenste opties. Standaard schakelt Excel de selectievakjes Het werkblad en de inhoud van beveiligde cellen vergrendelen, Vergrendelde cellen selecteren en Ontgrendelde cellen selecteren in.

2. Klik op de opties (bijvoorbeeld Cellen opmaken en Kolommen invoegen) in het vak Alle gebruikers van dit werkblad mogen die operationeel moeten blijven wanneer de bescherming van het werkblad is ingeschakeld (optioneel).

3. Als je een wachtwoord wilt instellen dat moet worden ingevoerd voordat de beveiliging van het werkblad kan worden opgeheven (optioneel) typ je dit wachtwoord in het invoervak Wachtwoord voor het opheffen van de bladbeveiliging.

4. Klik op OK of druk op Enter.

   Als je een wachtwoord hebt ingevoerd in het vak Wachtwoord, opent Excel het dialoogvenster Wachtwoord bevestigen. Typ het wachtwoord nogmaals in het vak Wachtwoord opnieuw invoeren,

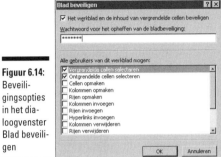

Figuur 6.14:
Beveili-
gingsopties
in het dia-
loogvenster
Blad beveili-
gen

op exact dezelfde manier als waarop je dit hebt ingevoerd in het wachtwoordvak in het dialoogvenster Blad beveiligen. Klik op OK of druk op Enter.

Als je nog een stap verder wilt gaan en ook de indeling van de werkbladen in de werkmap wilt beveiligen, kun je de hele werkmap als volgt beveiligen:

1. Kies Extra ⇨ Beveiliging ⇨ Werkmap beveiligen.

   Excel opent het dialoogvenster Werkmap beveiligen waarin het selectievakje Structuur is ingeschakeld en de optie Vensters niet is geselecteerd. Wanneer de optie Structuur is geselecteerd, staat Excel je niet toe te knoeien met de bladen in de werkmap (door ze te verwijderen of door de volgorde ervan te wijzigen). Als je eventueel ingestelde vensters wilt beveiligen, moet je ook de optie Vensters selecteren. (In hoofdstuk 7 wordt beschreven hoe je vensters instelt.)

2. Als je een wachtwoord wilt toekennen dat moet worden ingevoerd voordat de beveiliging van het werkblad kan worden opgeheven, typ je het wachtwoord in het wachtwoordvak (optioneel).

3. Klik op OK of druk op Enter.

   Als je een wachtwoord hebt ingevoerd, opent Excel het dialoogvenster Wachtwoord bevestigen. Typ het wachtwoord nogmaals in het vak Wachtwoord opnieuw invoeren, op exact dezelfde manier als waarop je dit hebt ingevoerd in het wachtwoordvak (optioneel) in het dialoogvenster Werkmap beveiligen. Klik op OK of druk op Enter.

Nadat je de optie Blad beveiligen hebt geselecteerd, kunnen er geen wijzigingen meer worden aangebracht in de inhoud van de beveiligde cellen in dit werkblad. De opties die je hebt geselecteerd in het vak Alle gebruikers van dit werkblad mogen vormen hierop een uitzondering: deze kunnen wel bewerkt worden. De optie Werkmap beveiligen maakt het onmogelijk de indeling van de werkbladen in die werkmap te wijzigen.

Excel toont een waarschuwingsvenster met het volgende bericht als je probeert gegevens in een geblokkeerde cel te bewerken of te vervangen:

> De cel of grafiek die u wilt wijzigen is beveiligd en dus alleen-lezen. Als u een beveiligde cel of grafiek wilt wijzigen, verwijdert u eerst de beveiliging door Beveiliging te kiezen in het menu Extra en Beveiliging blad opheffen te kiezen. Mogelijk wordt u gevraagd een wachtwoord in te voeren.

Gewoonlijk zul je een werkblad of werkmap niet willen beveiligen om wijzigingen in *alle* cellen te voorkomen, maar om te voorkomen dat bepaalde delen van het werkblad worden gewijzigd. In een budgetwerkblad kun je bijvoorbeeld alle cellen beveiligen die koppen en formules bevatten, maar kun je wijzigingen toestaan in alle cellen waarin je de budgetbedragen invoert. Zo kun je niet per ongeluk een titel of formule in het werkblad verwijderen door een waarde in te voeren in de verkeerde kolom of rij (wat niet ongewoon is). Voer de volgende stappen uit als je bepaalde cellen niet wilt blokkeren, zodat je deze cellen nog steeds kunt wijzigen nadat je het werkblad of de werkmap hebt beveiligd:

1. Selecteer in het beveiligde werkblad de cellen die je niet wilt blokkeren.

2. Kies Extra ⇨ Beveiliging ⇨ Toestaan dat gebruikers bereiken kunnen bewerken.

3. Klik op de knop Nieuw in het dialoogvenster Toestaan dat gebruikers bereiken kunnen bewerken.

4. Je kunt een beschrijvende naam typen voor het cellenbereik dat onbeveiligd dient te blijven. Typ deze naam in het invoervak titel in het dialoogvenster Nieuw bereik (optioneel).

   Plaats liggende streepjes (_), géén spaties, tussen losse woorden als de naam uit meerdere woorden bestaat.

5. Controleer het cellenbereik in het vak Verwijst naar de cellen en zorg dat de celadressen alle cellen bevatten die de gebruikers moeten kunnen bewerken.

   Als je het cellenbereik moet bewerken, druk je op Tab om dit vak te selecteren. Vervolgens sleep je met de muisaanwijzer door alle cellen om deze te selecteren. Op het moment dat je hiermee bezig bent, verkleint Excel het dialoogvenster tot het vak Verwijst naar de cellen. Zodra je de muisknop loslaat, neemt het dialoogvenster automatisch weer de oorspronkelijke vorm aan.

6. Als je dit bereik met een wachtwoord wilt beveiligen, druk je herhaaldelijk op Tab, totdat het vak Wachtwoord voor bereik is geselecteerd. Typ het wachtwoord in dit vak.

7. Klik op OK om het dialoogvenster Nieuw bereik te sluiten. Je keert nu terug naar het dialoogvenster Toestaan dat gebruikers bereiken kunnen bewerken.

   Als je bij stap 6 een wachtwoord hebt getypt, dien je dat nu nogmaals te typen in het dialoogvenster Wachtwoord bevestigen. Klik op OK en je keert terug naar het dialoogvenster Toestaan dat gebruikers bereiken kunnen bewerken.

8. Als het werkblad nog over andere cellenbereiken beschikt die je beschikbaar voor bewerking wilt maken, klik je op Nieuw en herhaal je de stappen 4 tot en met 7 (optioneel).

9. Nadat je klaar bent met het aangeven van welke bereiken bewerkt kunnen worden terwijl de beveiliging is ingeschakeld, klik je op de knop Blad beveiligen. Het dialoogvenster Blad beveiligen verschijnt nu.

   Nu kun je een wachtwoord opgeven om de beveiliging van het werkblad uit te schakelen. Tevens kun je aangeven welke eigenschappen beschikbaar blijven terwijl de beveiliging is ingeschakeld. Lees de eerste vier stappen voor details over het inschakelen van de beveiliging.

Als je de beveiliging van het huidige werkblad of de huidige werkmap wilt opheffen, zodat je weer wijzigingen kunt aanbrengen in alle cellen, kies je Extra ➪ Beveiliging en kies je de optie Beveiliging blad opheffen of Beveiliging werkmap opheffen in het submenu. Als je een wachtwoord had toegekend toen je het blad of de map beveiligde, moet je dit wachtwoord op exact dezelfde manier (met inbegrip van dezelfde hoofdletters en kleine letters) invoeren in het invoervak Wachtwoord in het dialoogvenster Beveiliging blad opheffen of Beveiliging werkmap opheffen.

Beveiligen en delen

Als je een werkmap maakt waarvan de inhoud wordt bijgewerkt door verschillende gebruikers in een netwerk, kun je de nieuwe optie Werkmap beveiligen en delen in het submenu Extra ➪ Beveiliging gebruiken. Deze optie zorgt ervoor dat Excel alle aangebrachte wijzigingen bijhoudt en dat geen enkele gebruiker opzettelijk of per ongeluk ervoor kan zorgen dat Excel aangebrachte wijzigingen in het bestand niet meer bijhoudt. Selecteer hiervoor het selectievakje Delen met bijhouden van wijzigingen in het dialoogvenster Gedeelde werkmap beveiligen dat verschijnt wanneer je de genoemde optie kiest. Nadat je dit selectievakje hebt ingeschakeld, kun je desgewenst een wachtwoord invoeren in het vak Wachtwoord (optioneel). Elke gebruiker moet dit wachtwoord invoeren voordat hij of zij de werkmap kan openen om wijzigingen aan te brengen.

Hoofdstuk 7

Meerdere werkbladen onderhouden

In dit hoofdstuk:

▶ Navigeren tussen werkbladen in een werkmap

▶ Werkbladen toevoegen aan een werkmap

▶ Werkbladen verwijderen uit een werkmap

▶ Een reeks werkbladen selecteren en bewerken als groep

▶ Werkbladtabs een beschrijvende naam geven

▶ De werkbladen in een andere volgorde zetten

▶ Delen van verschillende werkbladen op het scherm weergeven

▶ Werkbladen van de ene naar de andere werkmap kopiëren of verplaatsen

▶ Formules maken die verwijzen naar waarden op andere werkbladen in een werkmap

*W*anneer je een beginnende spreadsheetgebruiker bent, heb je al moeite genoeg om te werken met één werkblad – laat staan met drie werkbladen – en begin je te zweten bij de gedachte alleen al aan werken met meer dan één blad. Zodra je echter enige ervaring hebt opgedaan, zul je merken dat werken met meer werkbladen in één werkmap niet moeilijker is dan werken met één werkblad.

Je mag de term *werkmap* niet verwarren met *werkblad*. De werkmap is het document (bestand) dat je opent en waarin je je werk opslaat. Elke werkmap bevat gewoonlijk drie lege werkbladen. Deze werkbladen zijn vergelijkbaar met losse blaadjes in een ringband, waaraan je naar wens blaadjes kunt toevoegen of verwijderen. Om je te helpen de werkbladen in de werkmap bij te houden en ertussen te navigeren, biedt Excel werkbladtabs (Blad1 tot en met Blad3) die vergelijkbaar zijn met de tussenbladen met tabs in een ringband.

Goochelen met werkbladen

Je moet weten *hoe* je met meer dan één werkblad in een werkmap werkt, maar het is ook belangrijk dat je weet *waarom* je dit zou doen. In de meeste gevallen werk je met een reeks werkbladen die op de een of andere manier met elkaar in verband staan en daarom op natuurlijke wijze in één werkmap horen. Neem het geval van Moeder de Gans Enterprises en haar verschillende bedrijven: Jack Sprat Dieetcentra, Jan en Jans Traumacentra, Moeder Hubbard Hondenvoer, Rub-a-Dub-Dub Warme baden en kuuroorden, Porky Pig Appeltaarten, Tik-tak-tok Klokkenreparaties, Japanse Hondentamagotchi's, Simpele Simon's Choco Shops en Jack de Joker Kandelaars. Om de jaarlijkse verkoop voor al deze bedrijven bij te houden, zou je een werkmap kunnen maken met een werkblad voor elk van deze negen bedrijven.

De verkoopcijfers voor elk bedrijf opslaan in een apart werkblad in dezelfde werkmap biedt de volgende voordelen:

- Je kunt de informatie die je in alle werkbladen nodig hebt invoeren door deze eenmaal in het eerste werkblad te typen (mits alle werkbladtabs zijn geselecteerd; zie 'En masse bewerken', verderop in dit hoofdstuk).

- Terwijl je het werkblad voor de verkoopcijfers voor het eerste bedrijf maakt, kun je *macro's* koppelen aan de huidige werkmap, zodat deze beschikbaar zijn wanneer je de werkbladen voor de andere bedrijven maakt. (Een macro bestaat uit een reeks vaak uitgevoerde, zich herhalende taken en berekeningen die je vastlegt, waarna je ze gemakkelijk opnieuw kunt uitvoeren.)

- Je kunt de verkoopcijfers van het ene bedrijf gemakkelijk vergelijken met die van een ander bedrijf (zie 'Meerdere werkbladen weergeven', verderop in dit hoofdstuk).

- Je kunt alle verkoopinformatie voor elk bedrijf in één afdrukbewerking afdrukken als één rapport. (Hoofdstuk 5 biedt meer informatie over het afdrukken van een werkmap of van bepaalde werkbladen in een werkmap.)

- Je kunt gemakkelijk grafieken maken waarin verkoopgegevens uit verschillende werkbladen met elkaar worden vergeleken (zie hoofdstuk 8 voor meer informatie).

- Je kunt gemakkelijk een overzichtswerkblad samenstellen met formules die de totale kwartaal- en jaarverkoop voor alle negen bedrijven berekenen (zie 'Samengevat...', verderop in dit hoofdstuk).

Schakelen tussen werkbladen

Elke werkmap die je maakt, bevat drie werkbladen met de voorspelbare namen Blad1, Blad2 en Blad3. Deze namen worden weergegeven op tabs onder in het werkmapvenster. Om van het ene werkblad naar het andere te gaan, klik je eenvoudig op de tab met de naam van het blad dat je wilt zien. Excel plaatst dit werkblad boven op de stapel en toont de informatie in het huidige werkmapvenster. Je kunt altijd zien welk werkblad momenteel wordt weergegeven aangezien de naam ervan vetgedrukt wordt weergegeven op de tab en de tab zonder scheidingslijn doorloopt vanaf het huidige werkblad.

Het enige probleem dat zich kan voordoen wanneer je een ander werkblad wilt weergeven door te klikken op de tab ervan, treedt op wanneer je zo veel bladen aan een werkmap toevoegt (zoals verderop in dit hoofdstuk wordt beschreven), dat niet alle tabs tegelijk zichtbaar zijn en je de tab van het gewenste werkblad niet ziet. Als oplossing voor dit probleem biedt Excel schuifknoppen voor de tabs (zie figuur 7.1) waarmee je onzichtbare werkbladtabs kunt weergeven.

✔ Klik op de schuifknop met de naar rechts wijzende driehoek als je de volgende onzichtbare tab van het blad rechts wilt weergeven.

✔ Klik op de schuifknop met de naar links wijzende driehoek als je de vorige onzichtbare tab van het blad links wilt weergeven.

✔ Klik op de schuifknop met de naar rechts wijzende driehoek en het verticale streepje als je de laatste groep werkbladtabs, met inbegrip van de laatste tab, wilt weergeven.

✔ Klik op de schuifknop met de naar links wijzende driehoek en het verticale streepje als je de eerste groep werkbladtabs, met inbegrip van de eerste tab, wilt weergeven.

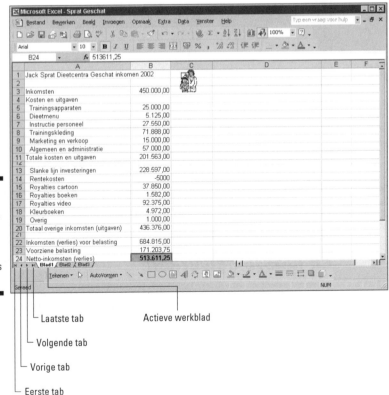

Figuur 7.1: Met de schuifknoppen voor de werkbladtabs kun je nieuwe tabs weergeven

Vergeet niet dat een werkbladtab zichtbaar maken niet hetzelfde is als de tab *selecteren*: je moet nog steeds op de tab van het gewenste werkblad klikken om dit vooraan te plaatsen.

Als je de werkbladtab die je wilt selecteren gemakkelijker wilt kunnen vinden zonder dat je de tabs moet verschuiven, kun je de tabsplitsbalk (zie figuur 7.2) naar rechts schuiven, zodat er meer werkbladtabs zichtbaar zijn (en de horizontale schuifbalk korter wordt). Als je de horizontale schuifbalk in het geheel niet wilt gebruiken, kun je het maximumaantal werkbladtabs weergeven door deze schuifbalk te verwijderen. Sleep hiervoor de tabsplitsbalk helemaal naar rechts tegen de verticale splitsbalk. In dit geval kunnen ongeveer twaalf werkbladtabs tegelijk worden weergegeven (op een standaard 14-inch monitor met een resolutie van 640x480 pixels).

Wanneer je de normale lengte van de horizontale schuifbalk wilt herstellen, kun je de splitsbalk handmatig naar links slepen of erop dubbelklikken.

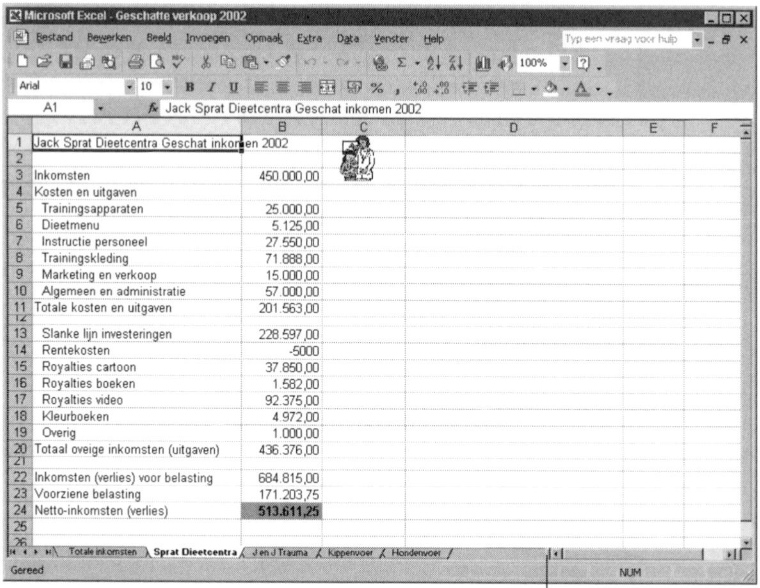

Figuur 7.2: De tabsplitsbalk gebruiken om meer tabs weer te geven door de horizontale werkbalk korter te maken

tabsplitsbalk

En masse bewerken

Wanneer je op een werkbladtab klikt, selecteer je dit werkblad en maak je het actief, zodat je de benodigde wijzigingen in de cellen van dit werkblad kunt aanbrengen. Het is echter ook mogelijk een reeks werkbladen te selecteren, zodat je dezelfde wijzigingen kunt aanbrengen in alle geselecteerde werkbladen tegelijk. Wanneer je meerdere werkbladen hebt geselecteerd, worden alle acties die je uitvoert in het huidige werkblad, zoals informatie invoeren in cellen of gegevens verwijderen, ook toegepast op dezelfde cellen in alle geselecteerde werkbladen.

Stel, je wilt in een werkmap drie werkbladen maken die alledrie de namen van de twaalf maanden bevatten in rij 3, vanaf kolom B. Voordat je januari invoert in cel B3 en de vulgreep gebruikt om de rest van de elf maanden in rij 3 in te voeren, selecteer je de drie werkbladen (bijvoorbeeld Blad1, Blad2 en Blad3). Excel plaatst in dit geval de namen van de twaalf maanden in rij 3 van de drie geselecteerde werkbladen, terwijl je ze invoert in de derde rij van het eerste blad.

Stel, je hebt een ander werkblad waaruit je Blad2 en Blad3 wilt verwijderen. In plaats van te klikken op Blad2, Bewerken ⇨ Blad verwijderen te selecteren en vervolgens te klikken op Blad3 en opnieuw Bewerken ⇨ Blad verwijderen te kiezen, selecteer je beide werkbladen en verwijder je ze in één klap door Bewerken ⇨ Blad verwijderen te selecteren.

Je kunt op de volgende manieren meerdere werkbladen in een werkmap selecteren:

✔ Als je een groep aangrenzende werkbladen wilt selecteren, klik je op de tab van het eerste werkblad en blader je opzij naar de tab van het laatste werkblad dat je wilt selecteren. Houd Shift ingedrukt terwijl je klikt op de laatste tab, waarna alle tussenliggende bladen worden geselecteerd. De vertrouwde methode van klikken met ingedrukte Shift-toets werkt dus ook voor werkbladtabs.

✔ Als je een groep niet-aaneengesloten werkbladen wilt selecteren, klik je op de eerste tab en houd je Ctrl ingedrukt terwijl je klikt op de tabs van de andere bladen die je wilt selecteren.

✔ Je kunt alle werkbladen selecteren door met de rechtermuisknop op de tab van het actieve werkblad te klikken en vervolgens in het snelmenu de optie Alle bladen selecteren te selecteren.

Excel geeft aan welke werkbladen zijn geselecteerd door de tabs wit te maken (hoewel alleen de naam van het actieve blad vetgedrukt wordt weergegeven) en de aanduiding [Groep] toe te voegen aan de bestandsnaam van de werkmap in de titelbalk van het Excel-venster.

Van blad naar blad gaan via het toetsenbord

Je kunt de schuifknoppen en werkbladtabs ook vergeten en via het toetsenbord door de werkbladen navigeren. Druk op Ctrl+PgDn om naar het volgende werkblad in een werkmap te gaan. Met Ctrl+PgUp ga je naar het vorige werkblad. Het voordeel van deze sneltoetsen is dat ze altijd werken, ongeacht of het vorige of volgende blad wordt weergegeven in het werkmapvenster.

Als je de selectie van een groep werkbladen wilt opheffen nadat je de groepsbewerking hebt voltooid, klik je eenvoudig op een niet-geselecteerde (grijze) werkbladtab. Je kunt ook alle geselecteerde werkbladen, behalve het actieve werkblad, deselecteren door Shift in te drukken en te klikken op het actieve blad of door de optie Groepering bladen opheffen te selecteren in het snelmenu van het actieve blad.

Werkbladen toevoegen en verwijderen

Voor sommige gebruikers zijn de drie werkbladen die automatisch in elke nieuwe werkmap worden geplaatst, meer dan ze ooit nodig zullen hebben. Voor anderen zijn drie armzalige werkbladen zelden of nooit voldoende voor de werkmappen die ze maken (bijvoorbeeld wanneer je bedrijf werkt op tien locaties of als je regelmatig budgetten maakt voor twintig afdelingen of uitgaven moet bijhouden voor veertig vertegenwoordigers).

In Excel kun je gemakkelijk werkbladen aan een werkmap toevoegen of bladen die je niet nodig hebt verwijderen. Voer de volgende stappen uit als je een nieuw werkblad aan een werkmap wilt toevoegen:

1. Selecteer de tab van het werkblad waarvóór Excel het nieuwe werkblad moet invoegen.

2. Kies Invoegen ⇨ Werkblad of kies Invoegen in het snelmenu van de werkbladtab.

   Als je de optie Invoegen ⇨ Werkblad kiest, voegt Excel een nieuw werkblad in en ontvangt de tab het eerstvolgende beschikbare nummer (zoals Blad4).

   Als je de optie Invoegen in het snelmenu kiest, opent Excel het dialoogvenster Invoegen, waarin je het type blad dat je wilt invoegen kunt specificeren (zoals Werkblad, Grafiekblad, Microsoft Excel 4.0-macroblad of Dialoogblad) en ga je verder naar stap 3.

3. Controleer of het pictogram Werkblad is geselecteerd op het tabblad Algemeen van het dialoogvenster Invoegen en klik op OK of druk op Enter.

Als je een reeks nieuwe werkbladen wilt invoegen, selecteer je een groep met het aantal werkbladen dat je wilt invoegen, te beginnen met de tab waarvóór je de nieuwe werkbladen wilt invoegen. Kies vervolgens Invoegen ⇨ Werkblad.

Voer de volgende stappen uit als je een werkblad uit een werkmap wilt verwijderen:

1. Klik op de tab van het werkblad dat je wilt verwijderen.

2. Kies Bewerken ⇨ Blad verwijderen of kies Verwijderen in het snelmenu van de tab.

   Excel komt nu met een onheilspellend bericht waarin wordt vermeld dat de geselecteerde bladen permanent worden verwijderd.

3. Als je zeker weet dat je het hele werkblad wilt verwijderen, klik je op OK of druk je op Enter.

Onthoud dat dit een van die gevallen is waarin de optie Ongedaan maken de zaken niet kan rechttrekken door het verwijderde werkblad terug te plaatsen.

Als je een reeks werkbladen uit de werkmap wilt verwijderen, selecteer je alle werkbladen die je wilt verwijderen en kies je Bewerken ⇨ Blad verwijderen of kies je Verwijderen in het snelmenu van een tab. Als je zeker weet dat je alle geselecteerde bladen kwijt wilt, klik je op OK of druk je op Enter in het waarschuwingsvenster.

Als je merkt dat je voortdurend het aantal werkbladen in werkmappen moet aanpassen door nieuwe bladen toe te voegen of door bladen te verwijderen, kun je het standaardaantal van drie bladen in een werkmap aan je behoeften aanpassen. Kies Extra ⇨ Opties om het dialoogvenster Opties te openen, selecteer het tabblad Algemeen en typ een nieuwe waarde tussen 1 en 255 in het vak Werkbladen in nieuwe map, of selecteer een aantal met het kringveld, waarna je op OK klikt.

De werkbladnaam wijzigen

De werkbladnamen die Excel de tabs in een werkmap geeft (Blad1 tot en met Blad3) zijn, op zijn zachtst gezegd, niet erg origineel en absoluut niet beschrijvend voor hun functie. Gelukkig kun je gemakkelijk de naam van een werkbladtab wijzigen in een naam die duidelijk de inhoud van het blad aangeeft (mits deze beschrijving niet langer is dan 31 tekens).

Voer de volgende stappen uit als je de naam van een werkbladtab wilt wijzigen:

1. Dubbelklik op de werkbladtab of klik met de rechtermuisknop op de tab en kies Naam wijzigen in het snelmenu.

   De huidige naam op de tab wordt geselecteerd.

2. Vervang de huidige naam door de nieuwe naam te typen.

3. Druk op Enter.

   Excel toont de nieuwe bladnaam op de tab onder in het werkmapvenster.

Korte, maar krachtige bladnamen

Hoewel Excel voor werkbladen een naam van maximaal 31 tekens (inclusief spaties) toestaat, is het om twee redenen aan te raden de namen veel korter te houden:

✔ Ten eerste: hoe langer de naam, hoe breder de tab. Hoe breder de tab, hoe minder tabs kunnen worden weergegeven. Hoe minder tabs worden weergegeven, hoe meer je moet bladeren om de gewenste werkbladen te selecteren.

✔ Ten tweede: als je ooit formules gaat maken die cellen in verschillende werkbladen gebruiken (zie 'Samengevat...', verderop in dit

hoofdstuk voor een voorbeeld hiervan), gebruikt Excel de bladnaam als deel van de celverwijzing in de formule. (Hoe kan Excel anders onderscheid maken tussen de waarde in cel C1 op Blad1 en de waarde in cel C1 op Blad2!) Als de werkbladnamen te lang zijn, wordt je daardoor opgezadeld met ellenlange formules in de cellen en op de formulebalk, zelfs als je eenvoudige formules gebruikt die verwijzen naar cellen in enkele verschillende werkbladen.

Onthoud daarom: hoe minder tekens in een bladnaam, hoe beter.

Verschillende kleuren voor de tabs

In Excel 2002 kun je kleuren aan de verschillende werkbladtabs toewijzen. Op deze manier kun je kleurcodes aan diverse werkbladen geven. Zo kun je bijvoorbeeld rode tabs gebruiken voor werkbladen die meteen gecontroleerd dienen te worden en blauwe tabs voor werkbladen die je al hebt gecontroleerd.

Je wijst een kleur aan een tab toe door er met de rechtermuisknop op te klikken en in het snelmenu de optie Tabkleur te kiezen. Het dialoogvenster Tabkleur instellen komt nu tevoorschijn. Klik op de gewenste kleur en klik vervolgens op OK. Het dialoogvenster verdwijnt nu en je ziet dat de naam van de actieve tab onderstreept wordt in de kleur die je zojuist hebt geselecteerd. Als je een andere tab actief maakt, krijgt de gehele tab de toegewezen kleur (en de tekst van de tab wordt in wit weergegeven als er te weinig contrast is met de nieuwe kleur).

Je verwijdert de kleur van de tab door opnieuw het dialoogvenster Tabkleur instellen te openen en op de knop Geen kleur te klikken.

De werkbladen ordenen

Soms kan het nodig zijn de volgorde van de werkbladen in een werkmap te wijzigen. Excel biedt je hiervoor de mogelijkheid de tab van het werkblad naar de gewenste positie te slepen. Terwijl je de tab versleept, ver-

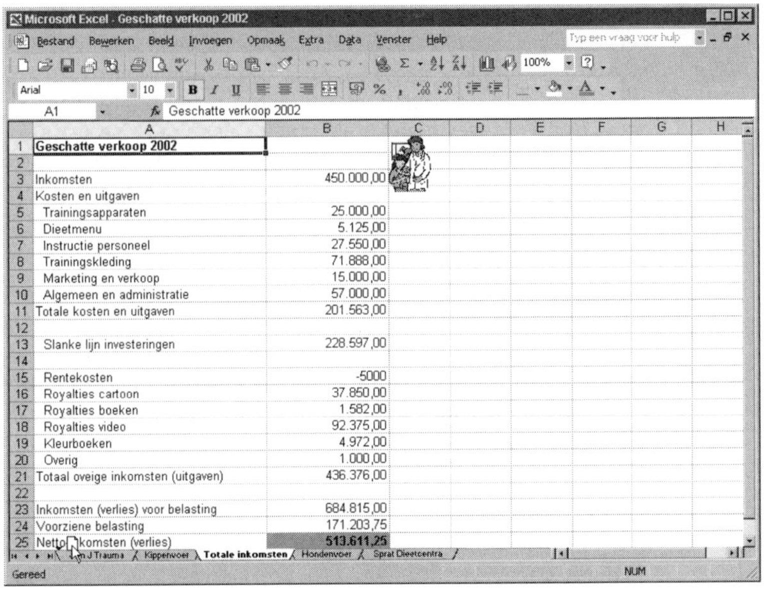

Figuur 7.3:
De volgorde van de bladen in de werkmap Geschatte verkoop 2001 wijzigen door de tab van het blad Totale inkomsten naar voren te slepen

andert de aanwijzer in een blad met een pijl en geeft een driehoekje de positie van de tab tussen de tabs aan (zie figuur 7.3). Wanneer je de muisknop loslaat, past Excel de volgorde van de werkbladen in de werkmap aan door het blad in te voegen op de plaats waar je de tab neerzet (zie figuur 7.4).

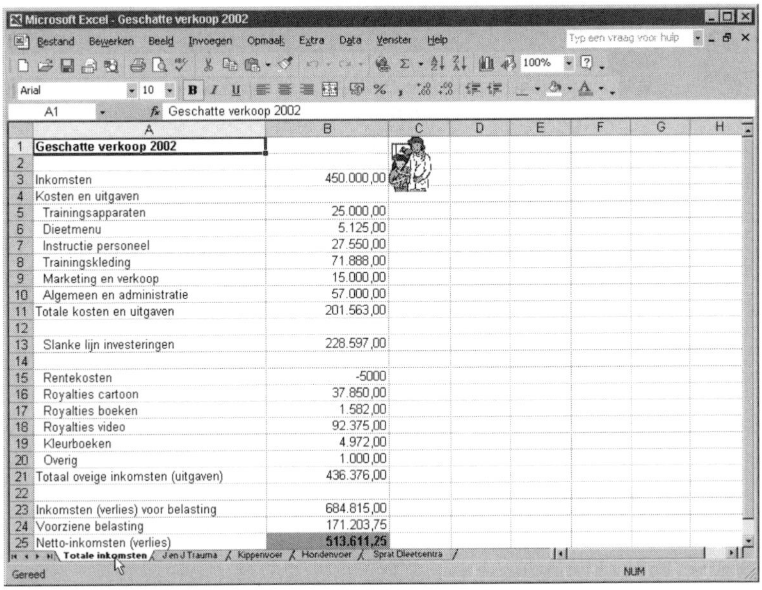

Figuur 7.4:
De werkmap nadat het blad Totale inkomsten naar voren is gesleept

Als je de Ctrl-toets ingedrukt houdt terwijl je de tab versleept, voegt Excel een *kopie* van het werkblad in op de plaats waar je de muisknop loslaat. Je kunt zien dat Excel het blad kopieert in plaats van dit te verplaatsen, doordat zich een plusteken bevindt in het bladpictogram van de aanwijzer. Wanneer je de muisknop loslaat, voegt Excel de kopie in de werkmap in en wordt de aanduiding (2) toegevoegd achter de tabnaam. Als je bijvoorbeeld Blad5 naar een andere positie in de werkmap kopieert, krijgt de tab van de kopie de naam Blad5 (2). Vervolgens kun je de tab een andere naam geven (zoals eerder in dit hoofdstuk is uitgelegd).

Het is ook mogelijk werkbladen te verplaatsen of te kopiëren zonder de tabs met de muis te hoeven slepen. Activeer het desbetreffende blad en kies de opdracht Blad verplaatsen of kopiëren in het snelmenu. Het dialoogvenster Blad verplaatsen of kopiëren verschijnt nu; klik in het vak Voor blad op de naam van het werkblad waar je het actieve blad vóór wilt plaatsen of kopiëren.

Als je het actieve blad direct vóór het blad wilt plaatsen dat je in het vak Voor blad hebt geselecteerd, klik je op OK. Zorg ervoor dat je een vinkje in het selectievakje bij Kopie maken hebt gezet als je het actieve werkblad wilt kopiëren. Klik vervolgens op OK. Als je een werkblad kopieert, voegt Excel een getal aan de naam van het werkblad toe. Een kopie van een werkblad met de naam Geschatte inkomen zal Geschatte inkomen (2) heten.

Meerdere werkbladen weergeven

Net zoals je één werkblad kunt splitsen in meerdere deelvensters, zodat je de verschillende delen van dat werkblad op het scherm kunt bekijken en vergelijken (zie hoofdstuk 6), kun je ook één werkmap splitsen in meerdere werkbladvensters en de vensters schikken, zodat je verschillende delen van elk werkblad op het scherm kunt bekijken.

Als je de werkbladen die je wilt vergelijken in verschillende vensters wilt weergeven, voeg je nieuwe werkmapvensters toe (aan het werkmapvenster dat Excel automatisch opent wanneer je het werkmapbestand opent) en selecteer je het werkblad dat je in het nieuwe venster wilt weergeven. Voer hiervoor de volgende stappen uit:

1. Kies Venster ➪ Nieuw venster om een tweede werkmapvenster te maken. Klik vervolgens op de tab van het werkblad dat je wilt weergeven in het tweede venster (dat wordt aangegeven door de aanduiding :2, die wordt toegevoegd aan het einde van de bestandsnaam in de titelbalk).

2. Kies nogmaals Venster ➪ Nieuw venster om een derde werkmapvenster te maken. Klik op de tab van het werkblad dat je wilt weergeven in het derde venster (dat wordt aangegeven door de aanduiding :3, die wordt toegevoegd aan het einde van de bestandsnaam n de titelbalk).

3. Voeg net zo lang nieuwe vensters toe totdat je alle werkbladen kunt weergeven die je wilt vergelijken.

4. Kies de optie Venster ➪ Alle vensters, selecteer een van de opties (die hierna worden beschreven) en klik op OK of druk op Enter.

Het dialoogvenster Alle vensters biedt de volgende opties:

✔ **Het keuzerondje Naast elkaar:** deze optie plaatst de vensters zodanig dat ze naast elkaar op het scherm passen in de volgorde waarin ze zijn geopend. Figuur 7.5 toont het scherm nadat het selectievakje Vensters van actieve werkmap en het keuzerondje Naast elkaar zijn geselecteerd, terwijl er drie werkmapvensters zijn geopend.

✔ **Het keuzerondje Horizontaal:** deze optie maakt alle vensters even groot en plaatst ze onder elkaar op het scherm. Figuur 7.6 toont het scherm nadat het selectievakje Vensters van actieve werkmap en het keuzerondje Horizontaal zijn geselecteerd, terwijl er drie werkmapvensters zijn geopend.

✔ **Het keuzerondje Verticaal:** deze optie maakt alle vensters even groot en plaatst ze naast elkaar op het scherm. Figuur 7.7 toont het scherm nadat het selectievakje Vensters van actieve werkmap en het keuzerondje Verticaal zijn geselecteerd, terwijl er drie werkmapvensters zijn geopend.

Figuur 7.5: De werkbladvensters nadat ze zijn gerangschikt met de optie Naast elkaar

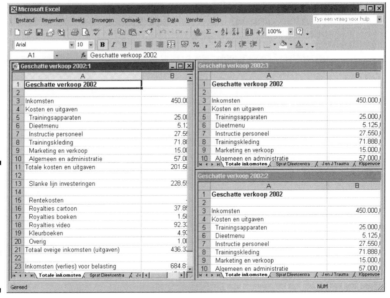

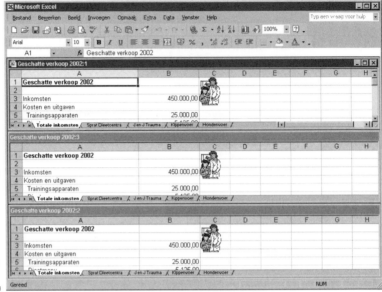

Figuur 7.6:
De werk-
bladven-
sters nadat
ze zijn ge-
rangschikt
met de optie
Horizontaal

✔ **Het keuzerondje Trapsgewijs:** deze optie plaatst alle vensters zodanig op het scherm dat ze elkaar overlappen en alleen de titel-
balken zichtbaar zijn. Figuur 7.8 toont het scherm nadat het selectievakje Vensters van actieve werkmap en het keuzerondje
Trapsgewijs zijn geselecteerd, terwijl er drie werkmapvensters
zijn geopend.

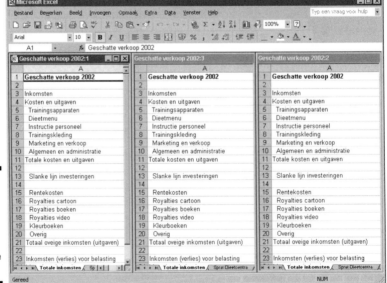

Figuur 7.7:
De werk-
bladven-
sters nadat
ze zijn ge-
rangschikt
met de optie
Verticaal

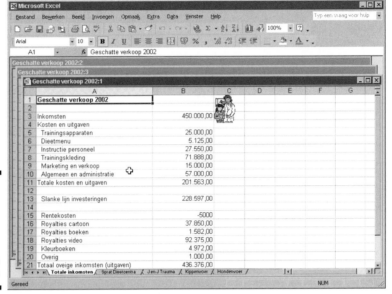

Figuur 7.8:
De werk-
bladven-
sters nadat
ze zijn ge-
rangschikt
met de optie
Trapsgewijs

✔ **Het selectievakje Vensters van actieve werkmap:** deze optie
zorgt ervoor dat Excel alleen de vensters toont die je hebt geopend in de huidige werkmap. Als je deze optie niet selecteert,
toont het programma alle vensters in alle geopende werkmappen;
het is namelijk mogelijk meer dan één werkmap en meer dan één
venster binnen elke werkmap te openen, mits je computer voldoende geheugen bezit en je over voldoende uithoudingsvermo-
gen beschikt om al die informatie bij te houden.

Nadat je de vensters op de gewenste manier hebt gerangschikt, kun je
het venster dat je wilt gebruiken activeren (als dit nog niet is gebeurd)
door erin te klikken (in het geval van de rangschikking Trapsgewijs
moet je klikken op de titelbalk van het venster) of door te klikken op de
knop van het venster op de taakbalk van Windows. Gebruik de scherminfo van de knop om het nummer van het venster te bepalen als de
knoppen te klein zijn om deze informatie weer te geven.

Wanneer je klikt op een werkbladvenster bij de indeling Naast elkaar,
Horizontaal of Verticaal, geeft Excel aan dat het venster is geselecteerd
door de titelbalk donkerder te maken en schuifbalken aan het venster
toe te voegen. Wanneer je klikt op de titelbalk van een venster in de indeling Trapsgewijs, plaatst het programma dit venster boven op de stapel en wordt daarnaast de titelbalk donkerder gemaakt en worden
schuifbalken aan het venster toegevoegd.

Je kunt een venster tijdelijk schermvullend maken door te klikken op de
knop Maximaliseren op de titelbalk van het venster. Wanneer je klaar
bent met dit venster, kun je het vorige formaat herstellen door te klikken op de knop Formaat herstellen.

Als je het volgende venster met het toetsenbord wilt selecteren, druk je op Ctrl+F6. Wil je het vorige venster selecteren, druk dan op Ctrl+Shift+F6. Deze sneltoetsen werken ook wanneer de vensters zijn gemaximaliseerd.

Als je een van de gerangschikte vensters sluit door te klikken op de knop Sluiten (de knop met de X op de titelbalk) of door te drukken op Ctrl+W, past Excel niet automatisch de afmetingen van de andere geopende vensters aan om de lege ruimte te vullen. Als je nog een venster maakt door Venster ➪ Nieuw venster te selecteren, rangschikt Excel dit venster evenmin samen met de overige vensters. (Het nieuwe venster bevindt zich gewoonweg voor de andere vensters.)

Als je de leegte wilt vullen die ontstaat doordat je een venster sluit of als je een nieuw geopend venster met de overige vensters wilt rangschikken, open je het dialoogvenster Alle vensters en klik je op OK of druk je op Enter. Het keuzerondje dat je de laatste keer hebt geselecteerd, is nog steeds geselecteerd. Als je een andere indeling wilt, klik je op het gewenste keuzerondje voordat je op OK klikt.

Sluit een van de werkbladvensters niet met de optie Bestand ➪ Sluiten. In dit geval wordt namelijk het hele werkmapbestand gesloten, waarbij tegelijkertijd alle gemaakte werkbladvensters verdwijnen.

Wanneer je een werkmap opslaat, slaat Excel de huidige vensterindeling op als deel van het bestand. Als je de huidige indeling niet wilt opslaan, sluit je alle vensters op één na (door te dubbelklikken op het systeemmenu van elk venster of door de vensters één voor één te selecteren en op Ctrl+W te drukken). Klik vervolgens op de knop Maximaliseren van het laatste venster en selecteer de tab van het werkblad dat moet worden weergegeven wanneer je de werkmap de volgende keer opent. Sla vervolgens het bestand op.

Werkbladen tussen werkmappen verplaatsen of kopiëren

Er zijn gevallen waarin je een bepaald werkblad van de ene werkmap naar een andere wilt verplaatsen of kopiëren. Voer in dat geval de volgende stappen uit:

1. Open zowel de werkmap met het werkblad dat je wilt verplaatsen of kopiëren als de werkmap waarnaar je het werkblad wilt verplaatsen of kopiëren.

   Gebruik de knop Openen op de werkbalk Standaard of kies Bestand ➪ Openen (Ctrl+O) om de werkmappen te openen.

2. Selecteer de werkmap met het werkblad dat je wilt verplaatsen of kopiëren.

Kies de naam van deze werkmap in het menu Venster.

3. Selecteer het blad dat (of de bladen die) je wilt verplaatsen of kopiëren.

   Om één werkblad te selecteren, klik je op de tab ervan. Wil je een groep aangrenzende werkbladen selecteren, klik dan op de eerste tab, houd Shift ingedrukt en klik op de laatste tab. Je selecteert meerdere niet-aaneengesloten werkbladen door te klikken op de eerste tab en Ctrl ingedrukt te houden terwijl je klikt op de overige tabs die je wilt selecteren.

4. Kies de optie Blad verplaatsen of kopiëren in het menu Bewerken of in het snelmenu van een tab.

   Excel opent het dialoogvenster Blad verplaatsen of kopiëren (zie figuur 7.9) waarin je aangeeft of je het geselecteerde blad (of de bladen) wilt verplaatsen of kopiëren en waar je het naartoe wilt verplaatsen of kopiëren.

5. Selecteer in de lijst Naar map de naam van de werkmap waarnaar je de werkbladen wilt verplaatsen of kopiëren.

   Als je de geselecteerde werkbladen wilt verplaatsen of kopiëren naar een nieuwe werkmap in plaats van naar een bestaande, geopende werkmap, selecteer je de optie (nieuwe map), boven in de lijst Naar map.

6. Selecteer in de lijst Voor blad de naam van het blad waarvóór je de verplaatste of gekopieerde werkbladen wilt plaatsen. Als je het werkblad aan het einde van de werkmap wilt plaatsen, selecteer je de optie Naar einde gaan.

7. Schakel het selectievakje Kopie maken in als je de geselecteerde werkbladen naar de aangegeven werkmap wilt kopiëren (in plaats van ze te verplaatsen).

8. Klik op OK of druk op Enter om de verplaats- of kopieerbewerking te voltooien.

Figuur 7.9:
In het dialoogvenster Blad verplaatsen of kopiëren selecteer je de werkmap waarnaar je de geselecteerde bladen wilt verplaatsen of kopiëren

Als je de voorkeur geeft aan een directere methode, kun je bladen tussen geopende werkmappen verplaatsen of kopiëren door hun tabs van het ene werkmapvenster naar het andere te slepen. Deze methode werkt zowel voor een groep werkbladen als voor één blad. Let er wel op dat je alle werkbladtabs selecteert voordat je gaat slepen.

Om een werkblad van de ene werkmap naar de andere te slepen, moet je beide werkmappen openen en de optie Venster ⇨ Alle vensters kiezen. Selecteer vervolgens een indeling (zoals Horizontaal of Verticaal) om beide werkmapvensters naast elkaar of boven elkaar weer te geven. Voordat je het dialoogvenster Alle vensters sluit, moet je erop letten dat het selectievakje Vensters van actieve werkmap is *uitgeschakeld*.

Nadat je de werkmapvensters hebt gerangschikt, sleep je de werkbladtab van de ene werkmap naar de andere. Als je de werkmap wilt kopiëren in plaats van verplaatsen, houd je Ctrl ingedrukt terwijl je het bladpictogram versleept. Om het werkblad in de nieuwe werkmap te positioneren, plaats je de omlaag wijzende driehoek voor de werkbladtab waar je het werkblad wilt invoegen en laat je de muisknop los.

Het 'slepen en plakken' kun je in Excel niet ongedaan maken met de functie Ongedaan maken (zie hoofdstuk 4). Als je het blad in de verkeerde werkmap plakt, dan zul je het blad zelf weer moeten terugslepen naar de plaats waar het thuishoort!

De figuren 7.10 en 7.11 laten zien hoe gemakkelijk je met deze methode een werkblad van de ene naar de andere werkmap kunt verplaatsen.

In figuur 7.10 zie je twee werkmapvensters: de werkmap genaamd Moeder de Gans in het linkerdeelvenster en de werkmap Geschatte verkoop

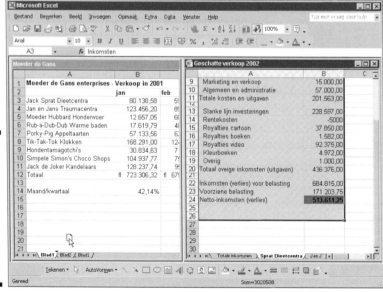

Figuur 7.10: Het werkblad Sprat Dieetcentra kopiëren door het naar de werkmap Moeder de Gans te slepen

2002 in het rechterdeelvenster. De vensters zijn gerangschikt met de optie Verticaal in het dialoogvenster Alle vensters. Om bijvoorbeeld het blad Sprat Dieetcentra van de werkmap Geschatte verkoop 2002 te kopiëren naar de werkmap Moeder de Gans, selecteer je de tab en houd je de Ctrl-toets ingedrukt terwijl je het bladpictogramm naar de nieuwe positie vóór Blad2 in de werkmap Moeder de Gans sleept.

Figuur 7.11 toont de werkmappen nadat je de muisknop hebt losgelaten. Zoals je ziet, voegt Excel de kopie van het werkblad in op de plaats die wordt aangegeven door de driehoek die het bladpictogram vergezelt (in dit geval tussen Blad1 en Blad2).

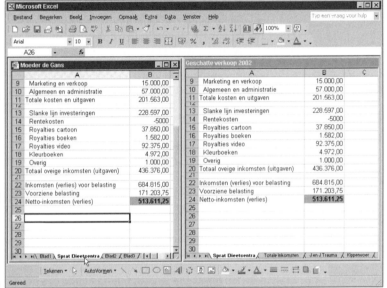

Figuur 7.11:
Het scherm nadat een kopie van het werkblad Sprat Dieetcentra is ingevoegd tussen Blad1 en Blad2 in de werkmap Moeder de Gans

Samengevat...

Ter afsluiting van dit hoofdstuk wordt een inleiding gegeven in een fascinerend onderwerp: het maken van een *overzichtsblad* dat de totalen bevat van de waarden in een reeks werkbladen in de werkmap.

De beste manier om te laten zien hoe je een overzichtsblad maakt, is je stapsgewijs te laten zien hoe je zo'n werkblad (genaamd Totale inkomsten) maakt voor de werkmap Geschatte verkoop 2002. Dit werkblad bevat de totale geschatte inkomsten en uitgaven van alle bedrijven die eigendom zijn van Moeder de Gans Enterprises.

Aangezien de werkmap Geschatte verkoop 2002 al negen werkbladen bevat, elk met de geschatte inkomsten en uitgaven voor een van de bedrijven, en deze werkbladen alle dezelfde indeling hebben, is het zeer eenvoudig om een overzichtsblad te maken:

1. Eerst voeg je een nieuw werkblad in, vóór de andere werkbladen in de werkmap, en verander je de naam van dit blad van Blad1 in Totale inkomsten.

   Als je niet weet hoe je een nieuw werkblad invoegt, lees je de paragraaf 'Werkbladen toevoegen en verwijderen'. In de paragraaf 'De werkbladnaam wijzigen' wordt uitgelegd hoe je de naam van een werkbladtab wijzigt.

2. Typ een werkbladtitel, bijvoorbeeld `Moeder de Gans Enterprises - Geschat inkomen in 2002` in cel A1.

   Selecteer cel A1 en typ de tekst.

3. Tot slot kopieer je de rest van de rijkoppen voor kolom A (met de beschrijving van de inkomsten en uitgaven) van het werkblad Sprat Dieetcentra naar het werkblad Totale inkomsten.

   Selecteer hiervoor cel A3 in het blad Totale inkomsten. Klik vervolgens op het tabblad Sprat Dieetcentra en selecteer het cellenbereik A3:A22 voordat je op Ctrl+C drukt. Klik daarna opnieuw op de tab Totale inkomsten en druk op Enter.

Je kunt nu de basisformule gaan maken die in cel B3 van het werkblad Totale inkomsten het totaal uitrekent van de inkomsten van alle negen bedrijven:

1. Klik in cel B3 en klik vervolgens op de knop AutoSom op de werkbalk Standaard.

   Excel plaatst de tekst =SOM() in de cel, waarbij de invoegpositie zich tussen de twee haakjes bevindt.

2. Klik op de tab Sprat Dieetcentra en op cel B3 om de verwachte inkomsten voor de Jack Sprat Dieetcentra te selecteren.

   De formulebalk bevat de formule =SOM('Sprat Dieetcentra'!B3).

3. Typ een puntkomma (om een nieuw argument aan te geven), klik op de tab J en J Trauma en klik op cel B3 om de geschatte inkomsten voor de Jan en Jans Traumacentra te selecteren.

   De formulebalk bevat nu de formule =SOM('Sprat Dieetcentra'!B3; 'J en J Trauma'!B3).

4. Ga verder door telkens een puntkomma te typen en de geschatte inkomsten voor alle andere bedrijven in de zeven werkbladen te selecteren.

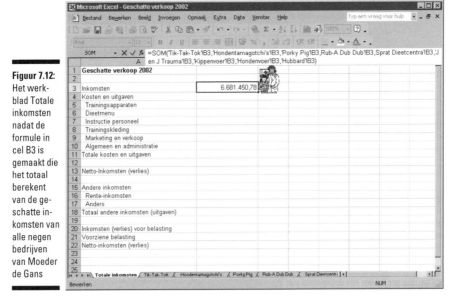

Figuur 7.12:
Het werk-
blad Totale
inkomsten
nadat de
formule in
cel B3 is
gemaakt die
het totaal
berekent
van de ge-
schatte in-
komsten van
alle negen
bedrijven
van Moeder
de Gans

5. Om de formule in cel B3 van het werkblad Totale inkomsten af te sluiten, klik je op de knop Invoeren op de formulebalk (of druk je op Enter).

   Figuur 7.12 toont het resultaat nadat AutomatischAanpassen is gebruikt om kolom B breder te maken. Zoals je ziet aan de formulebalk, berekent de formule de waarde 6.681.450,78 in cel B3 door de waarden in cel B3 van de overige negen werkbladen bij elkaar op te tellen.

Het enige wat je nu nog moet doen, is AutoDoorvoeren gebruiken om de formule uit cel B3 als volgt omlaag te kopiëren tot rij 22:

1. Terwijl cel B3 nog steeds is geselecteerd, sleep je de vulgreep in de rechterbenedenhoek van cel B3 omlaag naar cel B22 om de formule die de totalen van de waarden voor de negen bedrijven berekent naar de kolom te kopiëren.

2. Verwijder vervolgens de formules uit de cellen B4, B12, B14, B15 en B19 (die alle nullen weergeven omdat deze cellen geen waarden bevatten waarvan de som kan worden berekend).

In figuur 7.13 zie je het eerste deel van het samenvattingswerkblad met de geschatte inkomsten nadat de formule uit cel B3 is gekopieerd en de formules uit de lege cellen zijn verwijderd (de cellen in kolom B die de waarde 0 opleverden).

Microsoft Excel - Geschatte verkoop 2002

Bestand Bewerken Beeld Invoegen Opmaak Extra Data Venster Help

A1 =SOM(Tik-Tak-Tok!B3,'Hondentamagotchi's'!B3,'Porky Pig'!B3,Rub-A Dub Dub!B3,Sprat Dieetcentra!B3,'J en J Trauma'!B3,Kippenvoer!B3,'Hondenvoer'!B3,'Hubbard'!B3)

	A	
1	**Geschatte verkoop 2002**	
2		
3	Inkomsten	6.681.450,78
4	Kosten en uitgaven	
5	Trainingsapparaten	882.387,00
6	Dieetmenu	1.287.923,88
7	Instructie personeel	346.452,79
8	Trainingskleding	616.404,88
9	Marketing en verkoop	892.856,06
10	Algemeen en administratie	219.925,60
11	Totale kosten en uitgaven	4.245.950,21
12		
13	Netto-Inkomsten (verlies)	2.435.500,57
14		
15	Andere inkomsten	
16	Rente-inkomsten	218.430,60
17	Anders	103.769,00
18	Totaal andere inkomsten (uitgaven)	322.199,60
19		
20	Inkomsten (verlies) voor belasting	2.757.700,17
21	Voorziene belasting	689.425,04
22	Netto-inkomsten (verlies)	2.068.275,13
23		
24		
25		

Totale inkomsten Tik-Tak-Tok Hondentamagotchi's Porky Pig Rub-A Dub Dub Sprat Dieetcentra

Gereed   NUM

Deel IV
Leven na de spreadsheet

The 5th Wave   By Rich Tennant

'Verdikkie! Deze auberginegrafiek is net zo verwarrend
als de walnootgrafiek en de pompoengrafiek. Waarom
maak je ook niet gewoon een taartdiagram?'

In dit deel...

*L*aat niemand je wat wijsmaken: spreadsheets vormen de
basis van Excel 2002. En velen van jullie zullen met Excel
alleen spreadsheets maken, bewerken en afdrukken en zich
afvragen wat je je nog meer kunt wensen. Je mag echter niet de
verkeerde indruk krijgen: het feit dat Excel zo goed is in spreadsheets, wil niet zeggen dat Excel maar één ding kan. En het feit
dat je in je huidige werk alleen spreadsheets produceert, betekent niet dat je in de toekomst nooit spreadsheetgegevens moet
weergeven in een grafiek, Excel-databases moet maken en onderhouden en, wie weet, je werkbladgegevens zelfs wilt publiceren
op het World Wide Web.

Deel IV is toegevoegd voor het geval je je buiten de grenzen van
spreadsheets waagt en spannende exotische dingen wilt gaan
doen, zoals grafieken maken en afbeeldingen toevoegen, databases maken, sorteren en filteren en werkbladen publiceren op
internet of op een bedrijfsintranet. Na de onderhoudende informatie in hoofdstuk 8 over grafieken maken, de feiten in hoofdstuk
9 over werken met Excel-databases en de tips en trucs voor het
maken van hyperlinks en het omzetten van werkbladgegevens in
HTML-documenten, zul je meer dan gereed zijn als je op een dag
gedwongen wordt je buiten de goede, oude Excel-spreadsheet te
begeven.

Hoofdstuk 8

De kunst van grafieken maken

Zoals Confucius al zei: 'Een plaatje zegt meer dan duizend woorden' (of, zoals in ons geval, duizend getallen). Door grafieken aan werkbladen toe te voegen, vergroot je niet alleen de belangstelling voor die anders zo saaie getallen, maar licht je tevens trends en afwijkingen toe die niet zo duidelijk zouden opvallen als je alleen naar de waarden zou kijken. Aangezien je met Excel 2002 de waarden in een werkblad zo gemakkelijk kunt omzetten in een grafiek, kun je ook experimenteren met verschillende soorten grafieken tot je de meest geschikte grafiek voor de gegevens vindt, met andere woorden: het plaatje dat het verhaal het beste verwoordt.

Een woord vooraf over grafieken voordat wordt uitgelegd hoe je deze maakt in Excel. Weet je nog dat je wiskundeleraar op de middelbare school je moedig probeerde uit te leggen hoe je vergelijkingen weergeeft in een grafiek door verschillende waarden uit te zetten op de X- en de Y-as op ruitjespapier? Waarschijnlijk was je te druk met belangrijkere zaken, zoals muziek en lol maken, om goed op te letten en vroeg je jezelf af waar je dit ooit voor nodig zou hebben.

Zo zie je maar weer. Ook al zet Excel werkbladgegevens bijna helemaal automatisch om in een grafiek, toch moet je onderscheid kunnen maken tussen de X-as en de Y-as voor het geval Excel de grafiek niet tekent zoals de bedoeling is. Om je geheugen op te frissen: de X-as is de horizontale as die zich gewoonlijk onder in de grafiek bevindt, terwijl de Y-as de verticale as is die zich meestal links in de grafiek bevindt.

In de meeste grafieken die deze twee assen gebruiken, zet Excel de categorieën uit langs de X-as, terwijl de respectievelijke waarden worden uitgezet langs de Y-as. De X-as wordt soms ook wel de *tijdas* genoemd omdat een grafiek vaak waarden op deze as afbeeldt voor verschillende perioden, zoals maanden, kwartalen, jaren en dergelijke.

Grafieken maken met de wizard Grafieken

Met de wizard Grafieken van Excel maak je in een handomdraai een nieuwe grafiek. De wizard Grafieken leidt je door een vierstappen procedure. Aan het einde hiervan beschik je over een mooie, volledige, nieuwe grafiek.

Het is aan te raden het cellenbereik met de informatie die je in een grafiek wilt weergeven te selecteren voordat je de wizard Grafieken start. Onthoud dat je, om ervoor te zorgen dat de gewenste grafiek wordt gemaakt, de informatie moet invoeren in een standaardtabelindeling. Wanneer de informatie deze indeling heeft, kun je alle informatie als één bereik selecteren (zie figuur 8.1).

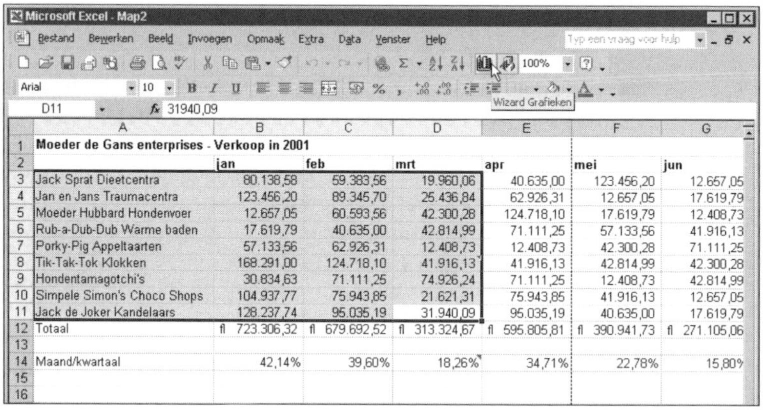

	A	B	C	D	E	F	G
1	**Moeder de Gans enterprises - Verkoop in 2001**						
2		jan	feb	mrt	apr	mei	jun
3	Jack Sprat Dieetcentra	80.138,58	59.383,56	19.960,06	40.635,00	123.456,20	12.657,05
4	Jan en Jans Traumacentra	123.456,20	89.345,70	25.436,84	62.926,31	12.657,05	17.619,79
5	Moeder Hubbard Hondenvoer	12.657,05	60.593,56	42.300,28	124.718,10	17.619,79	12.408,73
6	Rub-a-Dub-Dub Warme baden	17.619,79	40.635,00	42.814,99	71.111,25	57.133,56	41.916,13
7	Porky-Pig Appeltaarten	57.133,56	62.926,31	12.408,73	12.408,73	42.300,28	71.111,25
8	Tik-Tak-Tok Klokken	168.291,00	124.718,10	41.916,13	41.916,13	42.814,99	42.300,28
9	Hondentamagotchi's	30.834,63	71.111,25	74.926,24	71.111,25	12.408,73	42.814,99
10	Simpele Simon's Choco Shops	104.937,77	75.943,85	21.621,31	75.943,85	41.916,13	12.657,05
11	Jack de Joker Kandelaars	128.237,74	95.035,19	31.940,09	95.035,19	40.635,00	17.619,79
12	Totaal	fl 723.306,32	fl 679.692,52	fl 313.324,67	fl 595.805,81	fl 390.941,73	fl 271.105,06
13							
14	Maand/kwartaal	42,14%	39,60%	18,26%	34,71%	22,78%	15,80%
15							
16							

Figuur 8.1: De informatie voor de grafiek selecteren

Als je een grafiek maakt die een X- en een Y-as gebruikt (dit geldt voor de meeste grafieken), gebruikt de wizard Grafieken de rij met kolomkoppen in de geselecteerde tabel als categorielabels langs de X-as. Als de tabel rijkoppen bevat, gebruikt de wizard deze als koppen in de legenda van de grafiek (als je een legenda toevoegt). In de *legenda* worden alle punten, kolommen en staven in de grafiek die de waarden in de tabel representeren, toegelicht.

Nadat je de informatie voor de grafiek hebt geselecteerd, voer je de volgende stappen uit om de grafiek te maken:

1. Klik op de knop Wizard Grafieken op de werkbalk Standaard om het dialoogvenster Wizard Grafieken – Stap 1 van 4 – Grafiektype te openen.

   De knop Wizard Grafieken is de knop met de afbeelding van een kolomgrafiek. Wanneer je op deze knop klikt, opent Excel het dialoogvenster uit figuur 8.2.

Figuur 8.2:
Het dialoogvenster Wizard Grafieken – Stap 1 van 4 – Grafiektype

2. Als je een ander grafiektype dan het standaardtype Gegroepeerde kolom wilt gebruiken, selecteer je een grafiektype en/of subtype op het tabblad Standaardtypen of Aangepaste typen van dit dialoogvenster.

   Je selecteert een ander grafiektype door te klikken op de voorbeeldgrafiek in de keuzelijst Grafiektype. Om een subtype te selecteren, klik je op het voorbeeld ervan in het vak Subtype van het dialoogvenster. Als je wilt zien hoe de gegevens eruitzien met het geselecteerde grafiektype en subtype, klik je met ingedrukte muisknop op de knop Ingedrukt houden om voorbeeld te bekijken onder het vak met de naam van het grafiektype en het subtype.

3. Klik op de knop Volgende of druk op Enter om het dialoogvenster Wizard Grafieken – Stap 2 van 4 – Gegevensbron grafiek te openen.

   In dit dialoogvenster (zie figuur 8.3) kun je het gegevensbereik wijzigen dat in de grafiek wordt afgebeeld (of een bereik selecteren als je dit nog niet had gedaan) en aangeven hoe de reeksen in het gegevensbereik worden gedefinieerd. Terwijl dit dialoogvenster wordt weergegeven, wordt het gegevensbereik dat je hebt geselecteerd voordat je de wizard Grafieken opende, in het werkblad omgeven door een selectiekader en in formulevorm (met absolute celverwijzingen) weergegeven in het vak Gegevensbereik. Als je dit bereik wilt wijzigen (om bijvoorbeeld de rij met kolomkoppen of de kolom met rijkoppen toe te voegen), selecteer je het bereik opnieuw met de muis of bewerk je de celverwijzingen in het invoervak Gegevensbereik.

Onthoud dat als het dialoogvenster Wizard Grafieken – Stap 2 van 4 – Gegevensbron grafiek de te selecteren cellen bedekt, je dit dialoogvenster kunt verkleinen tot het invoervak en de titelbalk door te klikken op de knop naast het invoervak. Als je het dialoogvenster weer wilt vergroten, klik je opnieuw op de knop naast het invoervak. Het dialoogvenster Gegevensbron verandert automatisch in het dialoogvenster Gegevensbereik als je met de muisaanwijzer cellen in het werkblad sleept. Zodra je de muis weer loslaat, neemt het dialoogvenster weer zijn oorspronkelijke vorm aan.

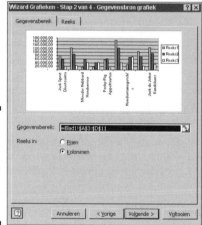

Figuur 8.3:
Het dialoogvenster Wizard Grafieken – Stap 2 van 4 – Gegevensbron grafiek

4. Controleer het cellenbereik in het vak Gegevensbereik en pas zo nodig het adres aan (door dit te typen of door het cellenbereik in het werkblad te selecteren).

Gewoonlijk zet de wizard Grafiek elke kolom met waarden in de geselecteerde tabel om in een aparte *gegevensreeks* in de grafiek. De *legenda* (het vak met voorbeelden van de kleuren of patronen die in de grafiek worden gebruikt) licht elke gegevensreeks in de grafiek toe.

In het geval van de geselecteerde werkbladgegevens op het werkblad met de verkoopcijfers voor het eerste kwartaal van Moeder de Gans Enterprises (zie figuur 8.1) betekent dit dat Excel de staven in de kolomgrafiek gebruikt om de verkoopcijfers van de maanden weer te geven en deze verkoopcijfers groepeert per bedrijf. Desgewenst kun je de gegevensreeks wijzigen van kolommen in rijen door te klikken op het keuzerondje Rijen. Als je in dit voorbeeld op het keuzerondje Rijen klikt, vertegenwoordigt elke staaf de verkoopcijfers van een van de negen bedrijven en worden deze per maand gegroepeerd.

Wanneer de grafiek de gegevensreeksen baseert op kolommen, gebruikt de wizard Grafieken de informatie in de eerste kolom (de rijkoppen in het cellenbereik A3:A11) als titels voor de X-as (de zogeheten *categorielabels*). De wizard Grafieken gebruikt de gegevens in de eerste rij (de kolomkoppen in het cellenbereik B2:D2) als tekst voor de legenda.

5. Als je wilt dat de wizard Grafieken de rijen van het geselecteerde gegevensbereik gebruikt als gegevensreeks in de grafiek (in plaats van de kolommen), klik je op het keuzerondje Rijen achter Reeks in.

   Indien je wijzigingen wilt aanbrengen in de afzonderlijke namen of in cellen die in de gegevensreeks worden gebruikt, klik je op de tab Reeks in het dialoogvenster Wizard Grafieken – Stap 2 van 4 – Gegevensbron grafiek.

6. Klik op de knop Volgende of druk op Enter om het dialoogvenster Wizard Grafieken – Stap 3 van 4 – Grafiekopties te openen.

   In dit dialoogvenster (zie figuur 8.4) kun je allerlei instellingen aanbrengen, zoals de titels voor de grafiek, het gebruik van rasterlijnen, de plaats van de legenda, de weergave van gegevenslabels naast de gegevensreeksen en of de wizard Grafieken onder de gegevensreeks in de grafiek een gegevenstabel moet plaatsen waarin de gebruikte waarden worden weergegeven.

Figuur 8.4: Het dialoogvenster Wizard Grafieken – Stap 3 van 4 – Grafiekopties

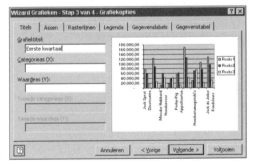

7. Selecteer het tabblad met de instellingen die je wilt wijzigen (Titels, Assen, Rasterlijnen, Legenda, Gegevenslabels of Gegevenstabel) en breng de gewenste wijzigingen aan (zie 'De grafiekopties wijzigen', verderop in dit hoofdstuk, voor meer informatie).

8. Klik op de knop Volgende of druk op Enter om het dialoogvenster Wizard Grafieken – Stap 4 van 4 – Locatie grafiek te openen.

   Via dit dialoogvenster (zie figuur 8.5) kun je de nieuwe grafiek op een eigen grafiekblad in de werkmap plaatsen of als een nieuw grafiekobject toevoegen aan een van de werkbladen in de werkmap.

Figuur 8.5:
Het dialoog-
venster
Wizard Gra-
fieken –
Stap 4 van 4
– Locatie
grafiek

9a. Klik op het keuzerondje Als een nieuw blad als je de grafiek op een eigen blad wilt plaatsen. Typ desgewenst een nieuwe naam voor het blad (in plaats van Grafiek1, Grafiek2 enzovoort) in het in-voervak.

9b. Wil je de grafiek ergens op een van de werkbladen in de werkmap plaatsen, selecteer dan het keuzerondje Als object in en selecteer de naam van het werkblad in de vervolgkeuzelijst rechts ervan.

10. Klik op de knop Voltooien of druk op Enter om het laatste dia-loogvenster van de wizard Grafieken te sluiten.

Indien je het keuzerondje Als een nieuw blad hebt geselecteerd, wordt de nieuwe grafiek weergegeven op een eigen grafiekblad en verschijnt de zwevende werkbalk Grafiek (zie figuur 8.6) in het werkmapvenster. Heb je Als object in geselecteerd, dan wordt de grafiek weergegeven als een geselecteerde afbeelding – samen met de zwevende werkbalk Grafiek – in het aangegeven werkblad.

Figuur 8.6:
De zweven-
de werkbalk
Grafiek

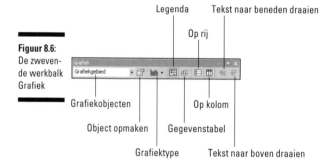

Instantgrafieken

Als je geen tijd hebt de vier stappen van de wizard Grafieken uit te voeren, kun je een voltooide gegroepeerde kolomgrafiek als grafisch object maken door de labels en waarden voor de grafiek te selecteren, te klikken op de knop Wizard Grafieken op de werkbalk Standaard en vervolgens te klikken op de knop Voltooien in het dialoogvenster Wizard Grafieken – Stap 1 van 4 – Grafiektype.

Wil je een kant-en-klare grafiek op een eigen grafiekblad maken, selecteer dan de labels en waarden voor de grafiek en druk op F11. Excel maakt op basis van de geselecteerde gegevens een nieuwe gegroepeerde kolomgrafiek op een eigen grafiekblad (Grafiek1) dat voor alle andere bladen in de werkmap wordt geplaatst.

De positie en afmetingen van een grafiek in een werkblad wijzigen

Nadat je een nieuwe grafiek als grafisch object in een werkblad hebt geplaatst, kun je gemakkelijk direct de positie of grootte van de grafiek aanpassen, aangezien de grafiek nog steeds is geselecteerd. (Je kunt zien of een grafisch object zoals een grafiek is geselecteerd aan de *selectiegrepen* – de kleine vierkantjes – langs de randen van het object.) Direct nadat je de grafiek hebt gemaakt, verschijnt de zwevende werkbalk Grafiek in het werkmapvenster.

- Als je de grafiek wilt verplaatsen, plaats je de muisaanwijzer ergens binnen de grafiek en sleep je deze naar de nieuwe positie.

- Als je de afmetingen van de grafiek wilt wijzigen (mogelijk wil je de grafiek groter maken als deze er vervormd uitziet), plaats je de muisaanwijzer op een van de selectiegrepen. Wanneer de vorm van de aanwijzer verandert van een pijl in een tweepuntige pijl, versleep je de hoek of zijde (afhankelijk van de geselecteerde greep) om de grafiek groter of kleiner te maken.

Wanneer de grafiek de gewenste afmetingen en positie in het werkblad heeft, plaats je de grafiek door de selectie op te heffen (door ergens in een cel buiten de grafiek te klikken). Zodra je de selectie opheft, verdwijnen de selectiegrepen en de werkbalk Grafiek uit het documentvenster. Je selecteert de grafiek opnieuw (als je deze opnieuw wilt bewerken) door ergens in de grafiek te klikken.

De grafiek bewerken met de werkbalk Grafiek

Nadat je een grafiek hebt gemaakt, kun je de knoppen op de werkbalk Grafiek (zie figuur 8.6) gebruiken om allerlei wijzigingen aan te brengen.

- **Grafiekobjecten:** om het deel van de grafiek dat je wilt wijzigen te selecteren, klik je op de vervolgkeuzelijst Grafiekobjecten en selecteer je de naam van het object in de lijst. Je kunt ook rechtstreeks met de muis op het object in de grafiek klikken. Wanneer je klikt op een object, wordt de naam ervan automatisch weergegeven in het vak Grafiekobjecten.

- **Object opmaken:** als je de opmaak van het geselecteerde grafiekobject (waarvan de naam wordt weergegeven in de vervolgkeuzelijst Grafiekobjecten) wilt wijzigen, klik je op de knop Object opmaken, waarna een dialoogvenster wordt geopend met de opmaakopties die je kunt wijzigen. De scherminfo met de naam van deze knop komt overeen met het geselecteerde grafiekobject. Als de naam Grafiekgebied bijvoorbeeld wordt weergegeven in de vervolgkeuzelijst Grafiekobjecten, heet de knop Grafiekgebied opmaken. Als de legenda is geselecteerd, verandert de knopnaam in Legenda opmaken.

- **Grafiektype:** als je het grafiektype wilt wijzigen, klik je op de pijl omlaag naast de knop Grafiektype en selecteer je het nieuwe type in het palet.

- **Legenda:** klik op de knop Legenda om de legenda weer te geven of te verbergen.

- **Gegevenstabel:** klik op de knop Gegevenstabel als je een gegevenstabel wilt toevoegen of verwijderen. Deze tabel bevat de waarden die worden weergegeven in de grafiek. (Figuur 8.7 toont een voorbeeld van een gegevenstabel die is toegevoegd aan de gegroepeerde kolomgrafiek van het werkblad Moeder de Gans.)

- **Op rij:** klik op de knop Op rij als je wilt dat de gegevensreeksen in de grafiek de rijen met waarden in het geselecteerde gegevensbereik vertegenwoordigen.

- **Op kolom:** klik op de knop Op kolom als je wilt dat de gegevensreeksen in de grafiek de kolommen met waarden in het geselecteerde gegevensbereik vertegenwoordigen.

- **Tekst naar beneden draaien:** klik op deze knop terwijl het object Categorieas of Waardeas is geselecteerd. De tekst van de labels wordt omlaag gedraaid in een hoek van 45 graden, zoals het geval is met de voorbeeldtekst *ab* op de knop.

✔ **Tekst naar boven draaien:** klik op deze knop terwijl het object
Categorieas of Waardeas is geselecteerd. De tekst van de labels
wordt omhoog gedraaid in een hoek van 45 graden, zoals het geval is met de voorbeeldtekst *ab* op de knop.

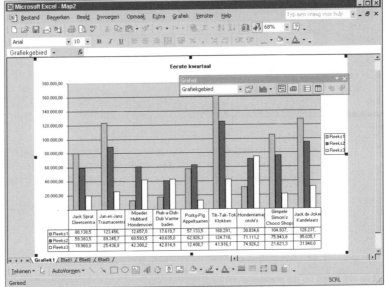

Figuur 8.7:
Een gegroe-
peerde ko-
lomgrafiek
met een
gegevensta-
bel

De grafiek rechtstreeks in het werkblad bewerken

Soms zul je wijzigingen willen aanbrengen in specifieke delen van de
grafiek (door bijvoorbeeld een nieuw lettertype voor de titels te selecteren of de legenda te verplaatsen). Als je dit type wijzigingen wilt aanbrengen, dubbelklik je op het desbetreffende object (zoals de titel, de
legenda, het tekengebied en dergelijke). Wanneer je dubbelklikt op een
grafiekobject, selecteert Excel dit en wordt er een opmaakdialoogven-
ster geopend met speciale opties voor dit object. Als je bijvoorbeeld
dubbelklikt op de legenda van de grafiek, verschijnt het dialoogvenster
Legenda opmaken dat drie tabbladen bevat, Patronen, Lettertype en
Plaatsing (zie figuur 8.8). Je kunt het uiterlijk van de legenda wijzigen
met de opties op deze tabbladen.

Je kunt een grafiek ook bewerken door het deel dat je wilt wijzigen als
volgt te selecteren:

✔ Je selecteert een grafiekobject door erop te klikken. Gebruik de
scherminfo die naast de muisaanwijzer verschijnt om het grafiekobject te identificeren voordat je erop klikt.

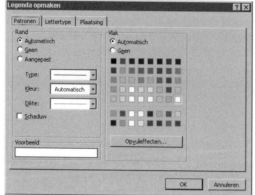

Figuur 8.8: Het dialoog-venster Le-genda op-maken ver-schijnt als je dubbelklikt op de legen-da in de gra-fiek

✔ Je kunt zien dat een object is geselecteerd aan de selectiegrepen rondom het object. Bij sommige objecten kun je de selectiegre-pen gebruiken om de grootte of stand van het object te wijzigen.

✔ Nadat je bepaalde grafiekobjecten hebt geselecteerd, kun je deze verplaatsen door de pijlaanwijzer erop te zetten en de contouren te verslepen.

✔ Als je het snelmenu van een grafiekobject wilt weergeven, klik je met de rechtermuisknop op het object en sleep je de muisaanwij-zer naar de gewenste optie in het menu of klik je erop met de pri-maire muisknop.

✔ Je verwijdert het geselecteerde object uit de grafiek door op Del te drukken.

Nadat je één object in de grafiek hebt geselecteerd door erop te klikken, kun je met de toetsen ↑ en ↓ door de andere objecten rouleren en deze selecteren. Met → selecteer je het volgende subobject (zoals één losse agendasleutel), terwijl je met ← het vorige subobject selecteert.

Aan alle onderdelen van de grafiek die je in het grafiekvenster se-lecteren is een snelmenu gekoppeld. Als je weet dat je een optie in het snelmenu wilt selecteren zodra je het object hebt geselecteerd, kun je tegelijkertijd het object selecteren en het snelmenu openen door met de rechtermuisknop op het grafiekobject te klikken. Je hoeft dus niet eerst met de linkermuisknop op het object te klikken om dit te selecte-ren en vervolgens met de rechtermuisknop te klikken om het snelmenu te openen.

Je kunt de grafiektitel verplaatsen door deze naar een nieuwe positie binnen de grafiek te slepen. Daarnaast kun je de titel verdelen over meerdere regels. Vervolgens gebruik je desgewenst de opties op het tabblad Uitlijning van het dialoogvenster Grafiektitel opmaken om de uitlijning van de tekst aan te passen.

Als je een deel van de titel op een nieuwe regel wilt plaatsen, klik je op de plaats in de titel waar je het regeleinde wilt invoegen. Druk vervolgens op Enter om een nieuwe regel te beginnen.

Je kunt niet alleen de manier wijzigen waarop titels in de grafiek worden weergegeven, maar je kunt ook de weergave van gegevensreeksen, de legenda en de X- en Y-as wijzigen door het snelmenu ervan te openen en de desbetreffende optie in het snelmenu te kiezen.

De grafiekopties wijzigen

Als je ingrijpende wijzigingen in de grafiek wilt aanbrengen, open je het dialoogvenster Grafiekopties (dat dezelfde tabbladen en opties bevat als het dialoogvenster Wizard Grafieken – Stap 3 van 4 – Grafiekopties uit figuur 8.4). Je opent dit dialoogvenster door het grafiekgebied te selecteren en Grafiekopties te kiezen in het menu Grafiek of in het snelmenu van het grafiekgebied.

Het dialoogvenster Grafiekopties kan maximaal zes tabbladen bevatten (afhankelijk van het geselecteerde grafiektype; voor cirkeldiagrammen zijn bijvoorbeeld alleen de eerste drie tabbladen beschikbaar) met opties waarmee je het volgende kunt doen:

- **Titels:** je gebruikt de opties op het tabblad Titels om de grafiektitel (die boven de grafiek wordt weergegeven), de titel van de categorieas (onder de X-as) of de titel van de waardeas (links van de Y-as) te wijzigen.

- **Assen:** met de opties op het tabblad Assen kun je de streepjes en labels van de categorieas (X) of de waardeas (Y) weergeven of verbergen.

- **Rasterlijnen:** je gebruikt de opties op het tabblad Rasterlijnen om de primaire en secundaire rasterlijnen die lopen vanaf de streepjes op de categorieas (X) en de waardeas (Y) weer te geven of te verbergen.

- **Legenda:** met de opties op het tabblad Legenda kun je de legenda weergeven of verbergen en de plaatsing ervan ten opzichte van het grafiekgebied instellen (door te kiezen uit Onder, Hoek, Boven, Rechts en Links).

- **Gegevenslabels:** je gebruikt de opties op het tabblad Gegevenslabels om de labels die elke gegevensreeks in de grafiek identificeren weer te geven of te verbergen. Je kunt ook de weergave van de gegevenslabels wijzigen (door te kiezen uit Waarden weergeven, Percentage weergeven, Labels weergeven, Labels en percentages weergeven en Belgrootte weergeven).

✔ **Gegevenstabel:** met de opties op het tabblad Gegevenstabel kun je een gegevenstabel met de werkbladwaarden voor de grafiek toevoegen of verwijderen. (Figuur 8.7 bevat een voorbeeld van een grafiek met een gegevenstabel.)

Toelichten met een tekstvak

Figuur 8.9 toont enkele andere wijzigingen die je gemakkelijk kunt aanbrengen in een grafiek. In deze figuur is de grafiek met de verkoopcijfers in het eerste kwartaal voor Moeder de Gans Enterprises omgezet in een vlakdiagram en is een tekstvak met een pijl toegevoegd waarin erop wordt gewezen hoe uitzonderlijk de omzet van Tik-Tak-Tok Klokkenreparaties in dit kwartaal was. Bovendien is de valutanotatie toegepast op de waarden langs de Y-as.

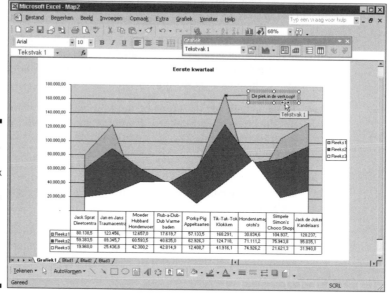

Figuur 8.9:
Een vlakdiagram nadat een tekstvak is toegevoegd en de valutanotatie is toegepast op de waarden langs de Y-as

Als je een tekstvak aan een grafiek wilt toevoegen, open je de werkbalk Tekenen (zie figuur 8.10) door te klikken op de knop Tekenen op de werkbalk Standaard. Zoals je ziet in figuur 8.9 bevindt de werkbalk Tekenen zich standaard onder in het werkmapvenster. Klik op de knop Tekstvak. De muisaanwijzer verandert in een verticale streep met een kort horizontaal streepje. Klik hiermee op de plek waar het tekstvak moet komen of sleep de muisaanwijzer om het tekstvak in de grafiek of het werkblad te tekenen. Wanneer je met de muisaanwijzer klikt, tekent Excel een vierkant tekstvak. Wanneer je de muisknop loslaat na te hebben gesleept, tekent Excel een tekstvak met de vorm en grootte van de gesleepte omtrek.

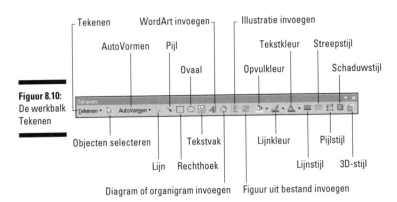

Figuur 8.10:
De werkbalk
Tekenen

Nadat je het tekstvak hebt gemaakt, plaatst Excel de invoegpositie boven in dit vak en kun je de gewenste tekst typen. De tekst verschijnt in het tekstvak en loopt terug naar een nieuwe regel wanneer je de rechterrand van het vak bereikt. (**Onthoud:** druk op Enter als je tekst op de volgende regel wilt plaatsen.) Wanneer je de tekst hebt ingevoerd, klik je buiten het vak om de selectie op te heffen. Nadat je een tekstvak hebt toegevoegd aan een ingesloten grafiek (of werkblad), kun je dit tekstvak als volgt bewerken:

- Je kunt het tekstvak naar een nieuwe positie verplaatsen door dit te verslepen.

- Je kunt de afmetingen van het vak wijzigen door de juiste selectiegreep te verslepen.

- Je wijzigt of verwijdert de rand rond het tekstvak via het dialoogvenster Tekstvak opmaken. Om dit dialoogvenster te openen, klik je op de rand van het tekstvak en kies je Opmaak ⇨ Tekstvak (Ctrl+1) of kies je Tekstvak opmaken in het snelmenu van het tekstvak. Klik op de tab Kleuren en lijnen. Als je de rand van het tekstvak wilt verwijderen, selecteer je Geen lijn in de vervolgkeuzelijst Kleur in het groepsvak Lijn.

- Als je een schaduweffect wilt toepassen, selecteer je het tekstvak, klik je op de knop Schaduw op de werkbalk Tekenen (de knop met de afbeelding van een vierkant met een schaduw) en selecteer je het gewenste type schaduw in het palet.

- Wil je een tekstvak driedimensionaal maken, selecteer dan het tekstvak en klik op de knop 3D op de werkbalk Tekenen (de laatste knop met de 3D-rechthoek). Selecteer het gewenste 3D-effect in het palet.

Je kunt de tekst in je tekstvak in verticale kolommen in het vak plaatsen (die je van links naar rechts leest) in plaats van de normale tekstvolgorde met regels te gebruiken. Klik op de knop Verticaal tekstvak in plaats van op de knop Tekstvak op de werkbalk Tekenen. Excel plaats je tekst meteen in kolommen als je met de muisaanwijzer buiten het tekstvak op het werkblad klikt.

Wanneer je een tekstvak maakt, kun je een pijl toevoegen die wijst naar het object of deel van de grafiek waarop de toelichting betrekking heeft. Om een pijl toe te voegen, klik je op de knop Pijl op de werkbalk Tekenen en sleep je met de kruiscursor van de plaats waar het eind van de pijl moet komen (het uiteinde *zonder* pijlpunt) naar de plek waar de pijl naar wijst (en zich de pijlpunt bevindt) en laat je de muisknop los.

Excel tekent een pijl die geselecteerd blijft (met selectiegrepen aan het begin en einde van de pijl). Je kunt de pijl als volgt bewerken:

- Je verplaatst de pijl door deze naar de gewenste positie te slepen.

- Je wijzigt de lengte van de pijl door een van de selectiegrepen te verslepen.

- Terwijl je de lengte wijzigt, kun je ook de richting van de pijl wijzigen door met de muisaanwijzer rond de andere selectiegreep te draaien.

- Als je de vorm van de pijlpunt of de lijndikte wilt wijzigen, selecteer je de pijl in het werkblad, klik je op de knop Pijlstijl op de werkbalk Tekenen (de knop met de drie pijlen) en kies je de gewenste pijlstijl in het palet. Om de kleur, dikte of stijl van de lijn te wijzigen of een aangepaste pijlpunt te maken, kies je de optie Meer pijlen in het pijlenpalet om het dialoogvenster AutoVorm opmaken te openen. Je kunt dit dialoogvenster ook openen door Opmaak ➪ AutoVorm te kiezen op de menubalk of op Ctrl+1 te drukken.

De X- en Y-as opmaken

Wanneer Excel een reeks waarden in een grafiek weergeeft, gaat het programma niet al te zorgvuldig om met de opmaak van de waarden die op de Y-as (of de X-as in bepaalde grafiektypen, zoals de 3D-kolomgrafiek of een spreidingsdiagram) worden weergegeven. Als je niet tevreden bent over de manier waarop de waarden op de X- of Y-as worden weergegeven, kun je de opmaak als volgt wijzigen:

1. Dubbelklik op de X-as of de Y-as in de grafiek of klik op de as en kies Opmaak ➪ Geselecteerde as (of druk op Ctrl+1). Excel opent het dialoogvenster As opmaken dat de volgende tabbladen bevat: Patronen, Schaal, Lettertype, Getal en Uitlijning.

2. Als je het uiterlijk van de maatstreepjes op de as wilt aanpassen, wijzig je de opties op het tabblad Patronen (dat automatisch is geselecteerd wanneer je het dialoogvenster As opmaken voor het eerst opent).

3. Wil je de schaal van de geselecteerde as wijzigen, klik dan op het tabblad Schaal en breng de gewenste instellingen aan.

4. Om het lettertype van de labels naast de streepjes op de geselecteerde as te wijzigen, klik je op de tab Lettertype en wijzig je de gewenste lettertypeopties.

5. Als je de opmaak van de waarden naast de streepjes op de geselecteerde as wilt wijzigen, selecteer je het tabblad Getal. Breng de gewenste instellingen aan in de keuzelijst Categorie en gebruik de bijbehorende opties.

   Als je bijvoorbeeld de valutanotatie zonder decimalen wilt selecteren, kies je Valuta in de lijst Categorie en typ je 0 in het vak Aantal decimalen of selecteer je 0 met het kringveld.

6. Via het tabblad Uitlijning wijzig je de stand van de labels bij de streepjes op de geselecteerde as. Stel de nieuwe stand in door erop te klikken in het vak met de voorbeeldtekst of door het aantal graden (tussen 90 en -90) in te voeren in het vak Graden (of door deze waarde te selecteren met het kringveld).

7. Klik op OK of druk op Enter om het dialoogvenster As opmaken te sluiten.

Zodra je het dialoogvenster As opmaken sluit, tekent Excel de as opnieuw, op basis van de nieuwe instellingen. Als je bijvoorbeeld een nieuwe getalnotatie voor de grafiek hebt gekozen, past Excel de nieuwe notatie direct toe op alle waarden langs de geselecteerde as.

Veranderende waarden leiden tot veranderende grafieken

Nadat je de objecten in een grafiek naar wens hebt bewerkt, klik je buiten de grafiek om de selectie op te heffen en terug te keren naar het normale werkblad. Als je de selectie hebt opgeheven, kun je de celaanwijzer weer overal in het werkblad verplaatsen. Onthoud dat als je de pijltoetsen gebruikt om de celaanwijzer te verplaatsen, de celaanwijzer kan verdwijnen wanneer je deze verplaatst naar een cel in het werkblad die zich achter de grafiek bevindt. Als je een cel achter een grafiek probeert te selecteren met de muis, zul je uiteraard alleen de grafiek zelf selecteren.

Onthoud dat de werkbladwaarden die grafisch worden weergegeven in de grafiek dynamisch gekoppeld blijven aan de grafiek, zodat Excel de grafiek automatisch aanpast aan eventuele wijzigingen die je in de grafiekwaarden in het werkblad aanbrengt.

Illustraties toevoegen

Grafieken zijn niet de enige grafische elementen die je aan een werkblad kunt toevoegen. Excel biedt je de mogelijkheid werkbladen op te fleuren met tekeningen, tekstvakken en zelfs grafische afbeeldingen uit andere bronnen, zoals gescande afbeeldingen, of tekeningen die je hebt gemaakt in een ander grafisch programma of hebt gedownload van internet.

Als je een bijgeleverde illustratie van Office XP wilt invoegen, kies je de optie Invoegen ➪ Figuur ➪ Illustratie en selecteer je de afbeelding in het venster Illustratie invoegen. Je kunt ook op de werkbalk Tekenen op de knop Illustratie invoegen klikken. Excel toont nu het taakvenster Illustratie invoegen (zie figuur 8.11); met behulp van dit venster kun je een illustratie selecteren. Neem hiertoe de volgende stappen:

1. Klik op het invoervak Zoeken naar bovenaan het venster. Typ het trefwoord voor het type illustratie dat je zoekt.

   Gebruik hierbij algemene, beschrijvende termen zoals bomen, bloemen, mensen, vliegen enzovoort.

2. Klik op de vervolgkeuzepijl bij Zoeken in en verwijder de vinkjes in de selectievakjes bij collecties die je niet wilt laten doorzoeken (optioneel).

   Standaard doorzoekt Excel alle collecties (inclusief de webcollecties). Je kunt de zoekactie beperken door alleen in de selectievakjes bij de gewenste collecties een vinkje te plaatsen.

3. Je kunt de zoekactie ook beperken tot uitsluitend illustraties; klik hiertoe op de vervolgkeuzeknop bij Resultaten moeten zijn en verwijder de vinkjes uit de selectievakjes Alle mediatypen, Foto's, Films, Geluiden.

Figuur 8.11:
Gebruik het taakvenster Illustratie invoegen om illustraties te zoeken

Het is mogelijk deze zoekactie nog verder te verfijnen. Klik op het plusteken bij Illustraties en verwijder de vinkjes in de selectievakjes van de illustratietypen (zoals CorelDraw en Macintosh PICT) die je niet wilt gebruiken.

4. Klik op de knop Zoeken boven aan het taakvenster om de zoekactie te starten.

Zodra je op de knop Zoeken klikt, begint Excel alle plaatsen te doorzoeken die je hebt gespecificeerd in de vervolgkeuzelijst Zoeken in. De resultaten verschijnen in het taakvenster Illustratie invoegen (zie figuur 8.12). Klik op de gewenste afbeelding om deze in het huidige werkblad in te voegen. Je kunt een afbeelding eveneens selecteren door de muisaanwijzer erop te plaatsen, zodat er een vervolgkeuzepijl verschijnt. Klik hierop en selecteer de optie Invoegen in het snelmenu.

Je kunt de zoekfunctie in het taakvenster Illustratie invoegen pas gebruiken nadat je de illustraties hebt geïndexeerd. Klik hiertoe op de koppeling Mediagalerie onder aan het taakvenster. Klik in het dialoogvenster dat nu verschijnt op de knop Nu; alle mediabestanden worden nu geïndexeerd aan de hand van trefwoorden. Hierna kun je een zoekactie uitvoeren zoals in de stappen 1 tot en met 4 wordt beschreven.

Als je een bepaalde illustratie niet kunt vinden, kun je proberen de trefwoorden te bewerken, zodat je de figuur een volgende keer sneller vindt. Klik hiertoe op de vervolgkeuzepijl van de afbeelding en kies in het snelmenu de optie Trefwoorden bewerken. Het dialoogvenster Trefwoorden verschijnt nu en je ziet alle trefwoorden die aan de afbeelding zijn toegewezen. Je voegt je eigen trefwoord toe door dit in het vak Trefwoord te typen en op de knop Toevoegen te klikken. Als je een afbeel-

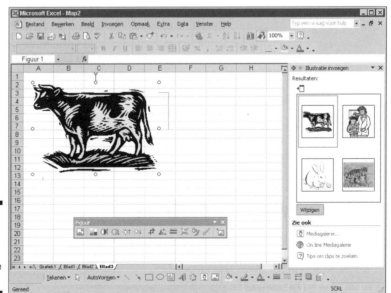

Figuur 8.12:
Selecteer een illustratie en voeg deze in op je werkblad

ding aantreft die ongeveer is wat je zoekt, klik dan op de vervolgkeuze-pijl van de afbeelding en kies Vergelijkbare stijl zoeken.

Illustraties invoegen vanuit bestanden

Als je een afbeelding wilt importeren die je hebt gemaakt met een ander programma en hebt opgeslagen in een eigen grafisch bestand, kies je Invoegen ➪ Figuur ➪ Uit bestand en selecteer je het grafische bestand in het dialoogvenster Figuur invoegen. Dit venster werkt op dezelfde manier als een Excel-werkmapbestand openen via het dialoogvenster Openen.

Je kunt een afbeelding die is gemaakt met een ander grafisch program-ma, maar niet is opgeslagen in een eigen bestand, importeren door de afbeelding in het desbetreffende programma te selecteren en te kopië-ren naar het klembord (via Ctrl+C of de optie Bewerken ➪ Kopiëren) voordat je terugkeert naar het Excel-werkblad. Plaats de cursor in het werkblad op de positie waar je de afbeelding wilt plaatsen en plak de af-beelding (via Ctrl+V of de optie Bewerken ➪ Plakken).

Zelf tekenen

Naast kant-en-klare afbeeldingen of afbeeldingen die je met andere grafi-sche programma's hebt gemaakt, kun je de knoppen op de werkbalk Te-kenen gebruiken om je eigen afbeeldingen in Excel te maken. De werk-balk Tekenen bevat allerlei tekengereedschappen die je kunt gebruiken om omlijnde of gevulde vormen te tekenen, zoals lijnen, rechthoeken, vierkanten en ovalen.

Behalve deze knoppen, waarmee je traditionele lijnen en vormen kunt tekenen, bevat de werkbalk Tekenen de knop AutoVormen die toegang biedt tot allerlei kant-en-klare speciale lijnen en vormen. Je selecteert deze lijnen of vormen door erop te klikken in een palet, dat wordt geo-pend zodra je de opties Lijnen, Verbindingslijnen, Basisvormen, Blokpij-len, Stroomdiagram, Sterren en vaandels of Toelichtingen in het menu van de knop AutoVormen selecteert.

Klik op de optie Meer AutoVormen in dit menu om een venster te openen met allerlei aanvullende lijntekeningen, waaronder verschillende compu-tervormen. Klik op de afbeeldingen om deze in je document in te voegen.

Werken met WordArt

Als de speciale lijnen en vormen die beschikbaar zijn via de knop Auto-Vormen onvoldoende variëteit bieden om het werkblad te verfraaien, kun je decoratieve tekst toevoegen met de knop WordArt op de werk-balk Tekenen. Voer hiervoor de volgende stappen uit:

1. Selecteer een cel in het deel van het werkblad waar je de Word-Art-tekst wilt plaatsen.

Aangezien WordArt wordt gemaakt als grafisch object op het werkblad, kun je de grootte en positie van de tekst nadat je deze hebt gemaakt, wijzigen op dezelfde manier als voor elk ander grafisch onderdeel.

2. Klik op de knop WordArt (de knop met de afbeelding van een gekantelde hoofdletter A) op de werkbalk Tekenen.

Excel opent het dialoogvenster WordArt-galerie (zie figuur 8.13).

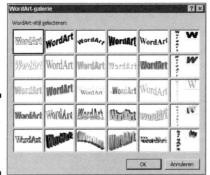

Figuur 8.13:
Het dialoog-venster WordArt-galerie

3. Klik op de afbeelding van de WordArt-stijl die je wilt gebruiken en klik op OK of druk op Enter.

Excel opent het dialoogvenster WordArt-tekst bewerken, waarin je de tekst typt die je in het werkblad wilt weergeven en het lettertype en de tekengrootte hiervoor selecteert.

4. Typ de tekst die je in het werkblad wilt weergeven in het invoervak Tekst.

Zodra je begint te typen, vervangt Excel de geselecteerde woorden *Uw tekst* door de getypte tekst.

5. Selecteer het lettertype dat je wilt gebruiken in de vervolgkeuzelijst Lettertype en selecteer de gewenste tekengrootte in de vervolgkeuzelijst Grootte.

6. Klik op OK.

Excel tekent de WordArt-tekst in het werkblad op de positie van de celaanwijzer, terwijl tegelijkertijd de zwevende werkbalk WordArt wordt weergegeven (zie figuur 8.14). Met de knoppen op deze werkbalk kun je de basisstijl van de WordArt-tekst verder aanpassen of de tekst bewerken.

7. Nadat je de gewenste aanpassingen in de grootte, vorm of op-maak van de WordArt-tekst hebt aangebracht, klik je op een cel buiten de tekst om de selectie op te heffen.

Excel heft de selectie op en verbergt de werkbalk WordArt. Als je deze werkbalk opnieuw wilt weergeven, klik je ergens op de Wor-dArt-tekst om deze te selecteren.

WordArt-vorm   WordArt-letters met dezelfde hoogte

Tekst bewerken   WordArt-uitlijning

Figuur 8.14: Gebruik de opdrachten op de werk-balk WordArt om de tekst te verfijnen

WordArt invoegen   WordArt-tekenafstand

WordArt-galerie   Verticale tekst van WordArt

Object opmaken

Organigrammen invoegen

De werkbalk Tekenen bevat de knop Diagram of organigram invoegen (zie nogmaals figuur 8.10). Met deze knop kun je snel en eenvoudig or-ganigrammen aan je werkbladen toevoegen. Als je op de knop klikt, ver-schijnt het dialoogvenster Galerie voor diagrammen (zie figuur 8.15). Selecteer het gewenste type grafiek door op de afbeelding te dubbelklik-ken of door op de afbeelding te klikken en vervolgens op OK te klikken.

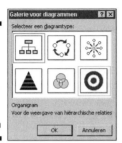

Figuur 8.15: Selecteer een diagramtype in het dialoogvenster Galerie voor diagrammen

Nadat Excel de basisstructuur van het diagram in je werkblad heeft ingevoegd, kun je de standaardtekst vervangen door je eigen tekst. Klik hiertoe op de knop Klik hier om tekst toe te voegen en typ vervolgens de naam of de titel van de persoon die op deze plaats moet komen te staan (zie figuur 8.16).

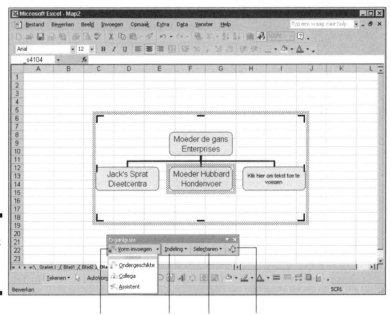

Figuur 8.16: Pas opmaak toe op de tekst die je typt

Vorm invoegen   Indeling   Selecteren   Auto-opmaak

Je kunt een extra vorm invoegen op hetzelfde niveau in het diagram door de optie Collega te klikken in het snelmenu van de knop Vorm invoegen. Kies de optie Ondergeschikte om een werknemer direct onder dit niveau in het diagram te plaatsen. Kies de optie Assistent om een werknemer op een ondergeschikt niveau toe te voegen die een indirecte band heeft met de vorm die momenteel is geselecteerd.

Klik op de knop Auto-opmaak op de werkbalk Organigram om het uiterlijk van je diagram te verfraaien. Het dialoogvenster Galerie voor organigramstijlen verschijnt nu. Selecteer vervolgens de diagramopmaak die je wilt toepassen op je gehele diagram. Je kunt Excel de grootte van je tekst in de vormen van het diagram laten bepalen door op de knop Indeling te klikken en de optie Formaat van organigram aanpassen aan inhoud te selecteren. Kies de optie Gebied van organigram vergroten om de afmetingen van de vormen en de algemene afmetingen van het organigram te vergoten.

De één op de ander...

Voor het geval je dat nog niet was opgevallen: werkbladobjecten zweven boven de cellen van het werkblad. De meeste objecten, waaronder grafieken, zijn ondoorzichtig, zodat ze de informatie in de cellen eronder verbergen (*zonder* deze te vervangen). Als je een ondoorzichtig object op een ander object plaatst, verbergt het bovenste object het onderste, net zoals wanneer je het ene vel papier op het andere legt, het bovenste vel de informatie op het onderste vel verbergt. Dit betekent dat je er meestal op moet letten dat grafische objecten elkaar niet overlappen of geen cellen verbergen met informatie die zichtbaar moet zijn.

Soms kun je echter interessante speciale effecten creëren door een transparant grafisch object (zoals een cirkel) te plaatsen op een ondoorzichtig object. Het enige probleem dat zich hierbij kan voordoen is dat het ondoorzichtige object zich voor het transparante object bevindt. Als dit gebeurt, wissel je de posities van de objecten om door met de rechtermuisknop op het bovenste object te klikken en Volgorde ➪ Naar achtergrond te selecteren in het snelmenu. Als je ooit een object dat zich onder een ander object bevindt, naar voren wilt brengen, klik je met de rechtermuisknop op het onderliggende object en kies je Volgorde ➪ Naar voorgrond in het snelmenu van het object.

Het is ook mogelijk meerdere objecten te groeperen, zodat ze fungeren als één geheel (zoals een tekstvak met de bijbehorende pijl). In dit geval kun je de positie of afmetingen van de gegroepeerde objecten in één bewerking wijzigen. Je groepeert objecten door Shift ingedrukt te houden en te klikken op elk object dat je wilt groeperen. Klik vervolgens met de rechtermuisknop op het laatste object en kies Groeperen ➪ Groeperen in het snelmenu. Als je, nadat je meerdere objecten hebt gegroepeerd, klikt op een onderdeel van de groep, worden alle onderdelen geselecteerd en verschijnen er alleen selectiegrepen rond de omtrek van het gecombineerde object.

Als je gegroepeerde objecten achteraf afzonderlijk wilt verplaatsen of bewerken, kun je de groep opheffen door met de rechtermuisknop op de groep te klikken en Groeperen ➪ Groep opheffen te kiezen in het snelmenu.

Grafische objecten verbergen

Het is mogelijk grafische objecten te verbergen. De schermopbouw kan namelijk aanzienlijk vertraagd worden wanneer je grafische objecten aan een werkblad toevoegt, aangezien Excel, telkens wanneer je het werkblad ook maar een klein stukje verschuift, elk onderdeel van het documentvenster opnieuw moet tekenen. Om te voorkomen dat je gek wordt van deze traagheid, verberg je alle grafische objecten (met inbegrip van grafieken) terwijl je andere onderdelen van het werkblad bewerkt of vervang je ze tijdelijk door grijze rechthoeken die de positie van de objecten in het werkblad aangeven, maar die sneller opnieuw worden getekend.

Als je alle grafische objecten wilt verbergen of vervangen door grijze plaatsaanduidingen, kies je Extra ➪ Opties en selecteer je het tabblad Weergave. Klik op het keuzerondje Alles verbergen onder Objecten als je de grafische objecten helemaal wilt verbergen. Selecteer Tijdelijke aanduidingen weergeven als je grafieken tijdelijk wilt vervangen door grijze rechthoeken. De optie Tijdelijke aanduidingen weergeven is niet van invloed op objecten die je hebt gemaakt met de knoppen op de werkbalk Tekenen of die je in het werkblad hebt geïmporteerd.

Vergeet niet de grafische objecten opnieuw weer te geven voordat je het werkblad afdrukt: open het dialoogvenster Opties en selecteer het keuzerondje Alles weergeven op het tabblad Weergave.

Alleen grafieken afdrukken

 Er zijn gevallen waarin je alleen een bepaalde grafiek in een werkblad wilt afdrukken (zonder de werkbladgegevens die de grafiek representeert of de andere objecten die je hebt toegevoegd). Zorg in dit geval eerst dat verborgen objecten of tijdelijke aanduidingen opnieuw worden weergegeven in het werkblad. Selecteer hiervoor het keuzerondje Alles weergeven op het tabblad Weergave van het dialoogvenster Opties. Als je grafieken die zijn vervangen door plaatsaanduidingen opnieuw wilt weergeven, klik je op de grafiek (houd Shift ingedrukt en klik als je meerdere grafieken wilt weergeven). Kies vervolgens Bestand ➪ Afdrukken (Ctrl+P) of druk op de knop Afdrukken in de werkbalk Standaard.

Als je de optie Bestand ➪ Afdrukken kiest in plaats van te drukken op de knop Afdrukken, zie je dat het keuzerondje Geselecteerde grafiek in het groepsvak Afdrukken is geselecteerd. Excel drukt de grafiek standaard op volledige grootte af. Dit betekent dat de grafiek mogelijk niet in zijn geheel op één pagina kan worden afgedrukt. Klik daarom op de knop Voorbeeld om te controleren of de hele grafiek op één pagina past. Als je in het afdrukvoorbeeld ziet dat je de grootte of stand (of beide) van de afgedrukte grafiek moet wijzigen, klik je op de knop Instellen. Je kunt de stand van de afdruk (of het papierformaat) wijzigen op het tabblad Pagina van het dialoogvenster Pagina-instelling. Wanneer alles in het afdrukvoorbeeld er naar wens uitziet, druk je de grafiek af door te klikken op de knop Afdrukken.

Hoofdstuk 9

Werken met databases

- -

In dit hoofdstuk:

▶ Een database opzetten in Excel

▶ Een gegevensformulier maken voor het invoeren en bewerken van records in de database

▶ Records toevoegen via het gegevensformulier

▶ Records zoeken, bewerken en verwijderen via het gegevensformulier

▶ Records in de database sorteren

▶ Records in de database filteren, zodat je alleen de gewenste records ziet

▶ Aangepaste criteria instellen wanneer je records filtert

- -

*H*et doel van de werkbladtabellen die elders in dit boek zijn besproken, is berekeningen uitvoeren (zoals het totaal van maand- of kwartaalcijfers berekenen) en deze informatie vervolgens weergeven in een begrijpelijke vorm. Je kunt echter ook een ander type werkbladtabel maken in Excel: een *database*. Het doel van een database is niet zozeer nieuwe waarden berekenen, maar grote hoeveelheden informatie opslaan op een consistente manier. Je kunt bijvoorbeeld een database maken die de namen en adressen van al je klanten bevat of je kunt een database maken met alle belangrijke informatie over je werknemers.

Een gegevensformulier ontwerpen

Een database maken lijkt op een werkbladtabel maken. Wanneer je een database opzet, voer je eerst een rij met kolomkoppen in (de *veldnamen* in de databaseterminologie) die de verschillende soorten items die je wilt bijhouden aanduiden (zoals Voornaam, Achternaam, Adres, Plaats enzovoort). Nadat je de rij met veldnamen hebt ingevoerd, typ je de informatie voor de database in de juiste kolommen met de rijen direct onder de veldnamen.

Elke kolom in de database bevat informatie voor een bepaald item dat je in de database wilt bijhouden, zoals de bedrijfsnaam van een klant of het toestelnummer van een werknemer. Elke kolom in de database wordt ook wel een *veld* genoemd. Elke rij in de database bevat de volledige informatie over een bepaalde persoon of zaak waarvan je de gegevens bijhoudt in de database, ongeacht of dit een bedrijf of een werknemer is. De personen of eenheden die worden beschreven in de rijen van de database, worden ook wel de *records* van de database genoemd. Elk record (rij) bevat meerdere velden (kolommen).

Een database opzetten en onderhouden is zeer gemakkelijk met het ingebouwde *gegevensformulier* van Excel. Om een gegevensformulier voor een nieuwe database te maken, typ je eerst de rij met de kolomkoppen die worden gebruikt als veldnamen en typ je een voorbeeldrecord op de volgende rij (zoals in de klantendatabase in figuur 9.1). Vervolgens geef je elk veld de gewenste opmaak die moet worden toegepast op de overige ingangen in die kolom van de database en maak je de kolommen breder, zodat alle kolomkoppen en gegevens volledig worden weergegeven. Plaats de celaanwijzer in een cel in een van deze twee rijen en kies Data ➪ Formulier.

Nadat je deze optie hebt gekozen, analyseert Excel de rij met veldnamen en de informatie voor het eerste record en maakt een gegevensformulier, met links de veldnamen en in de invoervakken ernaast de informatie uit het eerste record. Figuur 9.1 toont het gegevensformulier voor de klanten van Tik-Tak-Tok Klokkenreparaties. Dit formulier lijkt op een aangepast dialoogvenster.

Het gegevensformulier dat Excel maakt, bevat de informatie uit het eerste record. Rechts in dit formulier bevinden zich een reeks knoppen waarmee je records kunt toevoegen, verwijderen of zoeken. Boven de eerste knop (Nieuw) toont het gegevensformulier het nummer van het huidige record, gevolgd door het totaal aantal records (1 van 1 wanneer je een nieuw gegevensformulier maakt).

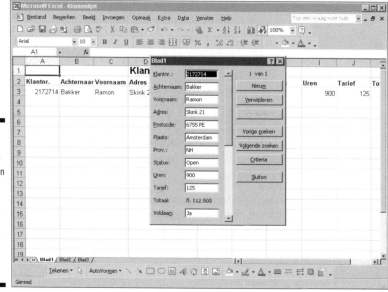

Figuur 9.1:
Het gegevensformulier voor een nieuwe database, bestaande uit een rij met veldnamen en één gegevensrecord (rij)

Een gegevensformulier maken op basis van alleen veldnamen

Je kunt een gegevensformulier voor een nieuwe database maken door een rij met veldnamen in te voeren en deze te selecteren voordat je Data ⇨ Formulier kiest. Excel toont opnieuw het waarschuwingsvenster waarin wordt vermeld dat het programma niet kan bepalen welke rij in de lijst de kolomlabels (dat wil zeggen: de veldnamen) bevat. Als je wilt dat Excel de geselecteerde rij gebruikt als veldnamen, klik je op OK of druk je op Enter. Excel maakt een leeg gegevensformulier met alle velden in dezelfde volgorde als waarin ze in de geselecteerde rij staan.

Een leeg gegevensformulier maken van veldnamen alleen is geen probleem, mits de database geen bere-

kende velden bevat (velden waarvan de inhoud het resultaat is van een formule en niet handmatig wordt ingevoerd). Als de nieuwe database wel berekende velden bevat, moet je de bijbehorende formules invoeren in de juiste velden van het eerste record. Vervolgens selecteer je zowel de rij met veldnamen als het eerste databaserecord met de formules voordat je Data ⇨ Formulier kiest. Excel weet dan welke velden worden berekend en welke niet je kunt in het gegevensformulier zien of een veld een berekend veld is, aangezien Excel de veldnaam weergeeft, maar geen invoervak biedt waarin je informatie voor dit veld kunt invoeren.

Vergeet niet de informatie in de velden van de eerste record op de tweede rij op te maken. Hetzelfde geldt voor de veldnamen in de bovenstaande rij. Alle opmaak wordt dan automatisch toegepast op informatie die je in volgende velden typt. Als je bijvoorbeeld telefoonnummers invoert in een telefoonveld, typ dan de tien cijfers van het nummer in het veld Telefoon van de eerste record. Maak deze cel vervolgens op met de opmaak Telefoonnummer (zie hoofdstuk 3). Op deze manier kun je in het gegevensformulier de getallen van het nummer typen, bijvoorbeeld 0902228876. Excel past vervolgens de opmaak Telefoonnummer toe, zodat het nummer als 0902228876, en niet als 902228876 (zonder de eerste nul), in de desbetreffende cel op het gegevensformulier verschijnt.

Records toevoegen aan de database

Nadat je het gegevensformulier met het eerste record hebt gemaakt, kun je het formulier gebruiken om de rest van de records aan de database toe te voegen. Dit is zeer eenvoudig. Wanneer je klikt op de knop Nieuw, toont Excel een leeg gegevensformulier (aangegeven door de aanduiding Nieuw record, rechts in het formulier) dat je kunt invullen.

Nadat je de informatie in het eerste veld hebt ingevoerd, druk je op Tab om verder te gaan naar het volgende veld in het record.

Druk niet op Enter om verder te gaan naar het volgende veld in een record. Als je dit doet, voer je het nieuwe onvoltooide record toe aan de database.

Typ de informatie in elk veld en druk telkens op Tab om naar het volgende veld te gaan.

- ✔ Als je een fout hebt gemaakt en de informatie in een reeds ingevoerd veld wilt bewerken, druk je op Shift+Tab om terug te keren naar dat veld.

- ✔ Begin gewoon te typen als je de informatie wilt vervangen.

- ✔ Wil je enkele tekens in het veld wijzigen, druk dan op → of klik met het invoegsymbool in de informatie om de invoegpositie te plaatsen en bewerk vervolgens het item.

Wanneer je informatie in een veld invoert, kun je deze informatie uit het vorige record kopiëren door te drukken op Ctrl+' (apostrof). Druk bijvoorbeeld op Ctrl+' als je de informatie uit het veld Plaats naar elk nieuw record wilt kopiëren wanneer je een reeks records invoert van mensen die in dezelfde plaats wonen.

Wanneer je datums invoert in een datumveld, gebruik dan een consistente datumnotatie die Excel kent (typ bijvoorbeeld 21-7-98). Wanneer je getallen met voorloopnullen gebruikt (zoals artikelnummers), plaats dan een apostrof voor de eerste 0. De apostrof vertelt Excel dat het getal moet worden behandeld als tekst, maar verschijnt niet in de database zelf. De enige plaats waar je de apostrof ziet, is in de formulebalk wanneer de celaanwijzer zich in de cel met de numerieke gegevens bevindt.

Druk op ↓ wanneer je alle informatie voor het nieuwe record hebt ingevoerd. In plaats van op ↓ te drukken, kun je ook op Enter drukken of klikken op de knop Nieuw (zie figuur 9.2). Excel voegt het nieuwe record in als laatste record in de database in het werkblad en toont een nieuw leeg gegevensformulier waarin je het volgende record kunt invoeren (zie figuur 9.3).

Nadat je de gewenste records aan de database hebt toegevoegd, druk je op Esc of klik je op de knop Sluiten onder in het dialoogvenster om het

Figuur 9.2: Informatie voor het tweede record invoeren in het gegevensformulier

Berekende velden

Wanneer je wilt dat Excel de informatie in een bepaald veld berekent met een formule, moet je deze formule invoeren in het desbetreffende veld in het eerste record van de database. Plaats vervolgens de celaanwijzer in de rij met veldnamen of het eerste record wanneer je het gegevensformulier maakt. Excel kopieert de formule voor dit berekende veld naar elk nieuw record dat je aan het gegevensformulier toevoegt.

In de klantendatabase van Tik-Tak-Tok Klokkenreparaties wordt het veld Totaal in cel K3 van het eerste record bijvoorbeeld berekend door de formule =Uren*Tarief (cel I3 met het aantal uren heeft de naam Uren gekregen,

terwijl aan cel J3 met het uurtarief de naam Tarief is toegekend). Deze formule berekent vervolgens wat de klant moet betalen, door het aantal uren te vermenigvuldigen met het uurtarief. Zoals je ziet, voegt Excel het berekende veld, Totaal, wel toe aan het gegevensformulier, maar is er geen invoervak voor dit veld aanwezig (berekende velden kunnen niet worden bewerkt). Wanneer je records aan de database toevoegt, berekent Excel de formule in het veld Totaal. Als je de gegevens voor deze records vervolgens opnieuw weergeeft, wordt de berekende waarde weergegeven achter de veldnaam Totaal (maar de waarde kan niet worden gewijzigd).

gegevensformulier te sluiten. Sla het werkblad op met de optie Bestand ⇨ Opslaan of klik op de knop Opslaan op de werkbalk Standaard.

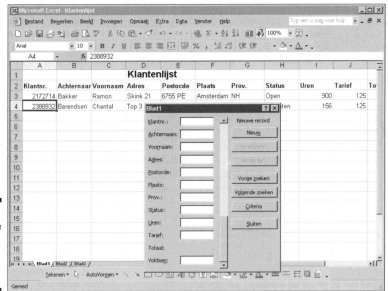

Figuur 9.3:
De database nadat het tweede record is ingevoerd

E-mail- en webadressen toevoegen aan een hyperlinkveld

Zodra je het e-mailadres of het adres van de webpagina in een veld op het gegevensformulier hebt ingevoerd, zet Excel dit adres om in een actieve hyperlink (wat wordt aangegeven doordat het adres blauw en onderstreept wordt). Om ervoor te zorgen dat Excel actieve hyperlinks maakt, moet je de e-mailadressen uiteraard wel in de verwachte indeling invoeren, zoals:

`Jan9697@planet.nl`

Om dezelfde reden moet je het adres van een webpagina ook in de verwachte indeling invoeren, zoals:

`www.dummies.com`

Ook al ziet het ingevoerde e-mail- of webadres eruit als een echt adres, Excel weet niet of het adres *geldig* is. Met andere woorden: het feit dat Excel de tekst omzet in een hyperlink waarop je kunt klikken, betekent niet zomaar dat je door de koppeling een e-mailbericht naar de beoogde ontvanger kunt sturen of naar een plek op het World Wide Web kunt surfen. Uiteraard moet je er goed op letten dat je het juiste adres invoert (en zoals je waarschijnlijk weet, is dat niet zo eenvoudig).

Nadat je de e-mail- of webadressen in een hyperlinkveld in een database hebt ingevoerd, kun je deze koppelingen gebruiken om een nieuw e-mailbericht naar een bepaalde persoon te sturen of om een bepaalde website te bezoeken. In figuur 9.4 wordt een hyperlinkveld gebruikt waarin de e-mailadressen van de klanten aan de database zijn toegevoegd. Aangezien de hyperlinks allemaal actief zijn, is het enige wat je hoeft te doen om een e-mailbericht naar een bepaalde klant te sturen (met name de klanten die nog niet betaald hebben) te klikken op diens e-mailadres in de database. Excel start je e-mailprogramma (in de meeste gevallen Outlook Express of de volledige versie van Outlook) met een nieuw bericht dat al het juiste adres bevat.

Als je een hyperlinkveld toevoegt met de adressen van de websites van de bedrijven waar je vaak iets koopt, kun je zeer gemakkelijk online gaan om nieuwe producten te bekijken en te bestellen. Als je aan een klantendatabase een hyperlinkveld toevoegt met het e-mailadres van de contactpersonen waarmee je regelmatig correspondeert, kun je heel eenvoudig contact met ze opnemen.

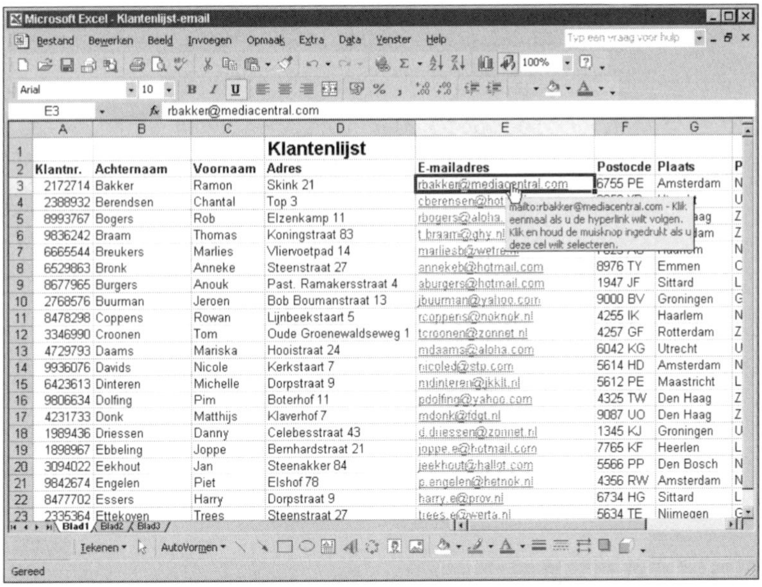

Figuur 9.4:
De klanten-
lijst van Tik-
Tak-Tok
Klokkenre-
paraties met
het veld
E-mailadres
vol werken-
de hyper-
links

Records zoeken, bewerken en verwijderen

Nadat je de database hebt opgezet en nieuwe records hebt ingevoerd, kun je het gegevensformulier gebruiken voor het onderhouden van de database. Je kunt het gegevensformulier bijvoorbeeld gebruiken om een record dat je wilt wijzigen te zoeken en vervolgens de gewenste velden te bewerken. Je kunt het gegevensformulier ook gebruiken om een record te zoeken dat je wilt verwijderen.

✔ Zoek het record dat je wilt bewerken door het gegevensformulier ervan weer te geven. In tabel 9.1 en de volgende twee paragrafen vind je meer informatie over het zoeken van records.

✔ Als je de velden van het huidige record wilt bewerken, ga je naar dat veld door te drukken op Tab of Shift+Tab en vervang je de gegevens door nieuwe te typen.

✔ Druk op ← of → of klik met het invoegsymbool om de invoegpositie te verplaatsen en wijzigingen aan te brengen.

✔ Je maakt een veld leeg door dit te selecteren en op Del te drukken.

Je verwijdert een heel record uit de database door te klikken op de knop Verwijderen. Excel toont een waarschuwingsvenster met het volgende bericht:

Het weergegeven record zal permanent worden verwijderd.

Als je het record dat wordt weergegeven in het gegevensformulier inderdaad wilt verwijderen, klik je op OK. Klik op Annuleren als je van gedachten verandert en het record wilt bewaren.

Onthoud dat je de functie Ongedaan maken *niet* kunt gebruiken om een verwijderd record te herstellen! Excel maakt geen grapjes wanneer het de woorden 'permanent verwijderd' gebruikt. Als voorzorgsmaatregel dien je altijd een reservekopie van het werkblad met de database te maken voordat je oude records gaat verwijderen.

Navigeren in een database

Nadat je het gegevensformulier hebt weergegeven door de celaanwijzer in de database te plaatsen en Data ⇨ Formulier te kiezen, kun je met de schuifbalk rechts van de lijst met veldnamen of met diverse toetsencombinaties (zie tabel 9.1) navigeren in de records in de database, totdat je het record vindt je dat wilt bewerken of verwijderen.

- ✔ Je geeft het volgende record in de database weer door op ↓ of op Enter te drukken of door te klikken op de pijl omlaag, onder in de schuifbalk.

- ✔ Je geeft het vorige record in de database weer door op ↑ of op Shift+Enter te drukken of door te klikken op de pijl omhoog, boven in de schuifbalk.

- ✔ Je geeft het eerste record in de database weer door op Ctrl+↑ of op Ctrl+PgUp te drukken of door het schuifblokje helemaal omhoog in de schuifbalk te slepen.

- ✔ Je geeft het laatste record in de database weer door op Ctrl+↓ of op Ctrl+PgDn te drukken of door het schuifblokje helemaal omlaag in de schuifbalk te slepen.

Tabel 9.1: Navigeren naar een bepaald record

Toetsencombinaties en schuifbalktechniek	Resultaat
Druk op ↓ of op Enter of klik op de schuifpijl omlaag of de knop Volgende zoeken.	Verplaatst je naar het volgende record in de database en handhaaft de veldselectie.
Druk op ↑ of op Enter of klik op de schuifpijl omlaag of op de knop Vorige zoeken.	Verplaatst je naar het vorige record in de database en handhaaft de veldselectie.
Druk op PgDn.	Verplaatst je tien records vooruit in de database.
Druk op PgUp.	Verplaatst je tien records terug in de database.
Druk op Ctrl+↑ of Ctrl+PgUp of sleep het schuifblokje helemaal omhoog.	Verplaatst je naar het eerste record in de database.
Druk op Ctrl+↓ of Ctrl+PgDn of sleep het schuifblokje helemaal omlaag.	Verplaatst je naar het laatste record in de database.

Records zoeken

In een omvangrijke database kan het veel tijd kosten om een bepaald record te vinden door van record naar record te gaan of door telkens tien records tegelijk te verplaatsen met de schuifbalk. In plaats van tijd te verspillen door op deze manier een record te zoeken, kun je de knop Criteria onder in het gegevensformulier gebruiken om een record te vinden.

Wanneer je klikt op de knop Criteria, wist Excel alle gegevens in het gegevensformulier (en vervangt het recordnummer door het woord *criteria*), zodat je de criteria waaraan de gevonden records moeten voldoen, kunt invoeren in de invoervakken.

Stel, je wilt de status van Wouter Geijn bewerken. Helaas bevat zijn dossier niet het klantnummer. Het enige wat je weet, is dat dit geval nog open staat (wat betekent dat het veld Status van dit record de aanduiding Open in plaats van Gesloten bevat) en dat de achternaam begint met een G, hoewel je niet de exacte spelling kent.

Om dit record te vinden, gebruik je de informatie die je hebt, om de zoekopdracht te beperken tot alle records waarvan de achternaam begint met de letter *G* en het veld Status de aanduiding *Open* bevat. Open het gegevensformulier voor de klantendatabase, klik op de knop Criteria en typ het volgende in het vak voor het veld Achternaam:

> G*

Typ bovendien het volgende in het invoervak voor het veld Status (zie figuur 9.5):

> Open

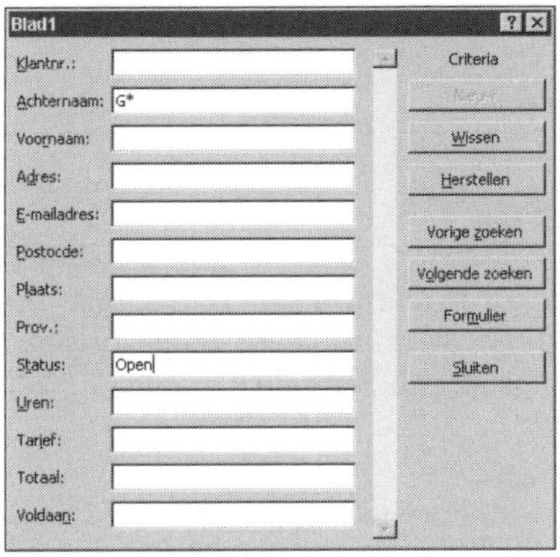

Figuur 9.5:
Het gegevensformulier nadat is geklikt op de knop Criteria en de zoekcriteria zijn ingevoerd in de lege invoervakken

Wanneer je zoekcriteria voor records invoert in de lege invoervakken in het gegevensformulier, kun je de *jokertekens* ? (vraagteken) en * (sterretje) gebruiken. In hoofdstuk 6 is uitgelegd hoe je deze jokertekens gebruikt in het dialoogvenster Zoeken om cellen met een bepaalde inhoud te zoeken.

Klik op de knop Volgende zoeken. Excel toont in het gegevensformulier het eerste record in de database waarvan de achternaam begint met een G en het veld Status de aanduiding Open bevat. Zoals je ziet in figuur 9.6, is het eerste record in deze database dat aan deze criteria voldoet, dat van Geoffrey Geffen. Druk daarom nogmaals op Volgende zoeken. Figuur 9.7 toont het record van Wouter Geijn. Nadat je dit record hebt gevonden, kun je de status in het invoervak van het veld Status wijzigen. Nadat je klikt op de knop Sluiten, slaat Excel de nieuwe status op in de database.

Figuur 9.6:
Het eerste record in de database dat aan de criteria voldoet

Wanneer je de knop Criteria in het gegevensformulier gebruikt om records te vinden, kun je de volgende operatoren toevoegen aan de ingevoerde zoekcriteria:

Operator	*Betekenis*
=	Gelijk aan
>	Groter dan
>=	Groter dan of gelijk aan
<	Kleiner dan
<=	Kleiner dan of gelijk aan
<>	Ongelijk aan

Als je bijvoorbeeld alleen records wilt weergeven waarvan de totale berekende kosten aan een klant groter zijn dan of gelijk zijn aan € 50.000, typ dan >=50000 in het invoervak van het veld Totaal voordat je op de knop Volgende zoeken klikt.

Wanneer je zoekcriteria invoert waaraan meerdere records voldoen, moet je mogelijk meerdere malen klikken op de knop Volgende zoeken of Vorige zoeken om het gewenste record te vinden. Als geen enkel record voldoet aan de ingevoerde criteria, laat de computer een pieptoon horen wanneer je op deze knoppen klikt.

Figuur 9.7:
Eureka! Het
verloren
record is
terecht

Je kunt de zoekcriteria wijzigen door eerst het gegevensformulier leeg
te maken. Dit doe je door nogmaals te klikken op de knop Criteria en
vervolgens op de knop Wissen. Voer daarna de gewenste criteria in de
invoervakken in. Als je wilt terugkeren naar het huidige record zonder
de ingevoerde zoekcriteria te gebruiken, klik je op de knop Formulier
(deze knop vervangt de knop Criteria zodra je op deze knop klikt).

Records sorteren

Voor elke database die je in Excel samenstelt, zul je de records willen
bijhouden en weergeven in een bepaalde volgorde. Afhankelijk van de
database kun je de records alfabetisch weergeven op achternaam. In
het geval van een klantendatabase kun je de records alfabetisch rangschikken op bedrijfsnaam. In het geval van de database van Tik-Tak-Tok
Klokkenreparaties zou je er de voorkeur aan kunnen geven de database
te rangschikken op het klantnummer, dat elke klant krijgt wanneer hij
voor het eerst van de diensten van dit bedrijf gebruikmaakt.

Wanneer je records in een nieuwe database invoert, zul je ze ongetwijfeld invoeren in de volgorde waaraan jij de voorkeur geeft of in de volgorde waarin je de records binnenkrijgt. Hoe je ook begint, je zult al snel
ontdekken dat je de volgende nieuwe records niet kunt toevoegen in de
voorkeursvolgorde. Wanneer je een nieuw record toevoegt met de knop
Nieuw in het gegevensformulier, plaatst Excel dit record onder in de database door een nieuwe rij toe te voegen.

Dit betekent dat als je alle records aanvankelijk alfabetisch op bedrijfsnaam hebt toegevoegd (van *Adelheids Bloemenshop* tot *Zyrcoon Juweliers*) en je een record voor een nieuwe klant genaamd *Petro's Pasta Pa-
leis* toevoegt, Excel dit nieuwe record onder aan de lijst plaatst, op de
laatste rij na *Zyrcoon Juweliers*, in plaats van het record ergens in het
midden van de lijst te plaatsen.

Dit is echter niet het enige probleem dat je kunt ondervinden met de
volgorde die je gebruikte toen je de records invoerde. Zelfs als de

records in de database redelijk stabiel blijven, vertegenwoordigt de voorkeursvolgorde alleen de volgorde die je *meestal* gebruikt. Stel echter dat je de records wilt weergeven in een andere, speciale volgorde.

Hoewel de klantendatabase bijvoorbeeld is gesorteerd in numerieke volgorde op klantnummer, is het mogelijk dat je de records wilt sorteren op achternaam, zodat je snel een klant kunt vinden en diens verschuldigde bedrag kunt opzoeken. Wanneer je de records gebruikt om adresetiketten voor een mailing te genereren, kun je de records sorteren op postcode. Wanneer je een rapport voor je vertegenwoordigers maakt, waarin wordt aangegeven welke klanten deel uitmaken van wiens district, moet je de records sorteren op provincie en mogelijk zelfs op plaats.

Flexibiliteit in de volgorde van de records is vereist om te kunnen voldoen aan de verschillende toepassingen van de gegevens. Deze flexibiliteit is precies wat de optie Data ⇨ Sorteren biedt als je eenmaal begrijpt hoe je deze optie gebruikt.

Om ervoor te zorgen dat Excel de records in een database correct sorteert, moet je de velden opgeven waarvan de waarden de nieuwe volgorde van de records bepalen (deze velden worden *sorteersleutels* genoemd in de technische terminologie van databases). Bovendien moet je aangeven in welke volgorde de informatie in deze velden moet worden geplaatst. Er zijn twee mogelijke volgorden:

- **oplopend:** tekstinformatie wordt in alfabetische volgorde (A tot Z) geplaatst en waarden in numerieke volgorde worden geplaatst (van de kleinste naar de grootste).

- **aflopend:** de alfabetische volgorde wordt omgekeerd (Z tot A) evenals de numerieke volgorde (groot naar klein).

Wanneer je records in een database sorteert, kun je maximaal drie velden aangeven waarop je wilt sorteren (waarbij je voor elk veld kunt kiezen tussen oplopend en aflopend). Je moet alleen meer dan één veld gebruiken als het eerste veld dat je voor de sortering gebruikt dubbele waarden bevat en je wilt aangeven hoe de records met de dubbele waarden worden gesorteerd. Als je geen tweede sorteerveld opgeeft, zet Excel de records in de volgorde waarin je ze hebt ingevoerd.

Het beste en meest gangbare voorbeeld van een geval waarin je meer dan één veld moet opgeven, is wanneer je een grote database alfabetisch sorteert op achternaam. Stel, je hebt een database waarin meerdere mensen de achternaam Janssen of Pietersen hebben. Als je het veld Achternaam instelt als enige veld waarop wordt gesorteerd (in de standaardvolgorde Oplopend), worden alle records met de achternaam Janssen en Pietersen geplaatst in de volgorde waarin ze oorspronkelijk zijn ingevoerd. Om deze records beter te sorteren, stel je het veld Voornaam in als tweede sorteerveld (met de standaardvolgorde Oplopend), zodat het record van Jan Janssen voor dat van Sandra Janssen komt en het record van Peter Pietersen na dat van Alex Pietersen komt.

Oplopend en aflopend sorteren

Wanneer je de oplopende sorteervolg- orde gebruikt voor een sleutelveld dat veel verschillende soorten informatie bevat, plaatst Excel getallen (van klein naar groot) voor tekstingangen (in alfa- betische volgorde), gevolgd door even- tuele logische waarden (WAAR en ON- WAAR), foutwaarden en tot slot lege cellen.

Wanneer je de aflopende sorteervolg- orde gebruikt, draait Excel de volgorde als volgt om: eerst komen de getallen van groot naar klein, dan tekstingan- gen van Z naar A en vervolgens komt de logische waarde ONWAAR voor de logische waarde WAAR.

Voer de volgende stappen uit als je de records in een Excel-database wilt sorteren:

1. Plaats de celaanwijzer in de eerste veldnaam van de database.

2. Kies Data ➪ Sorteren.

   Excel selecteert alle records in de database (zonder de eerste rij met veldnamen) en opent het dialoogvenster Sorteren uit figuur 9.8. De naam van het eerste veld wordt standaard weergegeven in de vervolgkeuzelijst Sorteren op en het keuzerondje Oplopend is geselecteerd.

3. Selecteer de naam van het veld waarop je de databaserecords wilt sorteren in de vervolgkeuzelijst Sorteren op.

   Als je de records in aflopende volgorde wilt sorteren, klik je op het keuzerondje Aflopend.

Figuur 9.8:
Het dialoog- venster Sor- teren instel- len, zodat records al- fabetisch worden ge- sorteerd op achter- naam/voor- naam

4. Als het eerste veld dubbele gegevens bevat en je wilt aangeven hoe deze records moeten worden gesorteerd, selecteer je het tweede sorteerveld in de vervolgkeuzelijst Vervolgens op en kies je het keuzerondje Oplopend of Aflopend.

5. Specificeer zo nodig een derde veld waarop de records moeten worden gesorteerd in de tweede vervolgkeuzelijst genaamd Vervolgens op en geef de te gebruiken sorteervolgorde aan.

6. Klik op OK of druk op Enter.

   Excel sorteert de geselecteerde records. Als je ziet dat de database is gesorteerd op de verkeerde velden of in de verkeerde volgorde, kies je Bewerken ⇨ Ongedaan maken Sorteren of druk je op Ctrl+Z om de vorige volgorde van de records te herstellen.

Als je klaar bent met de instellen van de stappen om de database te sorteren, selecteer dan niet per ongeluk het selectierondje Geen veldnamenrij (zie figuur 9.8). Als je dit wel doet, maakt Excel een puinhoop van je veldnamen door deze tussen de gegevens in de records te plaatsen. Meer informatie over het gebruik van deze optie vind je in de kadertekst 'Andere informatie dan een database sorteren'.

In figuur 9.8 is het veld Achternaam van de klantendatabase geselecteerd als eerste sorteerveld en het veld Voornaam als tweede sorteerveld (voor de records met dezelfde gegevens in het veld Achternaam). De instellingen in dit dialoogvenster zorgen ervoor dat de records in de klantendatabase in alfabetische volgorde (oplopend) worden gesorteerd op achternaam en vervolgens op voornaam. Figuur 9.9 toont de database nadat deze is gesorteerd.

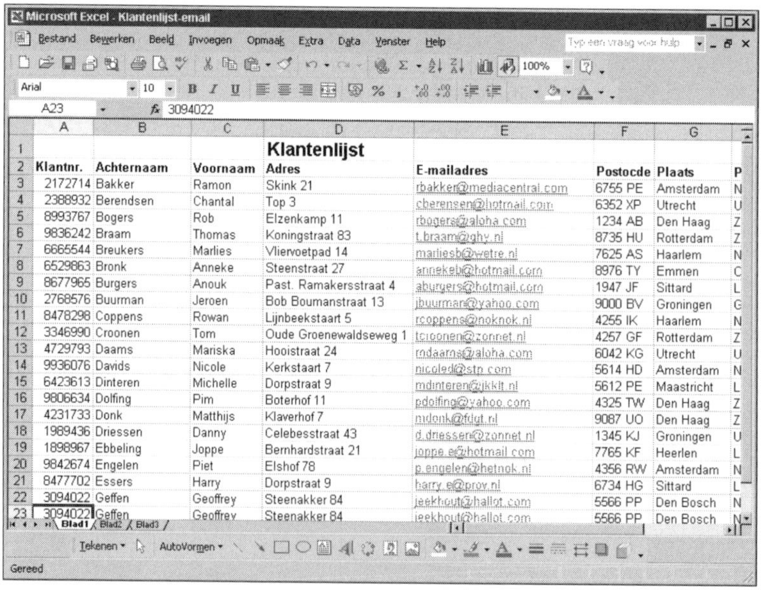

Figuur 9.9:
De klantendatabase, gesorteerd in alfabetische volgorde op achternaam en vervolgens op voornaam

Andere informatie dan een database sorteren

De optie Sorteren kan niet alleen worden gebruikt om records in een database te sorteren. Je kunt deze optie ook gebruiken om financiële gegevens of tekstkoppen in je werkbladen te sorteren. Wanneer je normale werkbladtabellen sorteert, moet je alle cellen met de te sorteren gegevens (en alleen die cellen) selecteren voordat je Sorteren kiest in het menu Data.

Excel sluit de eerste rij van de selectie automatisch uit van de sorteerbewerking (aangezien het programma ervan uitgaat dat deze rij een kop bevat met een veldnaam die niet moet worden gesorteerd). Als je de eerste rij in de selectie wel wilt sorteren, selecteer je het keuzerondje Geen veldnamenrij onder in het dialoogvenster Sorteren voordat je op OK klikt.

Als je werkbladgegevens wilt sorteren op kolommen, klik je op de knop Opties in het dialoogvenster Sorteren. Klik op het keuzerondje Van links naar rechts sorteren in het dialoogvenster Sorteeropties en klik op OK. Nu kun je in het dialoogvenster Sorteren het nummer selecteren van de rij (of rijen) waarvan je de gegevens wilt sorteren.

Je kunt de knop Oplopend sorteren (de knop met de A boven de Z) of de knop Aflopend sorteren (de knop met de Z boven de A) op de werkbalk Standaard gebruiken om records in de database te sorteren op één veld.

✔ Als je de database in oplopende volgorde wilt sorteren op een bepaald veld, plaats je de celaanwijzer in de naam van dat veld, boven in de database en klik je op de knop Oplopend sorteren.

✔ Als je de database in aflopende volgorde wilt sorteren op een bepaald veld, plaats je de celaanwijzer in de naam van dat veld, boven in de database en klik je op de knop Aflopend sorteren.

De database filteren om de gewenste records weer te geven

Met de functie AutoFilter van Excel kun je in een database zeer gemakkelijk alles verbergen, behalve de records die je wilt zien. Het enige wat je moet doen om een database met deze uiterst handige functie te filteren, is de celaanwijzer ergens in de database te plaatsen en vervolgens Data ➪ Filter ➪ AutoFilter te kiezen. Excel voegt vervolgens knoppen met een pijl toe aan elke cel met een veldnaam in die rij, zoals in figuur 9.10.

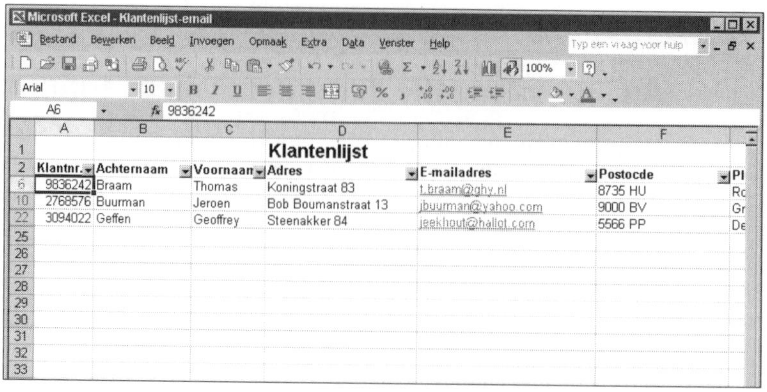

Figuur 9.10:
De klanten-
database
nadat de
records zijn
gefilterd,
zodat alleen
de records
in de provin-
cie Noord-
Brabant
worden
weergege-
ven

A	B	C	D	E	F	
			Klantenlijst			
Klantnr.	Achternaam	Voornaam	Adres	E-mailadres	Postcode	Pl
9836242	Braam	Thomas	Koningstraat 83	t.braam@ghy.nl	8735 HU	Ro
2768576	Buurman	Jeroen	Bob Boumanstraat 13	jbuurman@yahoo.com	9000 BV	Gr
3094022	Geffen	Geoffrey	Steenakker 84	jeekhout@haliot.com	5566 PP	De

Als je de database wilt filteren, zodat alleen records met een bepaalde waarde worden weergegeven, klik je op de knop met de pijl, waardoor je een vervolgkeuzelijst opent met alle ingangen in dat veld, en selecteer je de informatie die je als filter wilt gebruiken. Excel toont vervolgens alleen de records waarvan dit veld de geselecteerde waarde bevat (alle andere records worden tijdelijk verborgen).

In figuur 9.10 is de klantendatabase bijvoorbeeld gefilterd, zodat alleen records worden weergegeven waarvan het veld Provincie NB (van Noord-Brabant) bevat. Klik hiervoor op de knop naast het veld Provincie en selecteer vervolgens het item NB in de vervolgkeuzelijst.

Nadat je een database hebt gefilterd, zodat alleen de records waarmee je wilt werken worden weergegeven, kun je deze records kopiëren naar een ander deel van het werkblad rechts van de database (of beter nog, naar een ander werkblad in de werkmap). Selecteer de cellen en kies Bewerken ➪ Kopiëren (Ctrl+C). Verplaats de celaanwijzer naar de eerste cel van het bereik waarin de gekopieerde records moeten worden geplakt en druk op Enter. Nadat je de gefilterde records hebt gekopieerd, kun je opnieuw alle records in de database weergeven of een ander filter toepasen.

Als je merkt dat een filter in een veld meer records oplevert dan je nodig hebt, kun je de database verder filteren door een waarde te selecteren in de vervolgkeuzelijst van een ander veld. Stel bijvoorbeeld dat je ZH selecteert als filterwaarde in de vervolgkeuzelijst Provincie en er nog steeds honderden records uit de provincie Zuid-Holland worden weergegeven. Als je het aantal records uit Zuid-Holland wilt verkleinen tot een hanteerbaarder aantal, selecteer je bijvoorbeeld een waarde als Rotterdam in de vervolgkeuzelijst Plaats, zodat de database nog verder wordt gefilterd. Wanneer je klaar bent met de records uit Rotterdam, geef je een andere reeks records weer door een andere plaats te selecteren in de vervolgkeuzelijst Plaats (zoals Den Haag).

Wanneer je opnieuw alle records in de database wilt weergeven, kies je Data ➪ Filter ➪ Alles weergeven. Je kunt een filter uit een bepaald veld verwijderen door de vervolgkeuzelijst te openen en de optie Alle categorieën boven in de vervolgkeuzelijst te kiezen.

Als je één veldfilter op de database hebt toegepast, heeft de optie Alle categorieën hetzelfde effect als de optie Data ➪ Filter ➪ Alles weergeven.

De records uit de top 10 weergeven

Excel bevat een AutoFilter-optie genaamd Top 10. Je kunt deze optie gebruiken om in een numeriek veld een bepaald aantal records weer te geven (zoals de records met de tien hoogste of laagste waarden in dat veld of de bovenste of onderste tien procent van het veld). Je gebruikt de optie Top 10 als volgt:

1. Kies Data ➪ Filter ➪ AutoFilter.

2. Klik op de knop van het veld dat je wilt gebruiken om de databaserecords te filteren.

3. Selecteer de optie Top 10 in de vervolgkeuzelijst.

   Excel opent het dialoogvenster AutoFilter top 10 uit figuur 9.11.

   Het AutoFilter Top 10 toont standaard de tien hoogste items in het geselecteerde veld. Je kunt deze standaardinstelling echter wijzigen voordat je de database filtert.

4. Als je alleen de tien laagste records wilt weergeven, verander je Top in Onder.

5. Wil je meer dan de tien hoogste of laagste records weergeven, typ dan de nieuwe waarde in het invoervak dat momenteel de waarde 10 bevat, of selecteer je een nieuwe waarde met het kringveld.

6. Om de records weer te geven die vallen in de bovenste of onderste 10 *procent* (of een ander percentage), verander je Items in Procent.

7. Klik op OK of druk op Enter om de database te filteren met de Top 10-instellingen.

Figuur 9.11:
Het dialoogvenster AutoFilter Top 10

In figuur 9.12 is de klantendatabase gefilterd met de optie Top 10 (met de standaardinstellingen), zodat alleen de records worden weergegeven waarvan de waarde in het veld Totaal zich in de top 10 bevindt.

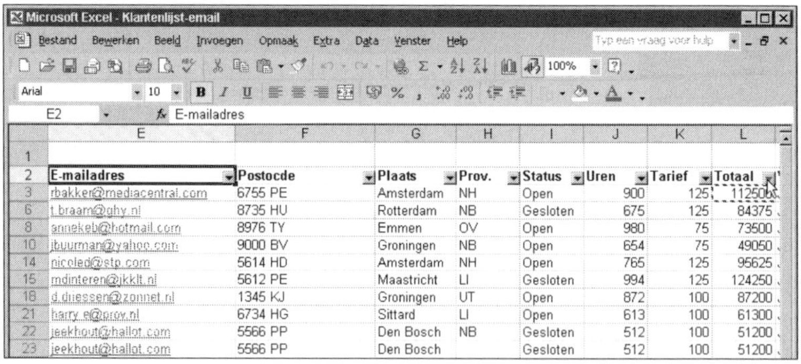

Figuur 9.12:
De database nadat het AutoFilter Top 10 is gebruikt om alle records uit te filteren, behalve de records met de tien hoogste waarden in het veld Totaal

Creatieve toepassingen van AutoFilters

Je kunt een database niet alleen filteren op records waarvan een veld een bepaalde waarde bevat (zoals Nijmegen als plaats of GL als provincie), maar je kunt ook aangepaste AutoFilters maken waarmee je de database kunt filteren op records die voldoen aan minder exacte criteria (zoals een achternaam die begint met een M) of die binnen een bereik van waarden vallen (zoals een salaris tussen 50.000 euro en 70.000 euro per jaar).

Als je een aangepast filter voor een veld wilt maken, klik je op de knop van dit veld en selecteer je de optie Aangepast boven in de vervolgkeuzelijst. Excel opent het dialoogvenster Aangepast AutoFilter uit figuur 9.13.

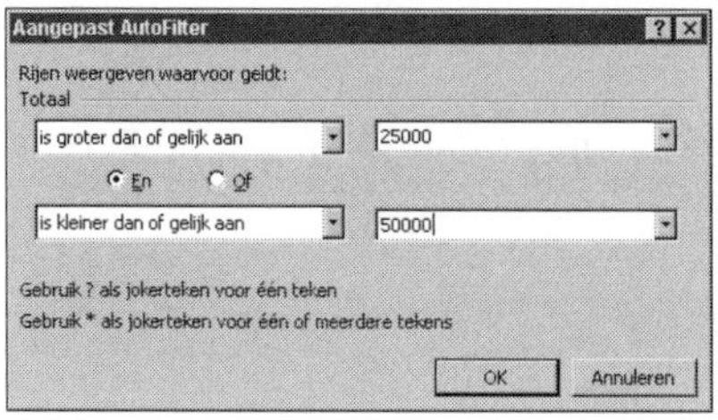

Figuur 9.13:
Een aangepast AutoFilter waarbij de waarde in het veld Totaal groter is dan of gelijk is aan € 25.000 of kleiner is dan of gelijk is aan € 50.000

In dit dialoogvenster selecteer je in de eerste vervolgkeuzelijst de operator die je wilt gebruiken. Tabel 9.2 geeft meer informatie over de beschikbare operatoren. Vervolgens typ je in het vak rechts de waarde (tekst of getallen) waaraan het veld moet voldoen, die moet worden overtroffen of juist niet, of die niet aanwezig mag zijn in de records in de database. Je kunt elk van de ingangen in het gebruikte veld van de database selecteren door te klikken op de knop met de pijl omlaag en de gewenste informatie te kiezen in de vervolgkeuzelijst (net zoals je een AutoFilter-waarde kiest in de database zelf).

Tabel 9.2: Manieren om een bepaald record te selecteren

Operator	*Voorbeeld*	*Wat wordt gevonden in de database*
Is gelijk aan	Salaris is gelijk aan 50000	Records waarvan het salaris gelijk is aan € 50.000.
Is niet gelijk aan	Provincie is niet gelijk aan NH	Records waarvan het veld Provincie niet NH (Noord-Holland) bevat.
Is groter dan	Uren is groter dan 150	Records waarvan de waarde in het veld Uren groter is dan 150.
Is groter dan of gelijk aan	Uren is groter dan of gelijk aan 150	Records waarvan de waarde in het veld Uren groter is dan of gelijk is aan 150.
Is kleiner dan	Salaris is kleiner dan 50000	Records waarvan het salaris kleiner is dan € 50.000.
Is kleiner dan of gelijk aan	Salaris is kleiner dan of gelijk aan 50000	Records waarvan het salaris kleiner is dan of gelijk is aan € 50.000.
Begint met	Achternaam begint met d	Records waarvan de achternaam begint met de letter 'd'.
Begint niet met	Achternaam begint niet met d	Records waarvan de achternaam niet begint met de letter 'd'.
Eindigt op	Achternaam eindigt op ing	Records waarvan de achternaam eindigt op de letters 'ing'.
Eindigt niet met	Achternaam eindigt niet met ing	Records waarvan de achternaam niet eindigt op de letters 'ing'.
Bevat	Bevat Janssen	Records die de naam 'Janssen' bevatten.
Bevat niet	Bevat niet Janssen	Records die niet de naam 'Janssen' bevatten.

Als je alleen de records wilt filteren waarvan de informatie in een bepaald veld overeenkomt met, groter of kleiner is dan of gewoonweg niet gelijk is aan de gegevens die je in het vak invoert, klik je op OK of druk je op Enter om dit filter toe te passen op de database. Je kunt het dialoogvenster Aangepast AutoFilter echter ook gebruiken om de database te filteren op records die zich binnen een waardenbereik bevinden of voldoen aan één van de twee criteria.

Je stelt een reeks waarden in door de operator 'is groter dan' of 'is groter dan of gelijk aan' te selecteren als eerste operator en vervolgens de laagste (of eerste) waarde in het bereik in te voeren. Selecteer het keuzerondje En, kies 'is kleiner dan' of 'is kleiner dan of gelijk aan' als tweede operator en typ de hoogste (of laatste) waarde in het bereik.

De figuren 9.13 en 9.14 laten zien hoe je de records in de klantendatabase zodanig filtert dat alleen de records worden weergegeven waarvan de waarde in het vak Totaal ligt tussen € 25.000 en € 50.000. Zoals je ziet in figuur 9.13, stel je dit bereik als filter in door 'is groter dan of gelijk aan' te selecteren als eerste operator en 25.000 te kiezen als laagste waarde in het bereik. Vervolgens zorg je ervoor dat het keuzerondje En is geselecteerd en kies je 'is kleiner dan of gelijk aan' als tweede operator en 50.000 als hoogste waarde in het bereik. Figuur 9.14 toont het resultaat van dit filter.

Als je een of-voorwaarde wilt instellen via het dialoogvenster Aangepast AutoFilter, kies je gewoonlijk de operatoren 'is gelijk aan' of 'is niet gelijk aan' (welke van de twee van toepassing is) en typ of selecteer je de eerste waarde waaraan wel of niet moet worden voldaan. Vervolgens selecteer je het keuzerondje Of, selecteer je de gewenste operator en typ of selecteer je de tweede waarde waaraan wel of niet moet worden voldaan.

Als je de database bijvoorbeeld zodanig wilt filteren dat alleen records worden weergegeven waarvan de provincie GR (Groningen) of DR (Drente) is, selecteer je 'is gelijk aan' als eerste operator en typ of selecteer je GR als eerste waarde. Vervolgens selecteer je het keuzerondje Of en selecteer je 'is gelijk aan' als tweede operator en DR als tweede waarde. Wanneer je de database filtert, toont Excel alleen records waarvan het veld Provincie de waarde GR of DR bevat.

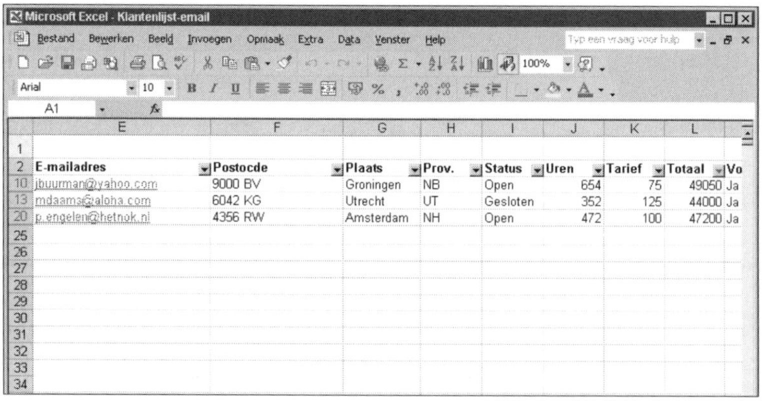

Figuur 9.14: De database nadat het aangepaste AutoFilter is toegepast

Hoofdstuk 10
Hyperlinks en webpagina's

In dit hoofdstuk:

▶ Een hyperlink maken naar een ander Office-document, een Excel-werkmap of -werkblad of een cellenbereik

▶ Een hyperlink naar een webpagina maken

▶ De opmaakprofielen Hyperlink en Gevolgde hyperlink wijzigen

▶ Gegevens en grafieken uit een Excel-werkblad opslaan in statische webpagina's

▶ Webpagina's maken met interactieve werkbladgegevens en grafieken

▶ Webpagina's bewerken in je favoriete editor of in Word

▶ Werkbladen versturen via e-mail

*N*u iedereen lijkt te zijn bevangen door de internetkoorts en het World Wide Web de beste uitvinding sinds het gesneden brood is, zal het niet als een verrassing komen dat Excel allerlei interessante webfuncties biedt. De handigste van deze functies zijn de mogelijkheid hyperlinks toe te voegen aan de cellen van een werkblad en werkbladen om te zetten in webpagina's, die je kunt publiceren op een webserver.

Als je webpagina's maakt van werkbladen uit Excel, zijn de berekende gegevens, lijsten en grafieken die je in Excel maakt, beschikbaar voor iedereen met een webbrowser en internettoegang (wat tegenwoordig geldt voor bijna iedere zakelijke gebruiker), ongeacht welk type computer ze hebben en of ze Excel gebruiken. Wanneer je werkbladen in Excel opslaat als webpagina's, kun je kiezen of je de werkbladgegevens statisch of interactief wilt maken.

Wanneer je een werkblad opslaat als een statische webpagina, kunnen gebruikers de gegevens alleen bekijken, zonder dat ze er wijzigingen in kunnen aanbrengen. Wanneer je een werkblad echter opslaat als interactieve webpagina, kunnen gebruikers (mits ze Microsoft Internet Explorer 4.0 of later gebruiken) de gegevens niet alleen bekijken, maar er ook bepaalde wijzigingen in aanbrengen. Als je bijvoorbeeld een bestelformulier dat subtotalen en totalen berekent opslaat als interactieve webpagina, kunnen gebruikers de bestelde hoeveelheden wijzigen, waarna de webpagina automatisch de totalen opnieuw berekent. Als je een databaselijst (zoals die uit hoofdstuk 9) opslaat als interactieve webpagina, kunnen gebruikers de gegevens in hun webbrowser sorteren en filteren, net zoals ze in Excel zouden doen.

Hyperlinks toevoegen aan een werkblad

Hyperlinks in een werkblad maken het mogelijk andere Office-documenten en Excel-werkmappen en -werkbladen (ongeacht of deze documenten zich bevinden op je harde schijf of op een server in het netwerk, of als webpagina's toegankelijk zijn op internet of een bedrijfsintranet) via één klik met de muis te openen. Je kunt ook e-mailhyperlinks instellen, die automatisch berichten adresseren aan collega's waarmee je regelmatig correspondeert en waaraan je Excel-werkmappen of andere soorten Office-documenten als bijlage kunt toevoegen.

Je kunt de volgende soorten hyperlinks toevoegen aan Excel-werkbladen:

- ✔ hypertext die gewoonlijk in de cel wordt weergegeven als blauwe, onderstreepte tekst;

- ✔ illustraties en afbeeldingen uit bestanden die je in het werkblad hebt ingevoegd;

- ✔ afbeeldingen die je hebt getekend met de knoppen op de werkbalk Tekenen, waarbij de afbeeldingen worden omgezet in knoppen.

Wanneer je een tekstuele of grafische hyperlink maakt, kun je een koppeling maken naar een andere Excel-werkmap of een ander type Office-document, het adres van een website (waarbij je de URL gebruikt; dit is het adres dat begint met http://), een benoemde locatie in dezelfde werkmap of zelfs een e-mailadres. De benoemde locatie kan een celverwijzing of een cellenbereik met een naam in een bepaald werkblad zijn (in hoofdstuk 6 lees je hoe je cellenbereiken een naam geeft).

Voer de volgende stappen uit om de tekst te maken waaraan je een hyperlink wilt verbinden:

1. Selecteer in het werkblad of de werkmap de cel die de hyperlink moet bevatten.

2. Typ de tekst van de hyperlink in de cel; klik vervolgens op de knop Invoegen op de formulebalk of druk op Enter.

Voer deze stappen uit als je een illustratie of afbeelding (opgeslagen in een eigen grafisch bestand) wilt invoegen in het werkblad om er een hyperlink aan te kunnen verbinden:

1. Kies Invoegen ➪ Figuur ➪ Illustratie of Invoegen ➪ Figuur ➪ Uit bestand. Selecteer de illustratie of het grafische bestand met de afbeelding die je wilt gebruiken als hyperlink.

Nadat Excel de afbeelding in het werkblad heeft ingevoegd, is deze geselecteerd (zoals wordt aangegeven door de formaatgrepen op het kader rond de afbeelding).

2. Wijzig zo nodig de afmetingen van de afbeelding met de formaatgrepen en sleep de afbeelding naar de gewenste positie in het werkblad.

Voer de volgende stappen uit om de hyperlink toe te voegen aan de tekst of afbeelding in het werkblad:

1. Selecteer de cel met de tekst of klik op de afbeelding waaraan je de koppeling wilt toevoegen.

2. Kies Invoegen⇨ Hyperlink of klik op de knop Hyperlink invoegen (de knop met de afbeelding van een aardbol met een schakel) op de werkbalk Standaard.

   Excel opent het dialoogvenster Hyperlink invoegen uit figuur 10.1 waarin je het bestand, het webadres (URL) of de locatie in de werkmap aangeeft.

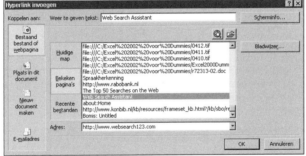

Figuur 10.1:
Een koppeling naar een webpagina maken in het dialoogvenster Hyperlink invoegen

3a. Als je wilt dat de hyperlink een ander document, een webpagina op een bedrijfsintranet of een website op internet opent, klik je op de knop Bestaand bestand of webpagina, als deze knop nog niet is geselecteerd, en typ je het directorypad van het bestand of de URL van de webpagina in het vak Typ de naam van het bestand of de webpagina.

Als het document waarnaar je een koppeling wilt maken, zich bevindt op je harde schijf of op een harde schijf waarmee jouw computer verbinding heeft, klik je op de vervolgkeuzeknop bij Zoeken in en selecteer je de map en het bestand. Als je het document waarnaar je een koppeling wilt maken, onlangs hebt geopend, klik je op de knop Recente bestanden en selecteer je het bestand.

Als het document waarnaar je een koppeling wilt maken, zich bevindt op een website en je het webadres ervan (zoals

www.dummies.com/excel2k.htm) kent, typ je dit adres in het vak
Typ de naam van het bestand of de website. Je kunt een lijst met
titels van recentelijk bezochte webpagina's weergeven door te
klikken op de knop Bekeken pagina's.

3b. Als je wilt dat de hyperlink de celaanwijzer verplaatst naar een
andere cel of een cellenbereik in dezelfde werkmap, klik je op de
knop Plaats in dit document. Typ vervolgens het adres van de cel
of het cellenbereik in het vak Typ de celverwijzing of selecteer de
gewenste blad- of bereiknaam in de lijst Of selecteer een plaats in
dit document (zoals in figuur 10.2).

Figuur 10.2:
Een koppe-
ling maken
naar een
werkblad-
naam of een
celverwij-
zing in het
dialoogven-
ster Hyper-
link invoe-
gen

3c. Als je in je e-mailprogramma een nieuw e-mailbericht wilt openen
dat is geadresseerd aan een bepaalde ontvanger, klik je op de
knop E-mailadres en typ je het e-mailadres van de ontvanger in
het vak E-mailadres (zie figuur 10.3).

Figuur 10.3:
Een koppe-
ling maken
naar een
e-mailadres
via het dia-
loogvenster
Hyperlink
invoegen

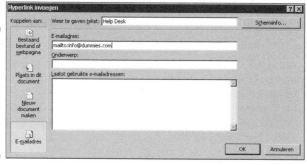

De meeste mensen gebruiken het e-mailprogramma Outlook Express; dit programma is een onderdeel van Internet Explorer 5.5
(en dat programma is weer een onderdeel van het Microsoft
Office-pakket).

Zodra je het e-mailadres typt in het vak E-mailadres, plaatst Excel
de tekst mailto: voor datgene wat je typt (mailto: is de HTML-

code die Excel de opdracht geeft je e-mailprogramma te openen wanneer je klikt op de hyperlink).

Als je wilt dat de hyperlink een onderwerp toevoegt aan het emailbericht in het e-mailprogramma, typ je de tekst van het onderwerp in het invoervak Onderwerp.

Als het adres van de ontvanger staat in de keuzelijst Laatst gebruikte e-mailadressen, kun je dit invoeren in het vak E-mailadres door te klikken op het adres in de keuzelijst.

4. (Optioneel) Als je de hyperlinktekst die blauw en onderstreept wordt weergegeven in de cel van het werkblad wilt wijzigen of als je tekst wilt toevoegen indien de cel leeg is, typ je de gewenste tekst in het vak Weer te geven tekst.

5. (Optioneel) Als je aan de hyperlink een scherminfo wilt toevoegen die verschijnt wanneer je de muisaanwijzer op de hyperlink plaatst, klik je op de knop Scherminfo, typ je de tekst voor de scherminfo in het vak Tekst van Scherminfo en klik je op OK.

6. Klik op OK om het dialoogvenster Hyperlink invoegen te sluiten.

Hyperlinks volgen

Nadat je een hyperlink in een werkblad hebt gemaakt, kun je deze volgen naar de bestemming die je aan de hyperlink hebt gekoppeld. Je volgt een hyperlink door de muisaanwijzer te plaatsen op de onderstreepte blauwe tekst (als je de hyperlink hebt gekoppeld aan tekst in een cel) of op de afbeelding (als je de hyperlink hebt verbonden met een afbeelding in het werkblad). Zodra de muisaanwijzer verandert in een handje met een wijzende vinger, klik je op de hypertext of afbeelding, waarna Excel springt naar het externe document, de webpagina, de cel in de werkmap of het e-mailbericht dat je hebt ingesteld. Wat er gebeurt wanneer je deze sprong maakt, hangt af van het doel van de hyperlink:

✔ **Extern document:** Excel opent het document in een eigen venster. Als het programma waarin het document is gemaakt (zoals Word of PowerPoint) nog niet is geopend, start Windows het programma en wordt het doeldocument geopend.

✔ **Webpagina:** Excel opent de webpagina in een eigen webbrowservenster. Als je niet online bent wanneer je op deze hyperlink klikt, opent Windows het dialoogvenster Verbinden met en klik je op de knop Verbinden. Als Internet Explorer niet is geopend op het moment dat je op de hyperlink klikt, opent Windows deze webbrowser alvorens de webpagina te openen waarvan de URL in de hyperlink staat.

> ✔ **Celadres:** Excel activeert het werkblad in de huidige werkmap en selecteert de cel of cellen waarvan het blad- en bereikadres wordt weergegeven in de hyperlink.

> ✔ **E-mail:** Excel start je e-mailprogramma waarin een nieuw e-mail-bericht wordt geopend, dat is geadresseerd aan het e-mailadres dat je hebt opgegeven toen je de hyperlink maakte.

Nadat je een hyperlinktekst naar diens bestemming hebt gevolgd, ver-andert de kleur van de tekst van het traditionele blauw in donkerpaars (zonder dat de onderstreping verdwijnt). Deze kleur geeft aan dat de hyperlink is gebruikt. De kleur van grafische hyperlinks verandert daar-entegen niet nadat je ze hebt gevolgd. Excel herstelt de oorspronkelijke blauwe kleur van de tekst wanneer je het werkblad een volgende keer opent.

Wanneer je hyperlinks in een werkblad volgt, kun je de knoppen op de werkbalk Web gebruiken. Kies Beeld ➪ Werkbalken ➪ Web om de werk-balk Web weer te geven.

Je kunt de knoppen Vorige en Volgende op de werkbalk Web (zie figuur 10.4) gebruiken om te schakelen tussen de cel met de interne hyperlink en de bestemming ervan. Nadat je hebt geklikt op de hyperlink in een cel en naar de bestemming ervan bent gesprongen, kun je klikken op de knop Vorige op de werkbalk Web om terug te gaan naar de cel met de hyperlink. Terug in deze cel kun je opnieuw naar de bestemming sprin-gen door te klikken op de knop Volgende op de werkbalk Web.

Figuur 10.4: De werkbalk Web ver-schijnt wan-neer je de hyperlinks volgt die je aan een werkblad hebt toege-voegd

De figuren 10.5 tot en met 10.7 laten zien hoe je hyperlinks kunt gebrui-ken om naar verschillende delen van dezelfde werkmap te springen. Fi-guur 10.5 toont een werkblad met een interactieve inhoudsopgave naar alle winst- en verliestabellen en grafieken in de werkmap. Deze interac-tieve inhoudsopgave bestaat uit een lijst met de gegevenstabellen en grafieken in de werkmap. Aan elke ingang in de lijst in het bereik B5:B8 is een hyperlink toegevoegd naar het bijbehorende werkblad en cellen-bereik.

Wanneer je klikt op de koppeling Sprat dieetcentra (zie figuur 10.5), brengt Excel je naar cel A1 van het werkblad Sprat dieetcentra. Rechts van de werkbladtitel in cel A1 in dit werkblad staat een afbeelding (zie figuur 10.6). Deze afbeelding bevat een hyperlink die de gebruiker brengt naar cel A1 van het werkblad Totale inkomsten.

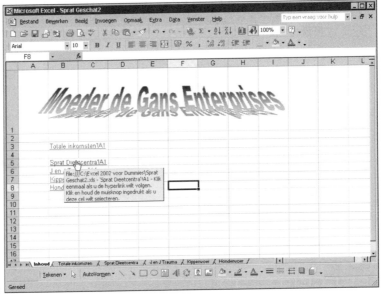

Figuur 10.5: Interactieve inhoudsopgave met hypertextkoppelingen naar werkbladen met winst- en verliesgegevens en cirkelgrafieken

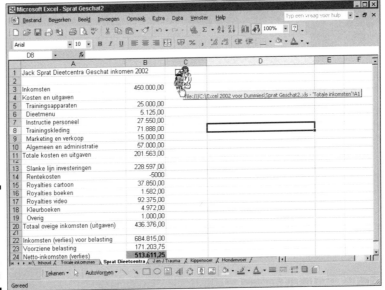

Figuur 10.6: Klik op de afbeelding om naar weer een ander werkblad te gaan

Figuur 10.7 laat zien wat er gebeurt wanneer je klikt op de hypertextkoppeling grafiek Geschatte Inkomsten. Deze hyperlink is gekoppeld aan het benoemde cellenbereik Cirkelgrafiek. Dit cellenbereik beslaat de cellen A30:C41 op het werkblad Totale inkomsten. Als je op deze hyperlink klikt, worden alle cellen in dit cellenbereik geselecteerd. Deze cellen bevinden zich onder de 3D-cirkelgrafiek met een overzicht van de verwachte inkomsten voor 2001. Aangezien het niet mogelijk is een hyperlink rechtstreeks te koppelen aan een grafiek, moet je de onderliggende cellen selecteren wanneer je wilt dat een hyperlink springt naar een bepaalde grafiek in een werkblad.

Rechts van de cirkelgrafiek zie je een sterexplosie (die is gemaakt met de optie Sterren en vaandels in het menu AutoVormen op de werkbalk Tekenen). Deze afbeelding bevat een hyperlink die verwijst naar het werkblad Inhoud. Wanneer je hierop klikt, spring je dus terug naar de eerste cel van de inhoud.

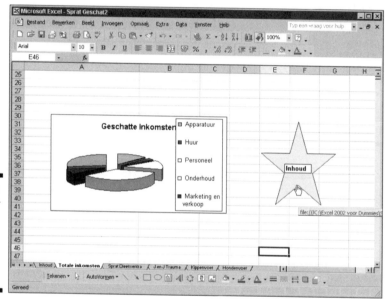

Figuur 10.7: Deze hypertextkoppeling brengt je terug naar de inhoudsopgave

Hypertextkoppelingen bewerken en opmaken

De inhoud van cellen met een hypertextkoppeling wordt opgemaakt volgens de instellingen van twee ingebouwde opmaakprofielen: Hyperlink en Gevolgde hyperlink. Het opmaakprofiel Hyperlink wordt toegepast op alle nieuwe hypertextkoppelingen die je aanbrengt in een werkblad en die je nog niet hebt gebruikt. Het opmaakprofiel Gevolgde hyperlink wordt toegepast op alle hypertextkoppelingen die zijn gebruikt. Als je de manier wilt wijzigen waarop gebruikte en ongebruikte hypertextkoppelingen in de werkmap worden weergegeven, moet je de opmaak van de opmaakprofielen Gevolgde hyperlink en Hyperlink wijzigen. (In hoofdstuk 3 wordt uitgelegd hoe je opmaakprofielen wijzigt.)

Als je de inhoud van een cel met een hypertextkoppeling wilt bewerken, moet je erop letten dat je, terwijl je de bewerkingsmodus activeert om de tekst te kunnen wijzigen, niet per ongeluk de koppeling volgt. Dit betekent dat je niet met de (primaire) muisknop kunt klikken op de cel met de hypertextkoppeling, aangezien in dit geval de hypertextkoppeling naar diens bestemming springt! Als je gewend bent cellen te selecteren door erop te klikken, volgt hier de beste manier om dit probleem te omzeilen:

1. Klik op een cel vlak naast (boven, onder, links of rechts van) de cel met de hypertextkoppeling, mits deze aangrenzende cel niet ook een hyperlink bevat.

2. Druk op de juiste pijltoets om de cel met de te bewerken hyperlink te selecteren ↓. ↑, → of ←).

3. Druk op F2 om de bewerkingsmodus in te schakelen.

4. Breng de wijzigingen in de inhoud van de hypertext in de cel aan. Klik vervolgens op de knop Invoeren of druk op Enter om de bewerking af te sluiten.

Als je de bestemming van een hypertextkoppeling wilt bewerken (in plaats van de inhoud van de cel waaraan de koppeling is verbonden), klik je met de rechtermuisknop op de cel met de koppeling om het snelmenu te openen (en om te voorkomen dat de hyperlink wordt gevolgd) en selecteer je Hyperlink ⇨ Hyperlink bewerken. Het dialoogvenster Hyperlink bewerken (dat verdacht veel lijkt op het dialoogvenster Hyperlink invoegen uit figuur 10.1) verschijnt; hierin kun je het type en/of de bestemming van de hyperlink wijzigen.

Je kunt een hyperlink verwijderen, terwijl de tekst in de cel behouden blijft, door met de rechtermuisknop op de hyperlink te klikken en Hyperlink ⇨ Hyperlink verwijderen te selecteren. Als je de hyperlink en de tekst wilt verwijderen, selecteer je de cel en druk je op Del (het equivalent van Bewerken ⇨ Wissen ⇨ Alles).

Afbeeldingen met hyperlinks bewerken en opmaken

Wanneer je de afbeeldingen waaraan je hyperlinks hebt toegekend wilt bewerken, klik je met de rechtermuisknop op de afbeelding en kies je Figuur opmaken in het snelmenu. In het dialoogvenster Figuur opmaken dat verschijnt, kun je allerlei kenmerken van de afbeelding bewerken, zoals kleur, opvulling, helderheid en contrast, hoe de afbeelding wordt bijgesneden en of de positie en afmetingen van de afbeelding worden gewijzigd wanneer je de onderliggende cellen bewerkt. Je kunt ook de knoppen op de werkbalk Figuur gebruiken om bepaalde eigenschappen van de afbeelding te bewerken (zoals kleur, helderheid en contrast).

Als je de afmetingen of positie van de afbeelding handmatig wilt wijzigen, houd je Ctrl ingedrukt terwijl je op de afbeelding klikt, waarna je de afbeelding met de muis kunt bewerken. Je kunt de afmetingen van de afbeelding wijzigen door de juiste formaatgreep te verslepen. Je verplaatst de afbeelding door deze (nadat de muisaanwijzer verandert in een vierpuntige aanwijzer) naar de nieuwe positie in het werkblad te slepen.

Je kunt een afbeelding samen met de bijbehorende hyperlink kopiëren door te klikken op de afbeelding terwijl je Ctrl ingedrukt houdt en vervolgens (zonder Ctrl los te laten) een kopie naar de nieuwe positie te slepen. In plaats daarvan kun je ook met de rechtermuisknop op de afbeelding klikken en deze op het klembord plaatsen door Kopiëren te kiezen in het snelmenu. Nadat je de afbeelding met de hyperlink naar het klembord hebt gekopieerd, kun je deze in een werkblad plakken door Bewerken ➪ Plakken (Ctrl+V) te selecteren of door te klikken op de knop Plakken op de werkbalk Standaard.

Je verwijdert een afbeelding samen met de hyperlink door Ctrl ingedrukt te houden en te klikken op de afbeelding om deze te selecteren. Druk vervolgens op Del. Als je alleen de hyperlink wilt verwijderen, maar de afbeelding wilt laten staan, klik je met de rechtermuisknop op de afbeelding en kies je Hyperlink ➪ Hyperlink verwijderen in het snelmenu.

Als je de bestemming van de hyperlink wilt bewerken, klik je met de rechtermuisknop op de afbeelding. Selecteer Hyperlink ➪ Hyperlink bewerken in het snelmenu om het dialoogvenster Hyperlink bewerken te openen. Hierin kun je de bestemming wijzigen.

Spreadsheets op het web?

Het is eigenlijk zeer zinvol om Excel-spreadsheetgegevens op het World Wide Web te publiceren, zowel gezien de tabelindeling van een werkblad als vanwege de berekende inhoud van het werkblad. Iedereen die ooit heeft geprobeerd een HTML-tabel te coderen, weet dat dit een zeer onaangenaam karwei is. Zelfs de eenvoudigste HTML-tabel maken kost zeer veel moeite, omdat je de codes <TH> en </TH> moet gebruiken om de kolomkoppen in de tabel in te stellen, de codes <TR> en </TR> moet toevoegen om de rijen van de tabel in te stellen en de codes <TD> en </TD> moet gebruiken om het aantal en de breedte van de kolommen te bepalen. Daarnaast moet je alle gegevens voor elke cel in de tabel invoeren.

Met Excel kun je webpagina's maken die de werkbladgegevens weergeven als een statische tabel, die niet kan worden veranderd, of als een interactieve tabel, die de gebruiker wel kan wijzigen. Wanneer je een web-pagina met statische werkbladgegevens maakt, kunnen de gebruikers de Excel-gegevens alleen met hun webbrowser bekijken. Wanneer je echter een webpagina met dynamische werkbladgegevens maakt, kun-nen gebruikers de gegevens bewerken en de waarden opmaken. Afhan-kelijk van de aard van de spreadsheet kunnen gebruikers zelfs bereke-ningen uitvoeren en, in het geval van gegevenslijsten, werken met de ge-gevens door ze te sorteren en te filteren.

Een Excel-werkblad opslaan als webpagina is zeer eenvoudig: kies Be-stand ⇨ Opslaan als webpagina. Excel opent nu het dialoogvenster Op-slaan als (zie figuur 10.8). De webversie van dit dialoogvenster bevat de-zelfde basisonderdelen als de normale werkmapversie. De verschillen tussen deze twee versies zijn:

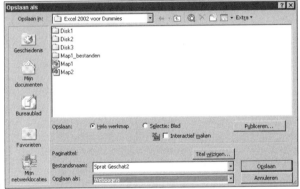

Figuur 10.8:
Het dialoog-venster Opslaan als, dat ver-schijnt wan-neer je Be-stand ⇨ Opslaan als webpagina kiest

- ✔ **Hele werkmap** of **Selectie: Blad:** wanneer je Bestand ⇨ Opslaan als webpagina kiest, biedt Excel je de keuze tussen alle gegevens op alle werkbladen opslaan (via het keuzerondje Hele werkmap dat standaard is geselecteerd) of alleen de geselecteerde gege-vens op het huidige werkblad opslaan (via het keuzerondje Selec-tie:). Wanneer er geen grafiek of cellenbereik in het huidige werk-blad is geselecteerd, luidt de naam van deze optie Selectie: Blad. Als je deze optie nu kiest, plaatst Excel alle gegevens op het huidi-ge werkblad op de nieuwe webpagina. Wanneer je een grafiek in het werkblad hebt geselecteerd, luidt de naam van dit keuzerond-je Selectie: Grafiek. Indien een cellenbereik is geselecteerd, luidt de naam Selectie:, gevolgd door het celadres van het bereik.

- ✔ **Publiceren:** met de knop Publiceren open je het dialoogvenster Publiceren als webpagina uit figuur 10.9, waarin je een aantal pu-blicatieopties kunt instellen. In dit dialoogvenster kun je aange-ven welke items uit de werkmap moeten worden opgenomen in de nieuwe webpagina, het type interactiviteit (indien van toepas-sing) wijzigen, de bestandsnaam van de nieuwe webpagina be-werken en aangeven of de webpagina moet worden geopend in de webbrowser.

✔ **Interactief maken:** schakel het selectievakje Interactief maken in als je wilt dat gebruikers de werkbladgegevens kunnen bewerken of opnieuw berekenen of, in het geval van databaselijsten, de records kunnen filteren en/of sorteren.

✔ **Titel:** met de knop Titel wijzigen, rechts van het label Titel, open je het dialoogvenster Titel instellen waarin je een titel voor de nieuwe webpagina kunt invoeren. Deze titel verschijnt gecentreerd boven de webpagina, direct boven de werkbladgegevens of grafieken op de pagina. (Je mag deze titel niet verwarren met de kop van de webpagina die in de titelbalk van de webbrowser verschijnt.) De titel die je invoert in het dialoogvenster Titel instellen verschijnt achter het label Titel in het dialoogvenster Opslaan als. Klik op OK.

Figuur 10.9:
Het dialoogvenster Publiceren als webpagina, dat je opent door te klikken op de knop Publiceren in het dialoogvenster Opslaan als

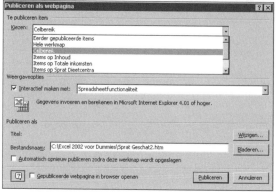

Een statische webpagina opslaan

Statische webpagina's bieden gebruikers de mogelijkheid gegevens te bekijken, maar ze kunnen deze op geen enkele manier wijzigen. Voer de volgende stappen uit als je een statische webpagina wilt maken:

1. Open de werkmap met de gegevens die je wilt opslaan als webpagina.

2. (Optioneel) Selecteer de gewenste cellen of het gewenste item als je iets anders wilt opslaan dan de hele werkmap of het hele werkblad. Als je een grafiek wilt opslaan, klik je op de grafiek. Wil je een cellenbereik opslaan, selecteer dan het bereik. Als je weet dat je een bepaalde grafiek of een bepaald cellenbereik in de nieuwe webpagina wilt opslaan, moet je dit deel selecteren voordat je het dialoogvenster Opslaan als opent (in stap 3). Wanneer je de grafiek vooraf selecteert, verandert het keuzerondje Selectie: Blad in Selectie: Grafiek. In het geval van een cellenbereik verandert de optie Selectie: Blad in Selectie:, gevolgd door het adres van de geselecteerde cellen.

3. Kies Bestand ⇨ Opslaan als webpagina om het dialoogvenster Opslaan als uit figuur 10.8 te openen.

4. Geef aan welk deel van de werkmap je wilt opslaan in de nieuwe webpagina.

    Als je de inhoud van alle bladen in de werkmap wilt opslaan, selecteer dan het keuzerondje Hele werkmap. Om alleen de gegevens in het huidige werkblad op te slaan, kies je het keuzerondje Selectie: Blad. ***Let op:*** als je hebt geklikt op de grafiek die je wilt omzetten in een webpagina voordat je het dialoogvenster Opslaan als opende, kies je Selectie: Grafiek. Heb je een cellenbereik geselecteerd, kies dan het keuzerondje Selectie:, gevolgd door het adres van de geselecteerde cellen.

    Als je de inhoud wilt opslaan van een ander werkblad dan het momenteel geselecteerde werkblad, klik je op de knop Publiceren en kies je het blad (aan de hand van de omschrijving 'Items op Blad1', 'Items op Blad2' enzovoort) in de vervolgkeuzelijst Kiezen.

    Wil je een grafiek opslaan die je niet hebt geselecteerd voordat je het dialoogvenster Opslaan als opende, klik dan op de knop Publiceren en selecteer de grafiek die wordt omschreven in de keuzelijst Kiezen.

    Als je een bepaald cellenbereik wilt opslaan dat je niet hebt geselecteerd voordat je het dialoogvenster Opslaan als opende, klik je op de knop Publiceren en selecteer je Celbereik in de vervolgkeuzelijst Kiezen. Typ vervolgens het bereikadres in het invoervak of selecteer het cellenbereik door erover te slepen in het werkblad.

5. Geef een bestandsnaam voor de nieuwe webpagina op.

    Typ de naam voor de nieuwe webpagina in het vak Bestandsnaam. Excel voegt de extensie .htm (die staat voor Hypertext Markup en aangeeft dat het bestand een HTML-tekstbestand is) toe aan de bestandsnaam. Als je de webpagina wilt publiceren op een UNIX-webserver, onthoud dan dat dit besturingssysteem onderscheid maakt tussen hoofdletters en kleine letters in bestandsnamen. De besturingssystemen Macintosh en Windows maken in dit geval geen onderscheid tussen hoofdletters en kleine letters.

6. Geef de locatie aan waar je de webpagina wilt opslaan.

    Als je de nieuwe webpagina opslaat op de harde schijf van je computer of op een netwerkstation, moet je het station en de directory aangeven in het vak Opslaan in, net als wanneer je een normaal Excel-werkmapbestand opslaat (zie hoofdstuk 2).

Sla de pagina als volgt op in een map:

- Als je de nieuwe webpagina rechtstreeks wilt opslaan op de internet- of intranetsite van je bedrijf, klik je op de knop Web-mappen en open je de map waarin je de pagina wilt opslaan.

- Als je de nieuwe pagina wilt opslaan op een FTP-site die de webbeheerder heeft ingesteld, selecteer dan FTP-locaties in de vervolgkeuzelijst Opslaan in en open de FTP-map waarin je de pagina wilt opslaan.

In beide gevallen moet jij (of de webbeheerder) de webmappen of FTP-locaties hebben ingesteld voordat je de werkbladpagina's hier kunt opslaan.

7. (Optioneel) Geef een titel voor de webpagina op.

Als je wilt dat Excel een titel toevoegt (deze verschijnt gecentreerd boven aan de pagina, vóór de gegevens of grafiek), klik je op de knop Titel wijzigen in het dialoogvenster Opslaan als. Typ de titel in het dialoogvenster Paginatitel instellen en klik op OK. Je kunt een titel ook toevoegen of bewerken via de knop Wijzigen in het dialoogvenster Publiceren als webpagina (dat je opent door te klikken op de knop Publiceren in het dialoogvenster Opslaan als).

8. Sla de webpagina op.

Je slaat de nieuwe webpagina met de aangebrachte instellingen op door te klikken op de knop Opslaan in het dialoogvenster Opslaan als (zie figuur 10.8). Als je de webpagina wilt bekijken direct nadat je deze hebt opgeslagen, klik je op de knop Publiceren om het dialoogvenster Publiceren als webpagina te openen en schakel je het selectievakje Gepubliceerde webpagina in browser openen in voordat je op de knop Publiceren klikt of op Enter drukt.

Nadat de werkbladgegevens zijn opgeslagen in de nieuwe webpagina, maakt Excel automatisch een nieuwe map met dezelfde naam als het .htm-bestand. Deze map bevat alle ondersteunende bestanden, zoals grafische bestanden en grafieken. Dit betekent dat als je de webpagina verplaatst van een lokale schijf naar een webserver, je niet alleen het webpaginabestand, maar ook de map met ondersteunende bestanden moet kopiëren, zodat de browser van de gebruiker de hele inhoud van de pagina correct kan weergeven.

Als je liever hebt dat Excel geen aparte map met ondersteunende bestanden maakt, kun je deze instelling wijzigen in het dialoogvenster Webopties (dat je opent door Extra ➪ Opties te selecteren en te klikken op de knop Webopties op het tabblad Algemeen). Verwijder het vinkje uit het selectievakje Ondersteunende bestanden indelen in een map op het tabblad Bestanden.

Wanneer je een hele werkmap met werkbladgegevens en grafieken op aparte werkbladen opslaat, handhaaft Internet Explorer de oorspronkelijke werkbladindeling in de statische webpagina door tabs toe te voegen onder in het venster van Internet Explorer.

Een interactieve webpagina opslaan

De mogelijkheid interactieve webpagina's op te slaan is een van de handigste nieuwe functies van Excel. Interactieve webpagina's stellen gebruikers die de webpagina's bekijken met Microsoft Internet Explorer (versie 4.0 of later) namelijk in staat wijzigingen in de werkbladgegevens aan te brengen, zonder dat je hiervoor een speciaal script of programma moet toevoegen. Gebruikers kunnen de volgende onderdelen wijzigen (die elders in dit boek worden behandeld):

- ✔ **Gegevenstabellen:** in interactieve werkbladtabellen kun je de waarden wijzigen en vervolgens formules in de tabellen automatisch (of handmatig) bijwerken. Je kunt ook de opmaak van de gegevens wijzigen en bepalen welke delen van het werkblad op de webpagina worden weergegeven. In de hoofdstukken 3 en 4 vind je meer informatie over het opmaken en bewerken van werkbladgegevens en over formules.

- ✔ **Databaselijsten:** in interactieve databaselijsten kun je de records sorteren en filteren op een vergelijkbare manier als in normale Excel-databases (zie hoofdstuk 9). Daarnaast kun je de gegevens bewerken en de opmaak van de lijst wijzigen.

- ✔ **Grafieken:** in interactieve grafieken kun je de ondersteunende gegevens bewerken, waarna de grafiek automatisch opnieuw op de webpagina wordt getekend. Je kunt ook wijzigingen aanbrengen in de grafiek zelf, zoals het grafiektype, de titel en bepaalde grafiekopmaak.

Als je een interactieve webpagina wilt maken, voer je de stappen uit die worden beschreven in de vorige paragraaf, 'Een statische webpagina opslaan', met de volgende uitzondering: je moet het selectievakje Interactief maken selecteren voordat je een nieuwe webpagina opslaat of publiceert.

Onthoud dat wanneer je een webpagina met een interactieve grafiek maakt, je alleen de grafiek moet selecteren voordat je het dialoogvenster Opslaan als opent met de optie Bestand ➪ Opslaan als webpagina. Excel voegt de ondersteunende werkbladgegevens voor de interactieve grafiek automatisch toe aan de nieuwe webpagina (mits je niet vergeet het selectievakje Interactief maken in te schakelen voordat je de webpagina opslaat of publiceert).

Interactieve werkbladgegevens gebruiken

Figuur 10.10 toont een nieuwe webpagina met een volledig interactieve verkooptabel met het eerste kwartaal (gemaakt op basis van de werkmap Moeder de Gans enterprises – Verkoop in 2001), zoals deze eruitziet wanneer de pagina wordt geopend in Microsoft Internet Explorer 5.5, dat bij Office wordt geleverd. Deze interactieve webpagina is gemaakt door het cellenbereik A1:E14 te selecteren alvorens Bestand ⇨ Opslaan als webpagina te kiezen en het selectievakje Interactief maken in te schakelen.

De belangrijkste aanwijzing dat je te maken hebt met een interactieve werkbladtabel in plaats van een statische, is de werkbalk boven de gegevenstabel. Met deze knoppen kun je de tabelgegevens bewerken en de weergave van de informatie wijzigen.

Met de schuifbalken die eventueel onder en rechts van de tabel worden weergegeven, kun je nieuwe werkbladgegevens zichtbaar maken. Tevens kun je handmatig de breedte kolommen en de hoogte van rijen aanpassen door de randen te verplaatsen. Hiervoor kun je ook de functie AutoAanpassen gebruiken; dubbelklik op de rechterrand van de cel

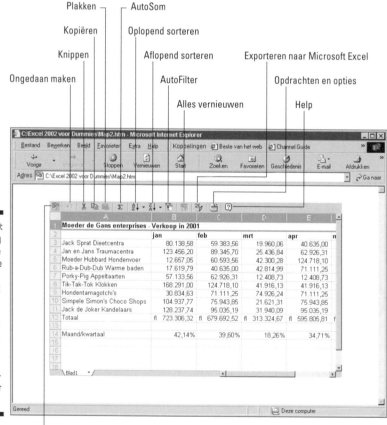

Figuur 10.10: Een volledig interactieve tabel met de verkoopcijfers van het eerste kwartaal in een nieuwe webpagina, die wordt weergegeven in Internet Explorer 5.5

die de kolomletter bevat (zie hoofdstuk 3 voor meer informatie over het aanpassen van de afmetingen van kolommen en rijen).

De inhoud wijzigen

Je kunt een bepaalde cel met werkbladgegevens bewerken door te dubbelklikken op de gegevens om de inhoud van de cel te selecteren. Als de cel een label of waarde bevat, wordt deze tekst geselecteerd en kun je deze vervangen door het nieuwe label of de nieuwe waarde te typen. Als de cel een formule bevat, wordt het berekende resultaat vervangen door de formule, die je vervolgens kunt bewerken.

Als je wilt voorkomen dat gebruikers bepaalde cellen in de werkbladgegevens bewerken, moet je de tabel of het blad beveiligen voordat je deze opslaat als webpagina. Als je wilt dat webgebruikers bepaalde cellen wel kunnen bewerken (zoals de hoeveelheden die ze willen bestellen) zonder dat ze andere cellen kunnen wijzigen (zoals de cellen met de prijzen en de cellen met de formules die de totalen berekenen), moet je de blokkering van de cellen die bewerkt mogen worden opheffen voordat je het werkblad beveiligt (waarmee je voorkomt dat de andere cellen wel bewerkt kunnen worden). In hoofdstuk 6 lees je hoe je dit doet.

De gegevensweergave wijzigen

Het dialoogvenster Opdrachten en opties vormt de sleutel tot het wijzigen van de manier waarop werkbladgegevens worden weergegeven in de interactieve webpagina. Om dit dialoogvenster weer te geven, klik je op de knop Opdrachten en opties op de werkbalk boven de werkbladgegevens. Als deze werkbalk niet wordt weergegeven, klik je met de rechtermuisknop op de werkbladtabel en kies je Opdrachten en opties in het snelmenu.

Figuur 10.11 toont de verkooptabel van het eerste kwartaal met het dialoogvenster Opdrachten en opties. Het dialoogvenster beschikt over vier tabbladen (Opmaak, Formule, Blad, Werkmap) met diverse opties voor het aanpassen en bewerken van het uiterlijk en de functionaliteit van de interactieve verkooptabel.

Hoewel het dialoogvenster Opdrachten en opties je heel wat bewerkingsmogelijkheden biedt, moet je je wel realiseren dat de wijzigingen die je met behulp van deze opties aanbrengt van tijdelijke aard zijn. Je kunt wijzigingen in een webpagina namelijk niet opslaan. Je kunt hooguit de webpagina afdrukken (klik op Bestand ➪ Afdrukken), zodat je een afdruk van de bijgewerkte tabel op papier hebt. Je kunt de webpagina ook exporteren naar een Excel-werkmap (alleen-lezen) door op de knop Exporteren naar Microsoft Excel te klikken (in de paragraaf 'Een interactieve webpagina exporteren naar Excel' verderop in dit hoofdstuk).

In figuur 10.12 zie je het tabblad Blad, waarin je bijvoorbeeld de rasterlijnen zou kunnen verbergen door het vinkje uit het gelijknamige selectievakje te verwijderen.

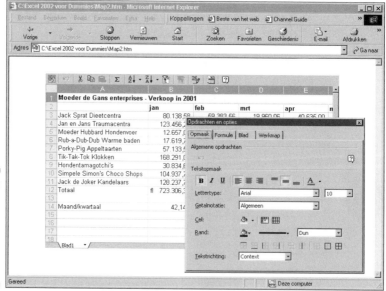

Figuur 10.11:
Een interactieve verkooptabel met het dialoogvenster Opdrachten en opties

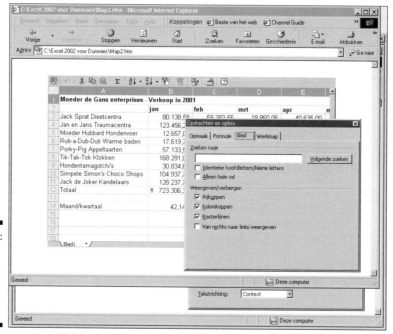

Figuur 10.12:
Op het tabblad Blad vind je nog meer opmaakopties

In plaats van wijzigingen aan te brengen in het uiterlijk van de gegevenstabel, zul je echter vaker wijzigingen aanbrengen in de inhoud. Dit type wijziging wordt toegelicht in de figuren 10.13 en 10.14. In figuur 10.13 zie je een nieuwe webpagina die is gemaakt op basis van een Excel-werkblad met een leeg bestelformulier van Porky Pig's Taartenpaleis. Dit bestelformulier bevat alle formules die nodig zijn om de prijzen voor elk besteld type taart en het subtotaal voor alle bestelde taarten te berekenen. Vervolgens wordt de BTW berekend en erbij opgeteld, om zo het totaal te berekenen. Figuur 10.14 toont dezelfde webpagina nadat alle bestelinformatie is ingevoerd in de diverse lege cellen.

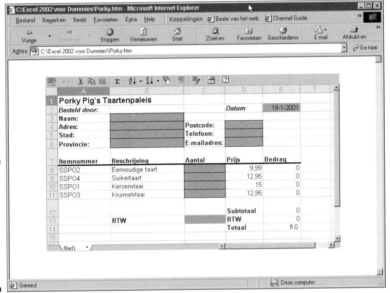

Figuur 10.13:
Webpagina met interactieve werkbladgegevens in de vorm van een bestelformulier

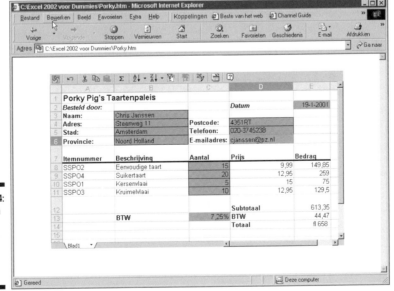

Figuur 10.14:
Webpagina met ingevuld en berekend bestelformulier

Om ongewenste wijzigingen in het bestelformulier te voorkomen, moet je zorgen dat alleen de donkere cellen in de gegevenstabel op de webpagina in de figuren 10.13 en 10.14 kunnen worden bewerkt. Hiervoor moet je in Excel de blokkering van de donkere cellen opheffen en vervolgens de beveiliging van het werkblad inschakelen voordat je de webpagina maakt. In hoofdstuk 6 lees je hoe je dit doet.

Een interactieve database gebruiken

In webpagina's met een interactieve lijst gegevens die is ingedeeld als database (zoals in hoofdstuk 9 is behandeld) kun je dezelfde wijzigingen in de inhoud en opmaak aanbrengen als in standaard werkbladtabellen. Daarnaast kun je ook de gegevens sorteren en een aangepaste vorm van het AutoFilter gebruiken om de gewenste records eruit te filteren.

De figuren 10.15 en 10.16 laten zien hoe je de functie AutoFilter gebruikt in een webpagina met een interactieve database. Figuur 10.15 bevat de database met de klantenlijst van Tik-Tak-Tok Klokkenreparaties nadat deze is opgeslagen als interactieve webpagina.

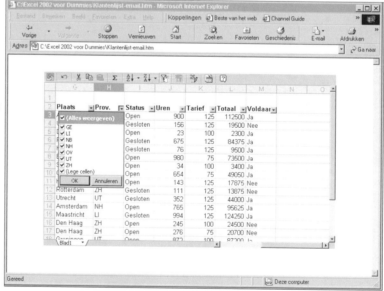

Figuur 10.15: Webpagina met een interactieve database van een klantenlijst waarin de knoppen van het AutoFilter worden weergegeven

Je kunt deze database als volgt sorteren:

- Klik op de kolom (het veld) waarop je de records wilt sorteren en klik op de knop Oplopend sorteren of Aflopend sorteren op de werkbalk.

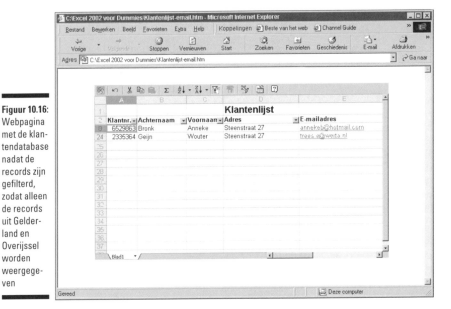

Figuur 10.16: Webpagina met de klantendatabase nadat de records zijn gefilterd, zodat alleen de records uit Gelderland en Overijssel worden weergegeven

✔ Klik met de rechtermuisknop op de database en kies Oplopend sorteren of Aflopend sorteren en kies vervolgens in het submenu de naam van het veld waarop je de database wilt sorteren.

Als je de records in een database wilt filteren, geef je de vervolgkeuzelijsten van het AutoFilter weer door te klikken op de knop AutoFilter of door AutoFilter te kiezen in het snelmenu van de database. Nadat de pijlknoppen voor de vervolgkeuzelijsten van het AutoFilter verschijnen in de cellen met de veldnamen van de database, kun je de records filteren door de gewenste items te selecteren in de vervolgkeuzelijst van het gewenste veld.

Figuur 10.16 toont de klantenlijst van Moeder de Gans enterprises nadat de records zijn gefilterd, zodat alleen records worden weergegeven waarvan de provincie GL (Gelderland) of OV (Overijssel) is. Klik hiervoor op de AutoFilter-knop van het veld Provincie om de vervolgkeuzelijst te openen waarin (Alles weergeven) is geselecteerd (zodat de selectievakjes van alle provincies zijn ingeschakeld). Klik op het selectievakje (Alles weergeven) om dit uit te schakelen, zodat alle selectievakjes worden uitgeschakeld. Klik vervolgens op de selectievakjes GL en OV voordat je klikt op de knop OK onder in de lijst.

Als je een databaselijst wilt herstellen nadat de records zijn gefilterd, klik je op de AutoFilter-knop van het veld of de velden waarop je hebt gefilterd en klik je op het selectievakje (Alles weergeven), zodat het vinkje (en de vinkjes in alle andere selectievakjes) weer verschijnt. Klik tot slot op OK.

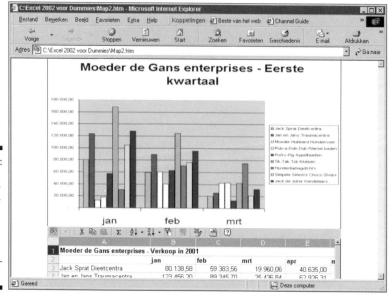

Figuur 10.17:
Webpagina
met interac-
tieve kolom-
grafiek met
daaronder
de onder-
steunende
werkbladge-
gevens

Een interactieve grafiek gebruiken

Webpagina's met interactieve Excel-grafieken tonen zowel de grafiek als de ondersteunende werkbladgegevens. Wanneer je wijzigingen aanbrengt in de ondersteunende gegevens, wordt de grafiek in de webpagina automatisch bijgewerkt. Gebruikers kunnen de grafiek niet alleen bijwerken door de ondersteunende gegevens te bewerken, maar ook door bepaalde wijzigingen in de grafiek zelf aan te brengen (zoals het grafiektype wijzigen of de titel bewerken).

Figuur 10.18 toont een nieuwe webpagina met een interactieve grafiek die is gemaakt op basis van een kolomgrafiek van het werkblad met het eerste kwartaal van Moeder de Gans, waarin de verkoopcijfers van de diverse bedrijven over januari, februari en maart worden afgebeeld. Zoals je ziet, staan de ondersteunende werkbladgegevens onder de grafiek met de inmiddels bekende interactieve werkbalk.

Als je de waarden in de ondersteunende werkbladgegevens wijzigt, wordt de grafiek automatisch bijgewerkt, zoals je duidelijk ziet in figuur 10.19. In deze figuur is de omzet in februari voor Jack Sprat Dieetcentra in de ondersteunende gegevens vergroot van 80.138,58 tot 89.383,56. Om te controleren of de kolomgrafiek is aangepast aan deze toename, vergelijk je de grootte van de eerste kolom in het tweede cluster in figuur 10.18 met dezelfde kolom in figuur 10.17.

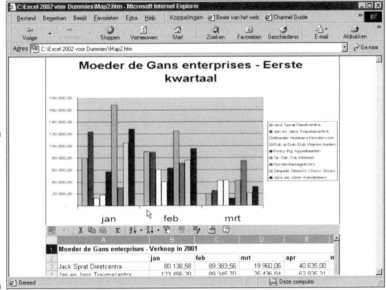

Figuur 10.18:
Bijgewerkte
interactieve
kolomgra-
fiek nadat
een waarde
in de onder-
steunende
gegevens
eronder is
gewijzigd

Werkbladgegevens toevoegen aan een bestaande webpagina

Je hoeft Excel-werkbladgegevens niet altijd op te slaan in een gloednieuwe webpagina, zoals tot nog toe in dit hoofdstuk het geval was. Je kunt
de gegevens ook toevoegen aan elke gewenste bestaande webpagina.
Onthoud echter dat wanneer je werkbladgegevens toevoegt aan een bestaande webpagina, Excel de gegevens altijd helemaal onder aan de pagina plaatst. Als je wilt dat de gegevens eerder op de webpagina worden
weergegeven, moet je de webpagina bewerken, zoals wordt beschreven
in de paragraaf 'Webpagina's met werkbladen bewerken'.

Als je Excel-werkbladgegevens wilt toevoegen aan een bestaande webpagina, voer je dezelfde stappen uit als wanneer je de gegevens opslaat
in een nieuwe webpagina. In plaats van een nieuwe bestandsnaam voor
de gegevens op te geven, selecteer je in dit geval de naam van een bestaand bestand waaraan je de gegevens wilt toevoegen.

Nadat je de naam hebt geselecteerd van het bestaande bestand waaraan je de geselecteerde werkbladgegevens of de grafiek wilt toevoegen,
toont Excel een waarschuwingsvenster met drie knoppen: Toevoegen
aan bestand, Bestand vervangen en Annuleren.

Klik op de knop Toevoegen aan bestand in plaats van de knop Bestand
vervangen. Als je klikt op Bestand vervangen, vervangt Excel de bestaande pagina door een nieuwe pagina met alleen de geselecteerde gegevens of grafiek in plaats van deze toe te voegen aan het bestaande bestand.

Webpagina's met werkbladen bewerken

Stel, je voegt werkbladgegevens of een Excel-grafiek toe aan een bestaande webpagina, maar je wilt niet dat de gegevens helemaal aan het
einde van de pagina worden geplaatst. In dit geval moet je de webpagina bewerken en de werkbladgegevens of de grafiek naar de gewenste
positie verplaatsen.

Je kunt de nieuwe webpagina's die je in Excel maakt of de bestaande pagina's waaraan je werkbladgegevens hebt toegevoegd, bewerken met
elk Windows-programma waarmee je webpagina's kunt bewerken. Als je
geen webpagina-editor hebt, gebruik dan Word, dat deel uitmaakt van
Office. Word is zeer geschikt en schermt je af van de HTML-codes en
vreemde XML-scripts achter de schermen.

Onthoud dat wanneer je dubbelklikt op het pictogram van een webpaginabestand in Windows Verkenner of Deze computer, deze webpagina
wordt geopend in je webbrowser, waar je de pagina kunt bekijken, maar
niet kun bewerken. Als je een webpagina wilt bewerken, moet je eerst
een webeditor starten (zoals Word of, in sommige gevallen, Excel) en
vervolgens de webpagina openen door Bestand ➪ Openen te selecteren.

Voer de volgende stappen uit als je een webpagina wilt openen en bewerken in Word:

1. Start Word.

    Je start Word door te klikken op de knop Microsoft Word op de
    Office-werkbalk of door te klikken op de knop Start en Program-
    ma's ➪ Microsoft Word te selecteren.

2. Kies Bestand ➪ Openen in Word of klik op de knop Openen op de
    werkbalk Standaard om het dialoogvenster Openen weer te geven.

3. Selecteer de map met de webpagina die je wilt openen in de ver-
    volgkeuzelijst Zoeken in en klik op de bestandsnaam van de web-
    pagina in de centrale keuzelijst.

    Nadat je het webpaginabestand dat je wilt bewerken hebt gese-
    lecteerd, open je het bestand in Word door te klikken op de knop
    Openen. Aangezien Office bijhoudt met welk programma de web-
    pagina is gemaakt (wat wordt aangegeven door het pictogram
    van het desbetreffende programma op het pictogram van een
    normale webpagina), moet je mogelijk de optie Openen in Micro-
    soft Word gebruiken in plaats van te klikken op de knop Openen,
    indien de webpagina is gekoppeld aan Excel in plaats van Word.

4. Als je een webpagina opent die is gemaakt in Excel en die nooit
    eerder is bewerkt in Word, kies je de optie Openen in Microsoft
    Word via de vervolgkeuzelijst van de knop Openen. Als je een
    webpagina opent die je het laatst hebt bewerkt in Word, klik je op
    de knop Openen of druk je op Enter.

Nadat je de webpagina in Word hebt geopend, kun je de inhoud ervan bewerken en de opmaak zo nodig wijzigen. Als je bijvoorbeeld een gegevenstabel of grafiek die onder aan de webpagina is toegevoegd wilt verplaatsen, selecteer je de tabel of grafiek en gebruik je de vertrouwde methode knippen-en-plakken of slepen-en-neerzetten om het onderdeel op de gewenste positie in de webpagina te plaatsen. Denk aan het volgende wanneer je een Excel-werkbladtabel verplaatst:

✔ Je selecteert de gegevenstabel en alle inhoud ervan door de muisaanwijzer van Word boven de tabel te plaatsen. Wanneer de aanwijzer de vorm krijgt van een omlaag wijzende pijl, klik je, waarna Word alle cellen in de tabel selecteert.

✔ Als je een werkbladtabel die je in Word hebt geselecteerd, wilt verplaatsen door middel van slepen-en-neerzetten, plaats je de muisaanwijzer op het vak met het dubbele kruis in de linkerbovenhoek van de geselecteerde tabel. Wanneer de aanwijzer verandert in een dubbel kruis, sleep je de contouren van de tabel naar de gewenste positie in het document. Wanneer je de aanwijzer hebt gesleept naar het begin van de regel in het document waar de bovenste rij van de tabel moet komen, laat je de muisknop weer los.

✔ Als je een geselecteerde werkbladtabel wilt verplaatsen met de knip-en-plakmethode, kies je Bewerken ⇨ Knippen (Ctrl+X) om de tabel op het klembord van Windows te plaatsen. Plaats het invoegsymbool aan het begin van de regel waar de eerste rij moet verschijnen en kies Bewerken ⇨ Plakken (Ctrl+V).

Denk aan het volgende wanneer je een Excel-grafiek verplaatst:

✔ Je selecteert een grafiek in Word door ergens in de grafiek te klikken, net zoals je in Excel zou doen. Zodra je klikt, verschijnen de selectiegrepen rond de grafiek en wordt de werkbalk Figuur weergegeven.

✔ Als je een grafiek die je in Word hebt geselecteerd, wilt verplaatsen door middel van slepen-en-neerzetten, plaats je de muisaanwijzer ergens op de geselecteerde grafiek. Wanneer de aanwijzer verandert in een pijlpunt met daaronder de contouren van een vakje, sleep je met deze aanwijzer de grafiek naar de gewenste positie in het document. Wanneer je de aanwijzer hebt gesleept naar de regel in het document waar de bovenkant van de grafiek moet komen, laat je de muisknop los.

✔ Als je een geselecteerde grafiek wilt verplaatsen met de knip-en-plakmethode, kies je Bewerken ⇨ Knippen (Ctrl+X) om de grafiek naar het klembord van Windows te verplaatsen. Plaats het invoegsymbool aan het begin van de regel waar de bovenkant van de grafiek moet verschijnen en kies Bewerken ⇨ Plakken (Ctrl+V).

Webpagina's met werkbladen bewerken in Excel

Er is geen regel die luidt dat je een webpagina niet kunt openen en bewerken in Excel. Als je alleen gegevens in een gegevenstabel wilt bewerken of informatie in een Excel-database wilt aanpassen, kun je deze wijzigingen zelfs het best aanbrengen door de webpagina te openen in Excel. Voer hiervoor dezelfde stappen uit als waarmee je een standaardwerkmapbestand opent (zie hoofdstuk 4).

Als de webpagina die je in Excel wilt bewerken, is opgeslagen op een webserver waarvoor een snelkoppeling is gemaakt, klik je op de knop Webmappen links in het dialoogvenster Openen en dubbelklik je op de naam van de webmap met de webpagina. Je opent de webpagina door te klikken op het bestandspictogram ervan en op Openen te klikken (of door te dubbelklikken op het bestandspictogram).

Als het bestandspictogram voor het webpaginabestand dat je wilt openen niet bestaat uit een X op een pagina met een wereldbol (zoals het geval is als je de webpagina hebt bewerkt in een ander programma, zoals Word, en de wijzigingen hebt opgeslagen), kun je de pagina niet openen in Excel door te klikken op de knop Openen. In dit geval moet je klikken op de pijl naast de knop Openen en Openen in Microsoft Excel kiezen in de vervolgkeuzelijst.

Nadat je de webpagina hebt geopend en de gewenste wijzigingen in de gegevens hebt aangebracht, kun je de wijzigingen in het webbestand opslaan (in de standaard-HTML-bestandsindeling) door Bestand ⇨ Opslaan te kiezen (of door te klikken op de knop Opslaan op de werkbalk Standaard of te drukken op Ctrl+S). Als de bewerkte pagina zich bevindt op een webserver, brengt Excel een netwerk- of inbelverbinding met internet tot stand, zodat de wijzigingen rechtstreeks op de server worden opgeslagen.

Voor bepaalde bewerkingen, zoals een gegevenstabel of Excel-grafiek verplaatsen, de achtergrond van de webpagina wijzigen of afbeeldingen invoegen, is het aan te raden een echte webpagina-editor zoals Word te gebruiken, aangezien de op cellen gebaseerde werking van Excel dit type bewerkingen bijna onmogelijk maakt.

Als je aan een spreadsheet werkt die je constant moet bewerken en als bijgewerkte webpagina wilt publiceren, dan kan Excel dit proces automatiseren. Plaats de eerste keer dat je de werkmap als webpagina opslaat in het dialoogvenster Publiceren als webpagina een vinkje in het selectievakje bij Automatisch opnieuw publiceren zodra deze werkmap wordt opgeslagen (zie figuur 10.9). Excel zal de webpagina nu altijd automatisch opnieuw publiceren en de wijzigingen in je werkbladbestand opslaan.

Een interactieve webpagina exporteren naar Excel

Je kunt de wijzigingen die je aanbrengt in interactieve gegevens in de webpagina in de webbrowser niet opslaan. Als je deze wijzigingen wilt opslaan (zoals wanneer je experimenteert met verschillende scenario's), moet je de webpagina exporteren naar Excel en de bijgewerkte gegevens opslaan als webpagina of als een Excel-werkmapbestand.

Wijzigingen die je hebt aangebracht in een interactieve gegevenstabel, een database of ondersteunende grafiekgegevens (helaas kunnen wijzigingen in de grafiek zelf niet worden opgeslagen) kun je opslaan door te klikken op de knop Exporteren naar Excel op de werkbalk boven de gegevens. Dit is de knop met de afbeelding van een potlood onder een groene X.

Nadat je klikt op de knop Exporteren naar Excel, wordt Excel geopend, terwijl tegelijkertijd de webpagina met de bewerkte gegevens wordt geopend (in het geval van interactieve grafieken, wordt de tabel met de bewerkte ondersteunende gegevens geopend zonder de bijbehorende grafiek). Op de titelbalk van Excel verschijnt een tijdelijke bestandsnaam voor de geëxporteerde webpagina, zoals OWCSheet1.htm [Alleen-lezen], OWCSheet2.htm [Alleen-lezen] of iets dergelijks. (OWC staat trouwens voor Office Web Components.)

Aangezien Excel de webpagina met de bijgewerkte werkbladgegevens opent als een alleen-lezen bestand, kun je de bijgewerkte gegevens alleen opslaan door de optie Bestand ➪ Opslaan als te kiezen en de webpagina een nieuwe naam te geven. Als je de optie Opslaan kiest, toont Excel een waarschuwingsvenster, waarin je eraan wordt herinnerd dat het bestand alleen-lezen is en wordt het dialoogvenster Opslaan als weergegeven nadat je op OK klikt.

Excel slaat de webpagina standaard op in HTML-formaat. Als je het bestand met de bijgewerkte werkbladgegevens wilt opslaan als een normaal Excel-werkmapbestand, moet je de instelling in de vervolgkeuzelijst Opslaan als in het dialoogvenster Opslaan als wijzigen van Webpagina (*.htm, *.html) in Microsoft Excel-werkmap (.xls).

Als Excel niet aanwezig is op de computer die je gebruikt wanneer je de interactieve webpagina bewerkt in Internet Explorer, probeer het bestand OCWSheet.htm dat Internet Explorer genereert, dan te sturen naar een collega op wiens computer Excel wel aanwezig is. De OCWSheet- bestanden worden opgeslagen in de map Temp in de map Windows op de harde schijf van de computer. Om het webpaginabestand naar een collega te sturen, voeg je het bestand toe als bijlage aan een e-mailbericht dat je naar deze collega stuurt.

Als je Windows 98/Me gebruikt, kun je bepalen welk van de OCWSheet-bestanden in de map Temp je moet verzenden door de inhoud ervan te bekijken in Windows Verkenner:

1. Open de map Temp in Windows Verkenner.

2. Selecteer de optie Als webpagina in het menu Beeld.

3. Markeer het pictogram van elk bestand.

Er wordt een klein voorbeeld met werkbladgegevens weergegeven in het linkervenster.

Werkbladen via e-mail verzenden

De laatste interessante nieuwe internetfunctie van Excel is de mogelijk-heid het huidige werkblad via e-mail te verzenden als tekst van een nieuw e-mailbericht of als bijlage. Deze functie maakt het heel gemakke-lijk om financiële cijfers, lijsten en grafieken naar collega's en klanten te sturen.

Als je alleen de gegevens met de e-mailontvanger wilt delen, verzend je het werkblad als tekst van het e-mailbericht. Let erop dat wanneer je dit doet, je alleen tekst kunt toevoegen in het vak Onderwerp van het e-mailbericht.

Als je wilt dat de e-mailontvanger de gegevens kan bewerken (door bij-voorbeeld bepaalde financiële informatie bij te werken of ontbrekende gegevens toe te voegen), moet je het werkblad versturen als bijlage van het e-mailbericht. In dit geval ontvangt de geadresseerde het hele werk-mapbestand en typ je je eigen e-mailbericht (met waarschuwingen of instructies). Let erop dat de ontvanger het werkmapbestand alleen kan openen als hij toegang heeft tot Excel 97, 2000 of 2002 (of Excel 98 of 2001 op de Macintosh) of een ander spreadsheetprogramma dat bestan-den uit Microsoft Excel 97/2000/2002 kan openen.

Voer de volgende stappen uit om een werkblad te versturen als tekst van een nieuw e-mailbericht:

1. Open de werkmap en selecteer het werkblad dat je via e-mail wilt verzenden.

2. Klik op de knop E-mail op de werkbalk Standaard of kies Bestand ⇨ Verzenden naar ⇨ E-mailadres.

   Excel plaatst een e-mailheader met een eigen werkbalk en de vel-den Aan, CC en Onderwerp boven het huidige werkblad (zoals in figuur 10.19).

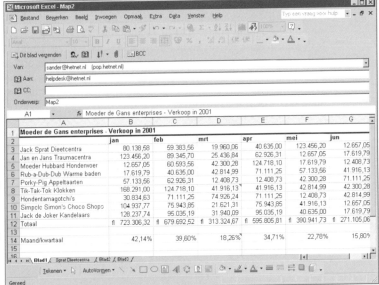

Figuur 10.19:
Een werk-
blad verzen-
den als tekst
van een
e-mail-
bericht

3. Typ het e-mailadres van de ontvanger in het veld Aan of klik op de knop Aan en selecteer het adres in het adresboek van Outlook of Outlook Express (als je een adresboek bijhoudt).

4. (Optioneel) Als je kopieën van het werkblad wilt versturen naar andere ontvangers, typ je hun adressen in het veld CC, gescheiden door puntkomma's (;) of klik je op de knop CC om de adressen te selecteren in het adresboek van Outlook of Outlook Express.

5. Excel plaatst standaard de naam van de huidige werkmap in het veld Onderwerp van het e-mailbericht. Desgewenst kun je de inhoud van het veld Onderwerp veranderen in een duidelijker omschrijving van de inhoud van het werkblad.

6. Typ een groet of een beschrijvende tekst in het vak Introductie waaraan de ontvanger kan zien waarom je hem het werkblad stuurt.

7. Klik op de knop Dit blad verzenden op de e-mailwerkbalk (zie nogmaals figuur 10.19) om het nieuwe bericht met het werkblad te verzenden.

Wanneer je klikt op de knop Dit blad verzenden, verstuurt Excel het e-mailbericht (en maakt zo nodig verbinding met je internetaanbieder), terwijl tegelijkertijd de e-mailwerkbalk wordt gesloten en de velden Aan, CC en Onderwerp boven het werkblad worden verwijderd.

Als je een werkblad wilt verzenden als bijlage bij een e-mailbericht, kies je Bestand ➪ Verzenden naar ➪ E-mailadres (als bijlage). Er verschijnt een nieuw e-mailvenster met de velden Aan, CC en Onderwerp en een vak waarin je de tekst van het bericht kunt typen (zie figuur 10.20). Excel voegt een kopie van de huidige werkmap (met alle werkbladen) automatisch als bijlage bij het nieuwe bericht. Dit wordt aangegeven door het pictogram onder in het venster met de bestandsnaam van de werkmap en de bestandsgrootte.

Nadat je de velden Aan, CC en Onderwerp hebt ingevuld en de bericht-tekst hebt ingevoerd, kun je het bericht met de werkmap verzenden door te klikken op de knop Verzenden in de werkbalk van het venster, door te drukken op Alt+S of door Bestand ➪ Verzenden te kiezen in de menubalk van het venster.

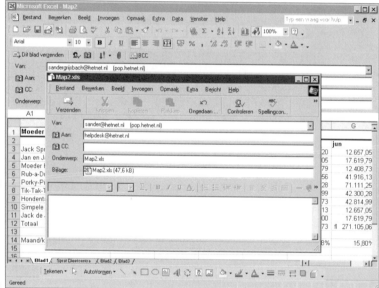

Figuur 10.20: Een werk-map verzen-den als bij-lage bij een e-mailbe-richt

Deel V
Het deel van de tientallen

The 5th Wave — By Rich Tennant

'Mijn vriendin heeft een spreadsheet van mijn leven gemaakt en dat heeft deze grafiek opgeleverd. Ik kan alleen maar hopen dat ze van haar studie computerwetenschappen overstapt op welzijnswerk.'

In dit deel...

*E*indelijk ben je aangekomen bij het leukste deel van dit boek, waarin alle hoofdstukken bestaan uit lijsten met de top 10 van Excel-tips over dit, dat en alles ertussenin. Je vindt in dit deel een hoofdstuk met de top 8 van nieuwe functies in Excel 2002 en de top 10 van basisbeginselen voor beginners. Als eerbetoon aan regisseur Cecil B. deMille, Mozes en een nog veel hogere macht bevat dit deel zelfs een hoofdstuk met de tien geboden van Excel 2002. Hoewel dit hoofdstuk niet in steen is geschreven, leidt het trouw opvolgen van deze geboden toch tot hemelse resultaten.

Hoofdstuk 11

De top 8 van nieuwe functies in Excel 2002

. . . .

Als je op zoek bent naar een kort overzicht van de nieuwe functies van Excel 2002, ben je hier op de goede plek: de officiële top 8 van nieuwe functies. Een vluchtige blik op deze lijst vertelt je dat de meeste nieuwe functies vooral te maken hebben met bewerkingen automatiseren van allerlei handelingen.

Voor het geval je geïnteresseerd bent in meer dan een korte beschrijving van elke functie, is bij elke functie een verwijzing toegevoegd naar de paragraaf en het hoofdstuk waarin de functie uitgebreider wordt behandeld.

8. **Een werkblad automatisch opnieuw als webpagina publiceren telkens wanneer je wijzigingen in het werkmapbestand opslaat:** dankzij de functie Automatisch opnieuw publiceren is het heel eenvoudig de wijzigingen die je aanbrengt in grafieken en tabellen te publiceren. Plaats een vinkje in het selectievakje Automatisch opnieuw publiceren in het dialoogvenster Publiceren als webpagina zodra je de werkmap voor de eerste keer opslaat. Hierna zal Excel de automatisch de nieuwe informatie opslaan in de webpagina wanneer je de bewerkingen in de werkmap opslaat door Bestand ⇨ Opslaan te kiezen. Zie hoofdstuk 10 voor details.

7. **Hulp in Excel krijgen door een vraag te typen in het vak Typ een vraag op de menubalk:** in Excel kun je heel gemakkelijk hulp vragen. Klik op het vak Typ een vraag, typ een vraag en druk op Enter. Excel geeft nu een snelmenu weer met potentieel relevante helponderwerpen. Zie hoofdstuk 1 voor meer informatie over deze functie.

6. **De plakopties aanpassen nadat je een selectie hebt gekopieerd of gevuld met de vulgreep:** met deze handige nieuwe Excel-functie kun je een cellenbereik kopiëren of vullen met de vulgreep, waarna je nieuwe opties kunt toepassen op de celselectie. Wanneer Excel bijvoorbeeld automatisch een waarde naar een cellenbereik kopieert, kun je de kopieën omzetten in een gevulde serie waarden door de optie Doorvoeren te selecteren in het menu Plakopties. Wanneer Excel automatisch een serie waarden doorvoert, kun je dit wijzigingen in een kopie van de eerste waarde door de optie Cellen kopiëren te selecteren in het menu Plakopties. Hetzelfde pictogram (Plakopties) verschijnt wanneer je objecten plakt die je naar Windows-klembord hebt geknipt of gekopieerd. In hoofdstuk 4 vind je meer informatie.

5. **Werkmapbestanden die je wilt bewerken, zoeken in het taakvenster Zoeken:** dit gave nieuwe taakvenster biedt je de mogelijkheid direct te zoeken naar werkmapbestanden die je wilt bewerken. Je kunt het taakvenster Zoeken gebruiken om allerlei bestandstypen te zoeken, van eenvoudige zoekacties tot complexe zoekacties. Meer informatie over het gebruik van het taakvenster Zoeken om werkmappen te zoeken en te openen, vind je in hoofdstuk 4.

4. **Dingen bekijken en invoegen van het Windows-klembord vanuit het taakvenster Klembord:** het taakvenster Klembord verschijnt automatisch wanneer je twee of meer objecten naar het klembord kopieert. In dit taakvenster zie je een visuele weergave van alle objecten (maximaal de laatste 24) die je naar het klembord hebt geknipt (Bewerken ➪ Knippen) of gekopieerd (Bewerken ➪ Kopiëren). Je plakt een object vanuit het taakvenster Klembord in de huidige cel op het werkblad door op het object in het taakvenster te klikken (zie hoofdstuk 4).

3. **Illustraties zoeken en invoegen vanuit het taakvenster Illustraties:** dit taakvenster verschijnt automatisch wanneer je Invoegen ➪ Figuur ➪ Illustraties kiest. Met behulp van trefwoorden kun je diverse illustratietypen zoeken die zijn opgeslagen als mediabestanden op je computer. De resultaten worden weergegeven in het taakvenster en je kunt erop klikken om een illustratie in te voegen in het huidige werkblad. Meer informatie vind je in hoofdstuk 8.

2. **Nieuwe en bestaande werkmappen openen vanuit het taakvenster Nieuwe werkmap:** als je Excel voor het eerst opent met een leeg werkblad, opent het programma automatisch het taakvenster Nieuwe werkmap aan de rechterzijde van het programmavenster. Je kunt de koppelingen in dit taakvenster gebruiken om een van de laatste vier geopende werkmapbestanden te openen. Ook kun je een nieuwe werkmap openen die gebaseerd is op een bestaan werkmapbestand of op een van de sjablonen. Meer informatie vind je in de hoofdstukken 1 en 4.

1. **Niet-opgeslagen bewerkingen opvragen met de functie Auto-Herstellen:** de handigste nieuwe functie in Excel 2002 is de mogelijkheid niet-opgeslagen gegevens op te vragen na een computercrash. De functie AutoHerstellen slaat automatisch elke tien minuten de wijzigingen in het geopende werkmapbestand op (mits je het bestand ten minste één keer handmatig hebt opgeslagen (Bestand ➪ Opslaan). Als de computer 'vastloopt', wordt de volgende keer dat je Excel start automatisch het taakvenster Document herstellen geopend (aan de linkerzijde van het programmavenster). In dit venster kun je de meest complete versie van het herstelde bestand vinden. Details over de functie AutoHerstellen vind je in hoofdstuk 2.

Hoofdstuk 12

De top 10 van basisbeginselen voor beginners

* *

*A*ls je alleen maar de volgende tien bewerkingen in Excel 2002 onder de knie hebt, lig je al een stuk voor op de concurrentie. Als puntje bij paaltje komt, bevat deze top 10-lijst alle basisvaardigheden die je nodig hebt om met succes te kunnen werken met Excel 2002:

10. **Excel 2002 starten vanaf de taakbalk van Windows:** klik op de knop Start, kies Programma's in het menu Start en kies Microsoft Excel in het menu Programma's.

9. **Excel 2002 automatisch starten en tegelijk de Excel 2002-werkmap openen die je wilt bewerken** (via Windows Verkenner of Deze computer): zoek de map met de Excel-werkmap die je wilt bewerken en dubbelklik op het bestandspictogram.

8. **Een deel van een werkblad weergeven dat niet op het scherm zichtbaar is:** gebruik de schuifbalken rechts van en onder het werkblad om nieuwe delen van het werkblad weer te geven. Terwijl je bladert, toont de scherminfo van de schuifbalk de letter van de kolom of het cijfer van de rij die linksboven in het werkblad wordt weergegeven wanneer je de muisknop loslaat.

7. **Een nieuwe werkmap (met drie lege werkbladen) maken:** klik op de knop Nieuw op de werkbalk Standaard (of kies Bestand ⇨ Nieuw of druk op Ctrl+N). Als je een nieuw werkblad wilt invoegen in een werkmap (omdat je meer dan drie bladen nodig hebt), kies je Invoegen ⇨ Werkblad of druk je op Shift+F11.

6. **Een geopende werkmap activeren en deze op het scherm weergeven (vóór alle andere geopende werkmappen):** open het menu Venster en selecteer de naam of het nummer van de gewenste werkmap. Als je een bepaald werkblad in de werkmap wilt weergeven, klik je op de tab van dat werkblad onder in het werkmapvenster. Je kunt meer tabs weergeven door te klikken op de schuifpijlen linksonder in het werkmapvenster.

5. **Gegevens in een werkblad invoeren:** selecteer de cel waarin je de informatie wilt invoeren en begin te typen. Wanneer je klaar bent, klik je op de knop Invoeren op de formulebalk of druk je op Tab, Enter of een van de pijltoetsen.

4. **De ingevoerde gegevens in een cel bewerken:** dubbelklik op de cel of plaats de celaanwijzer in de cel en druk op F2. Excel plaatst de invoegpositie aan het einde van de celinhoud. Wanneer je klaar bent met de bewerking, klik je op de knop Invoeren op de formulebalk of druk je op Tab, Enter of een van de pijltoetsen.

3. **Een van de vele opties in de menu's selecteren:** klik op de menunaam (op de menubalk) om het menu te openen en kies de optie in het menu. Als je een optie in een snelmenu wilt selecteren, klik je met de rechtermuisknop op het object (cel, werkbladtab, werkbalk, grafiek enzovoort).

2. **Een eerste kopie van je werkmap opslaan op schijf:** kies Bestand ⇨ Opslaan of Bestand ⇨ Opslaan als (of klik op de knop Opslaan op de werkbalk Standaard of druk op Ctrl+S). Selecteer het station en de map waarin je het bestand wilt opslaan in de vervolgkeuzelijst Opslaan in, vervang de tijdelijke bestandsnaam MAP1.XLS in het vak Bestandsnaam door de gewenste naam (van maximaal 255 tekens, inclusief spaties) en klik op Opslaan. Als je later wijzigingen in de werkmap wilt opslaan, klik je op de knop Opslaan op de werkbalk Standaard (of kies je Bestand ⇨ Opslaan of druk je op Ctrl+S of Shift+F12).

1. **Excel afsluiten wanneer je klaar bent met het programma:** kies Bestand ⇨ Afsluiten, klik op de knop Sluiten van het programma of druk op Alt+F4. Als de geopende werkmap niet-opgeslagen wijzigingen bevat, vraagt Excel 2002 of je de werkmap wilt opslaan voordat je Excel sluit en terugkeert naar Windows. Voordat je de computer uitzet, moet je de optie Afsluiten in het menu Start selecteren om het besturingssysteem Windows af te sluiten.

Hoofdstuk 13

De tien geboden van Excel 2002

W anneer je werkt met Excel 2002, zul je merken dat er enkele geboden en verboden zijn die, wanneer je ze vroom opvolgt, het gebruik van het programma tot een hemels genot maken. De volgende tien geboden van Excel bevatten de voorschriften voor eeuwige gelukzaligheid in Excel:

10. **Gij zult uw werk op schijf bewaren** door wijzigingen vaak op te slaan (Bestand ➪ Opslaan of Ctrl+S). Als gij ontdekt dat gij neigt tot laksheid bij het opslaan van uw werk, schakel dan de invoegtoepassing Automatisch opslaan in (Extra ➪ Invoegtoepassingen en klik op het selectievakje Automatisch opslaan), waarna het programma uw werk met bepaalde tussenpozen automatisch opslaat.

9. **Gij zult uw werkmappen een naam geven** wanneer gij ze voor het eerst opslaat. Gebruik een bestandsnaam van niet meer dan 255 tekens, met inbegrip van spaties en allerhande vreemde tekens en symbolen. Onthoud goed in welke map gij het bestand opslaat, omdat gij de werkmap anders niet meer kunt terugvinden wanneer gij deze opnieuw nodig hebt.

8. **Gij zult de gegevens in een werkblad niet over te veel rijen en kolommen verspreiden**, maar in plaats daarvan tabellen bijeenhouden en geen kolommen en rijen overslaan, tenzij dit noodzakelijk is om de gegevens begrijpelijk te maken. Met dit alles bespaart gij computergeheugen.

7. **Gij zult alle Excel-formules beginnen met = (isgelijkteken).** Als gij echter voorheen hebt gewerkt met Lotus 1-2-3, wordt u dispensatie verleend en kunt gij formules beginnen met het plusteken (+) en functies met het teken @.

6. **Gij zult de gewenste cellen selecteren voordat gij een Excel-optie kiest die ge op de cellen wilt toepassen**, net zoals ge moet zaaien voor ge kunt oogsten.

5. **Gij zult de functie Ongedaan maken (Bewerken ⇨ Ongedaan maken of Ctrl+Z) gebruiken** direct nadat gij een fout in uw werkblad hebt gemaakt, zodat ge deze kunt herstellen. Als gij vergeet om direct Ongedaan maken te kiezen, moet gij de bewerking die gij ongedaan wilt maken selecteren in de vervolgkeuzelijst van de knop Ongedaan maken op de werkbalk Standaard. Elke bewerking die ge in deze lijst selecteert, maakt niet alleen die bewerking ongedaan, maar ook alle bewerkingen die eraan voorafgaan.

4. **Gij zult geen kolommen en rijen in een werkblad verwijderen of invoegen**, tenzij gij eerst hebt gecontroleerd of het onzichtbare deel van het werkblad geen gegevens bevat die hiermee worden gewist of verplaatst.

3. **Gij zult uw werkblad alleen afdrukken als gij eerst het afdrukvoorbeeld hebt bekeken (Bestand ⇨ Afdrukvoorbeeld)** en tevreden zijt over de pagina's en de aangebrachte pagina-einden. Klik op de knop Pagina-eindevoorbeeld ten einde te bekijken hoe Excel uw pagina-einden behandelt.

2. **Gij zult de manier waarop werkmappen opnieuw worden berekend wijzigen van Automatisch in Handmatig (Extra ⇨ Opties ⇨ Berekenen ⇨ Handmatig)** als de werkmap zo groot wordt dat Excel zo traag wordt als een dorstige kameel in de woestijn wanneer gij een bewerking in een van de werkbladen uitvoert. Wee echter, als gij het vinkje uit het selectievakje Herberekenen voor opslaan verwijdert wanneer gij handmatig berekenen inschakelt of het bericht Berekenen op de statusbalk negeert en niet op de knop Nu berekenen (F9) drukt voordat gij de werkbladgegevens afdrukt.

1. **Gij zult een voltooide werkmap met alle werkbladen erin beveiligen tegen verloedering en zondigheid** door de handen van anderen (Extra ⇨ Beveiliging ⇨ Werkmap beveiligen of Werkblad beveiligen). Als gij vermetel genoeg zijt om een wachtwoord toe te voegen aan de werkmapbeveiliging, wees dan op uw hoede dat gij het wachtwoord niet vergeet. Want voorwaar, de dag waarop gij het wachtwoord zijt vergeten, is de laatste dag waarop gij uw werkmap in welke gedaante dan ook hebt waargenomen.

Index